2026

한 권으로 끝내기

ADsP
with CorePrep 앱

데이터 분석 전문교육 기업
에이아이 에듀

머리말

오늘날 넘쳐나는 데이터는 종종 보석에 비유됩니다. 값비싼 보석도 처음에는 거친 원석으로 존재하며, 발굴과 가공을 통해 비로소 빛을 발하게 됩니다. 데이터 역시 적절한 분석과 처리 과정을 거쳐야 비로소 가치 있는 정보로 재탄생합니다. 최근 공공기관과 기업은 다양한 채널을 통해 방대한 데이터를 확보하게 되었고, 이를 전문적으로 분석·활용할 인력에 대한 수요 또한 꾸준히 증가하고 있습니다.

그러나 이러한 사회적 요구에도 불구하고, 데이터를 실무에 적용할 수 있도록 돕는 교육과정이나 관련 자격제도는 아직 충분하지 않습니다. 특히 비전공자들은 여러 교재를 참고하더라도 명확한 이해와 실질적인 답을 얻기 어려운 경우가 많습니다. 저자 또한 이러한 어려움을 잘 알고 있기에, 데이터 분석 기법 전반에 대한 지식과 더불어 국가공인 자격시험인 데이터 분석 (준)전문가 준비에 실질적인 도움이 될 수 있도록 이 책을 집필하였습니다.

이 도서는 기업 실무자뿐만 아니라 해당 분야로 진출하고자 하는 대학생·대학원생, 취업 준비생이 단기간 내 데이터 활용 역량을 강화하고 자격증을 취득할 수 있도록 구성되었습니다. 특히 비전공자의 이해를 돕기 위해 '확대경', '용어 정리' 코너, 문제와 해설을 별도로 수록하였으며, 자율 학습 시 약 1개월 안에 데이터 분석 전반을 학습할 수 있도록 체계적으로 분량을 조정하였습니다. 또한 학습 효율성을 높이기 위해 **이론, 요약, 문제 풀이**를 명확히 구분하여 배치하였습니다.

이 책을 활용하는 데 있어 몇 가지 학습 조언을 드립니다.

첫째, 1과목(데이터 이해)과 2과목(데이터 분석 기획)은 데이터 분석 개론에 해당합니다. 출제 범위가 비교적 정형화되어 있지만 변별력을 위해 지엽적인 문제가 종종 출제되므로, 이론 학습과 문제 풀이를 병행해야 합니다.

둘째, 3과목(데이터 분석)에서는 R 통계 패키지가 다소 낯설게 느껴질 수 있습니다. 이에 따라 교재에서는 R 함수와 스크립트를 상세히 설명하여 독학이 가능하게 하였으며, 예비 분석 전문가라면 반드시 R 활용 능력을 익힐 것을 권장합니다. 또한 학습자의 이해를 돕기 위해 별도의 R 기초과정 영상을 무료로 제공하여, 처음 접하는 분들도 단계별로 쉽게 따라올 수 있도록 지원하였습니다.

셋째, 지난 수년간 출제된 총 2,500문항의 기출문제를 체계적으로 분석하여 출제경향과 주요 개념을 정리하였으며, 단순한 문제 나열이 아니라 문제별 중요도와 난이도를 세분화하여 수험생들이 반드시 학습해야 할 핵심 내용을 한눈에 파악할 수 있도록 구성하였습니다.

이를 통해 수험생은 제한된 학습 시간 속에서도 효율성을 극대화할 수 있으며, 불필요한 학습 부담을 줄이고 실제 시험에서 높은 적중률을 기대할 수 있습니다. 또한 각 단원은 기출문제 해설뿐 아니라 관련 이론과 핵심 개념을 간결하고 명확하게 정리하여, 기초가 부족한 학습자도 쉽게 이해하고 응용할 수 있도록 하였습니다.

따라서 본 교재는 단순한 문제 풀이집을 넘어, 체계적인 학습 가이드이자 핵심 요약집으로서 수험생 여러분의 든든한 동반자가 될 것입니다. 출제 문제에 대한 깊이 있는 분석과 철저한 정리를 통해, 시험 합격은 물론이고 실제 데이터 분석 실무에서도 적용할 수 있는 사고력과 문제 해결 능력을 기를 수 있기를 바랍니다.

이번 교재가 세상에 나오기까지 많은 분의 도움과 성원이 있었습니다. 특히 (사)한국 오픈소스협회 김택완 대표님, 심호성 상근 부회장님, 김학준 팀장님, 신희준 책임 연구원께 깊은 감사를 드립니다. 한국오픈소스협회는 AI와 첨단 과학기술을 바탕으로 국방 디지털 인재 양성에 앞장서며, 미래를 준비하는 데 누구보다도 헌신적인 노력을 기울이고 있습니다. 세 분께서는 맡은 바 책임을 열정적으로 수행하시며 본 교재가 기획·집필되는 과정에서 큰 힘과 영감을 주셨습니다.
이 자리를 빌려 다시 한번 진심 어린 감사의 말씀을 드립니다.

김계철 드림

데이터 분석 준전문가(ADsP) 개요와 필요성

1. ADsP의 정의

- 데이터 분석 준전문가(ADsP: Advanced Data Analytics Semi-Professional)는 데이터 이해, 분석 기획, 데이터 분석 등 기본 직무를 수행할 수 있는 실무형 전문가를 말한다.

2. 데이터 분석의 중요성

- 데이터 활용은 생산성 향상, 고부가가치 창출, 고용 확대 등 국가 경제의 핵심 동력으로 부상하고 있다.
- 과학적 의사결정의 기반이 되는 데이터 분석은 기업의 수익 증대뿐 아니라 공공 부문에서도 사회적·경제적 파급 효과가 크다.

3. 글로벌 동향

- 미국, 유럽을 비롯한 주요 선진국들은 데이터 분석 시장의 주도권을 확보하기 위해 전문 인력의 확보와 양성에 국가 차원의 투자를 확대하고 있다.
- 특히, AI·빅데이터·클라우드 기술과 결합한 데이터 분석 역량을 국가 경쟁력의 핵심으로 보고 있으며, 국제 표준화와 윤리·보안 규범 정립에도 적극적이다.
- 2025년 현재, 글로벌 기업들은 데이터 분석 전문가를 AI·자동화 도구와 협업할 수 있는 고급 인재로 정의하며, 단순 분석 역량을 넘어 의사결정·전략 수립 능력을 요구하고 있다.

4. 국내 현황과 과제

- 우리나라는 여전히 데이터 전문가 양성 체계의 구조적 한계가 지적되고 있다. 대학 및 직업교육 과정에서 데이터 분석 실무 역량을 충분히 확보하기 어려워, 산업 현장의 수요와 인재 공급 간 미스매치가 발생하고 있다.

- 2025년 현재, 정부와 민간은 데이터 분석 인재 양성을 위한 다양한 정책과 자격제도를 마련했으나, 여전히 전문가 수준의 실무형 인재 부족이 산업계 전반의 디지털 전환 속도를 저해하는 요인으로 작용하고 있다.

- 따라서, 공공·민간 분야 모두에서 객관적이고 표준화된 데이터 분석 능력 검증 체계가 절실하다. 특히, AI 윤리, 데이터 보안, 프라이버시 보호 등 새로운 요구를 반영한 인재 양성이 핵심 과제로 대두되고 있다.

- 나아가, 데이터 분석 전문가는 단순 분석 역량을 넘어 AI 기반 의사결정 지원, 산업별 맞춤형 데이터 활용 전략 수립까지 수행할 수 있어야 하며, 이는 국가 경쟁력 확보와 직결된다.

이 도서의 활용방법

각 과목의 도입부

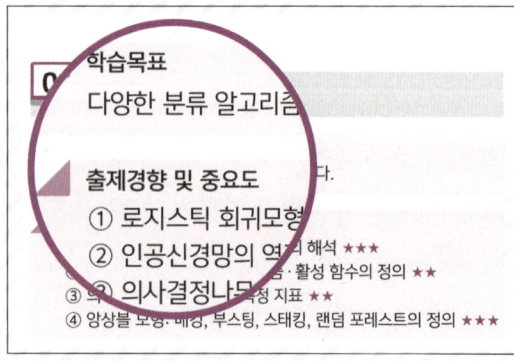

- 출제경향에 맞춘 학습: 중요도를 기반으로 공부하여 효율적인 학습 가능
- 학습 난이도 조절: 중요도(★/★★)를 참고해 필수 영역부터 학습하고, 이후 심화 학습으로 확장

출제유형 제공

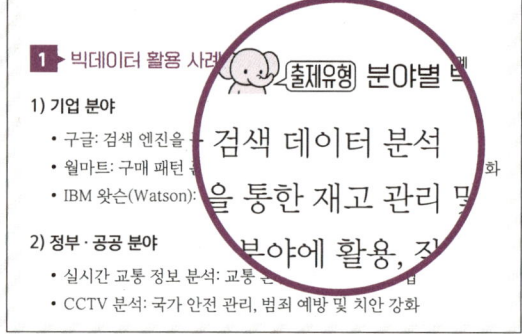

- 실제 시험과의 연계성 강화
- 출제된 문제 형식을 그대로 보여주어, 학습한 개념이 실제 시험 문제에서 어떻게 변형·응용되는지 확인
- 최근 기출 및 예상 유형을 통해 시험 출제 방향을 미리 파악하고, 학습 우선순위를 조정

출제 유형 기출 풀이

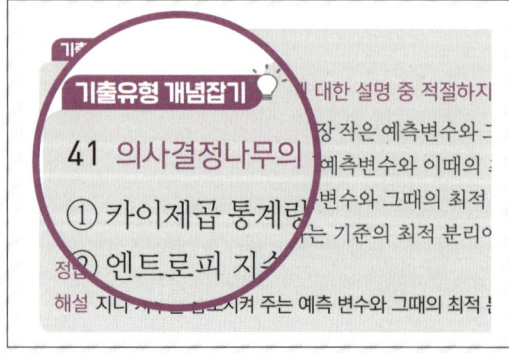

- 문제 접근 방식 훈련
- 단순 암기에 그치지 않고, 학습한 개념이 실제 문제에서 어떻게 활용되는지 즉시 확인
- 기출문제 풀이가 곧 복습이 되기 때문에, 학습 효율성을 극대화

확대경

- 핵심 개념의 명확화
- 본문에서 간단히 언급된 개념을 더 구체적인 정의, 배경지식, 관련 사례로 보완하여 학습자의 혼동을 감소
- 어려운 이론이나 전문 용어를 친숙한 비유나 쉬운 설명으로 풀어내 수험생이 쉽게 이해할 수 있도록 도움

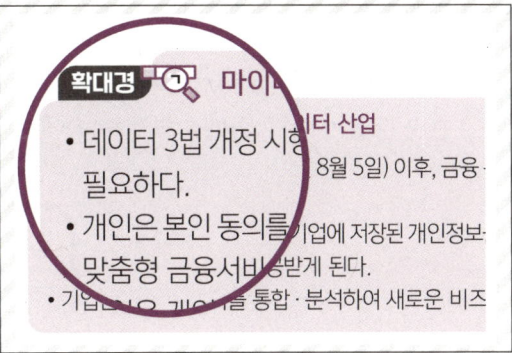

용어 정리

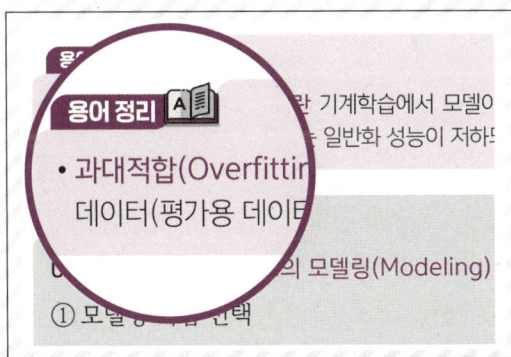

- 낯선 개념의 이해도 향상
- 이론 속에서 스쳐 지나가기 쉬운 전문 용어를 따로 정리하여, 학습자가 용어의 의미를 명확히 파악
- 시험에서는 용어의 정의나 구분을 직접 묻는 경우가 많으므로, 용어 정리 코너가 출제 대비

토픽 모델링(군집화) · NLP(자연어 처리) 적용된 실전 문제집

- 효율적인 학습 시간 관리
- 출제 빈도가 높고 중요도가 큰 문제를 우선 학습할 수 있어, 제한된 시간을 효과적으로 활용
- 체계적인 난이도 조절
- 난이도에 따라 문제를 단계적으로 풀어보면서 기초 개념에서 심화 문제까지 자연스럽게 실력을 쌓을 수 있음

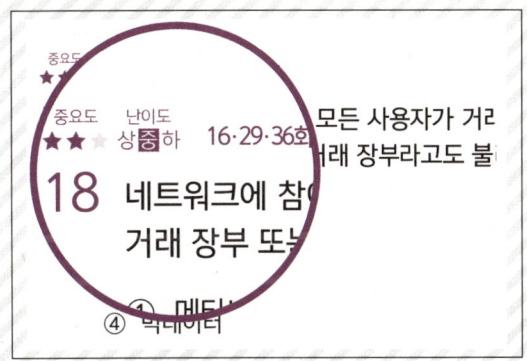

ADsP CorePrep(코어프렙) 활용방법

1. **범위 · 우선순위 · 난이도까지, 한 번에 맞춤 학습**
   - 도서의 각 단원과 연계되어, 원하는 파트만 선택해 집중 학습이 가능
   - AI 기반 토픽 모델링(군집화)을 통해 2000여 개의 기출문제를 주제별로 자동 분류하여, 단순 나열이 아닌 출제경향 맥락 속에서 학습

2. **ADsP 수험생을 위한 쪽집게 강의 제공**
   - 대상: 시험 직전 막판 정리 수험생
   - 목적: 출제 빈도가 높은 개념과 기출 포인트만 집중 학습
   - 형식: 짧고 압축된 요약 강의

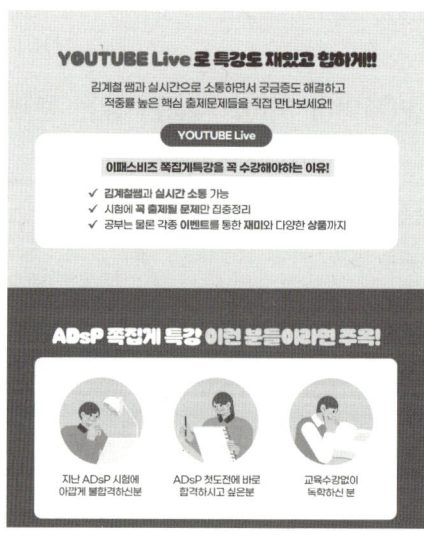

3. 요약 강의 · 요약 PDF 제공
   - 2025년 시험 출제 포인트를 반영한 요약 강의를 통해 가장 최근 출제 경향을 빠르게 학습
   - 방대한 교재 내용을 모두 다시 보는 대신, 중요도 높은 개념과 빈출 영역만 압축 정리하여 단시간에 학습 효과를 극대화

4. 2026년 기출문제 제공
   - 수험생이 최신 기출문제를 확인하기 위해 별도의 도서를 추가 구매할 필요가 없음
   - 교재와 연계된 앱을 통해 최신 기출까지 제공하므로, 학습자는 이 도서 하나만으로 체계적 학습과 최신 경향 파악이 가능

차례

1과목 데이터 이해

1장 데이터의 이해 — 14
01 데이터와 정보 — 14
02 데이터베이스 정의와 특징 — 21
03 데이터베이스 활용 — 29

2장 데이터의 가치와 미래 — 34
01 빅데이터의 이해 — 34
02 빅데이터의 가치와 영향 — 40
03 비즈니스 모델 — 43
04 위기 요인과 통제 방안 — 47
05 미래의 빅데이터 — 53

3장 가치창조를 위한 데이터 사이언스와 전략 인사이트 — 55
01 빅데이터 분석과 전략 인사이트 — 55
02 전략 인사이트 도출을 위한 필요 역량 — 58
03 빅데이터 그리고 데이터 사이언스의 미래 — 64

2과목 데이터 분석 기획

4장 데이터 분석 기획의 이해 — 68
01 분석 기획 방향성 도출 — 68
02 분석 방법론 — 73
03 분석 과제 발굴 — 87
04 분석 프로젝트 관리 방안 — 102

5장 분석 마스터플랜 — 107

01 마스터플랜 수립 — 107
02 분석 거버넌스 체계 수립 — 114

3과목 데이터 분석

6장 R 기초와 데이터 마트 — 134

01 R 기초 — 134
02 데이터 마트 — 148
03 결측값 처리와 이상값 검색 — 153

7장 통계분석 — 160

01 통계학 개론 — 160
02 기초 통계분석 — 186
03 다변량분석 — 205
04 시계열 예측 — 218

8장 정형 데이터 마이닝 — 229

01 데이터 마이닝 — 229
02 모형평가 — 233
03 분류분석 — 243
04 군집분석 — 270
05 연관분석 — 286

데이터 이해

1과목

- 1장 데이터의 이해
- 2장 데이터의 가치와 미래
- 3장 가치 창조를 위한 데이터 사이언스와 전략 인사이트

출제 방향

- ADsP 1과목 데이터 이해는 적정 수준의 변별력을 확보하기 위해 시사적인 내용까지 출제되고 있다.
- 이에 대비하기 위해서는 데이터 분석 관련 용어의 확장, 더 나아가 이와 관련된 시각적 표현 및 분석 결과의 재해석 능력이 필요하다.
- 최근 ADsP 출제경향을 살펴보면, 기출문제 유형이 60% 이상을 구성한다.
- 따라서 본 교재에 수록된 출제 유형을 충분히 학습하고, 문제 풀이와 해설을 통해 반복적으로 복습한다면, 합격을 위한 핵심 전략 과목으로 역할을 충분히 수행할 수 있다.

과목 구성

1장 데이터의 이해
 01 데이터와 정보
 02 데이터베이스 정의와 특징
 03 데이터베이스 활용

2장 데이터의 가치와 미래
 01 빅데이터의 이해
 02 빅데이터의 가치와 영향
 03 비즈니스 모델
 04 위기 요인과 통제 방안
 05 미래의 빅데이터

3장 가치 창조를 위한 데이터 사이언스와 전략 인사이트
 01 빅데이터 분석과 전략 인사이트
 02 전략 인사이트 도출을 위한 필요 역량
 03 빅데이터 그리고 데이터 사이언스의 미래

1장 데이터의 이해

01 데이터와 정보

학습목표
데이터를 올바르게 이해하고, 데이터와 정보의 관계를 설명할 수 있다.

출제경향 및 중요도
① 데이터의 정의 ★
② 정성적 및 정량적 데이터의 정의 ★
③ 암묵지와 형식지의 상호작용 및 정의 ★
④ DIKW 정의 및 사례 ★★

1 데이터의 정의 〔출제유형〕 존재적 특성과 당위적 특성 차이

- '데이터(Data)'라는 용어는 1646년 영국 문헌에 처음 등장한 것으로 알려져 있다. 어원은 라틴어 dare(주다, to give)의 과거 분사형에서 비롯되었으며, 본래 '주어진 것(given)'이라는 의미로 사용되었다.
- 옥스퍼드 사전에서는 데이터를 추론과 추정의 근거가 되는 사실로 정의한다. 데이터는 단순히 개별적 객체로서의 가치만 지니는 것이 아니라, **다른 객체와의 상호 관계 속에서** 의미와 가치를 지닌다고 설명한다.
- 데이터의 특성은 다음과 같이 두 가지로 정리할 수 있다.
  ① 데이터는 '**객관적 사실(fact)**'이라는 존재적 특성을 가진다.
     → 개별 데이터 자체만으로는 **의미가 크지 않은, 객관적인 사실을** 의미한다.
  ② 데이터는 '**추론·예측·전망·추정을 위한 근거(basis)**'라는 당위적 특성을 가진다.
     → 이는 데이터가 다른 객체와의 관계 속에서 가치를 획득한다는 뜻이다.

기출유형 개념잡기

01 다음 중 데이터의 정의에 관한 설명으로 가장 적절하지 않은 것은? [16회 출제]

① 데이터는 객관적 사실이다.
② 데이터는 추론과 추정의 근거가 되는 사실이다.
③ 개별 데이터 자체로는 의미가 중요한 객관적 사실이다.
④ 데이터는 단순한 객체로서의 가치뿐만 아니라, 다른 객체와의 상호 관계 속에서 가치를 갖는다.

정답 ③
해설 개별 데이터 자체는 중요하지 않은 객관적 사실이다.

2 데이터의 유형
출제유형 '정성적 vs 정량적' 개념 구분

구분	정성적 데이터(Qualitative Data)	정량적 데이터(Quantitative Data)
형태	• 언어, 문자, 범주 등	• 수치, 도형, 기호 등
예시	• 품질, 만족도 등 주관적 측면	• 나이, 몸무게 등 객관적 수치
특징	• 주로 속성이나 범주를 구분	• 크기, 양, 비율 등 수치화 가능
분석 방법	• 내용 분석, 범주화, 질적 해석	• 통계 분석, 수리적 계산 가능

1) 정량적 데이터(Quantitative Data)

- 정량적 데이터는 자료를 수치화하여 표현하는 데이터 유형이다.
- 크기, 양, 비율 등과 같이 숫자로 직접 측정하거나 계산할 수 있는 특성을 가진다.
- 대표적인 예로는 나이, 몸무게, 매출액, 주가 등이 있다.

2) 정성적 데이터(Qualitative Data)

- 정성적 데이터는 자료의 성질과 특징을 설명하는 데이터 유형이다.
- 숫자나 금액으로 직접 측정하거나 환산하기 어려운 특성을 가진다.
- 대표적인 예로는 만족도, 선호도, 품질, 태도 등이 있다.

기출유형 개념잡기

02 아래 보기의 데이터 유형을 무엇이라 하는가?

> 지역별 온도, 풍속, 강우량과 같이 수치로 명확하게 표현되는 이것은 데이터의 양이 크게 증가하더라도 이를 관리하는 시스템에 저장·검색·분석하여 활용하기가 매우 용이하다.

① 정성적 데이터(Qualitative Data)
② 정량적 데이터(Quantitative Data)
③ 범주형 데이터(Categorical Data)
④ 서술적 데이터(Descriptive Data)

정답 ②

해설
- 지역별 온도, 풍속, 강우량은 모두 수치로 측정할 수 있는 데이터로, 정량적 특성을 가진다.
- **정량 데이터(Quantitative Data)**는 크기, 양, 비율 등을 수치로 직접 표현할 수 있기 때문에, 데이터 양이 증가하더라도 데이터베이스 관리, 검색, 통계 분석, 기계 학습 등에 활용하기가 쉽다.
- **정성 데이터(Qualitative Data)**는 만족도, 선호도, 태도처럼 수치화가 어렵고 주관적 성격이 강하다.
- 이러한 특성 때문에 정성적 데이터는 분석 과정에서 코딩(coding), 내용 분석(content analysis), 텍스트 마이닝(text mining) 등의 추가 절차가 필요하며, 그에 따라 분석 난이도가 높고 비용과 시간이 더 많이 소요되는 경우가 많다.

3 지식경영 핵심 이슈   출제유형 암묵지와 형식지의 개념 구분

- 지식의 차원에 널리 활용되고 있는 구분은 Polanyi(1966)가 제시한 **암묵지(tacit knowledge)**와 **형식지(explicit knowledge)**이다.
- **암묵지**: 학습과 체험을 통해 개인에게 습득되지만, 겉으로 드러나지 않는 상태의 지식이다.
  예 관찰, 모방, 현장 작업과 같은 경험을 통해 획득하는 지식
- **형식지**: 암묵지가 문서나 매뉴얼처럼 외부로 표출되어 여러 사람이 공유할 수 있는 지식이다.
  예 책, 설계도, 매뉴얼과 같은 체계화된 자료를 통해 획득하는 지식
- 따라서 **데이터는 지식경영의 핵심 이슈인 암묵지와 형식지의 상호작용을 매개하는 역할**을 한다.

1) 암묵지와 형식지의 상호작용(SECI 모델)   출제유형 암묵지와 형식지의 상호작용 구분

- **공통화(Socialization)**: 개인의 **암묵지**(경험, 노하우)를 다른 사람과 공유하는 과정
  예 관찰, 모방, 현장 실습 등을 통해 전수
- **표출화(Externalization)**: **암묵지**를 문서, 매뉴얼, 교본 등과 같은 **형식지**로 전환하는 과정
  예 노하우를 매뉴얼, 보고서, 교육 자료로 기록

- **연결화(Combination)**: 이미 존재하는 **형식지**에 새로운 지식이나 정보를 추가·재구성하는 과정
  - 예 보고서, 데이터베이스, 문헌을 결합하여 새로운 매뉴얼 작성
- **내면화(Internalization)**: **형식지**를 학습·적용하여 개인의 **암묵지**로 흡수하는 과정
  - 예 매뉴얼, 교재를 학습하고 실무에 적용해 자신의 경험적 지식으로 내재화

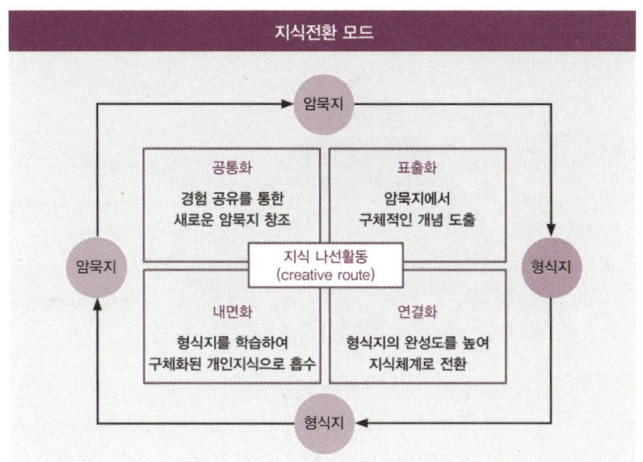

- 위와 같이 **개인의 암묵지와 집단의 형식지**가 나선형으로 회전하며 **생성·발전·전환**되는 과정을 기반으로 하는 기업의 경영 방식을 지식경영(Knowledge Management)이라 한다.

기출유형 개념잡기

03 다음 중 암묵지(tacit knowledge)가 아닌 것은? [19회 출제]

① 김장 김치 담그기의 노하우
② 암묵지는 개인에게 체화되어 있어서 공유하기 어렵다.
③ 현장 작업과 같은 경험을 통해 획득할 수 있는 지식
④ 회계·재무 관련 대차대조표 매뉴얼과 같은 문서화된 지식

정답 ④
해설
- ①, ②, ③: 암묵지의 특징을 잘 설명한다. 암묵지는 개인의 경험과 학습을 통해 체득되며, 언어나 문서로 표현하기 어려운 지식이다.
- ④: 매뉴얼, 교과서, DB와 같이 **문서화·체계화된 지식은 형식지(explicit knowledge)**에 해당한다.

용어 정리 — 콘텐츠(Content)란

- 암묵지(tacit knowledge)나 형식지(explicit knowledge)와 같은 지식을 전달하기 위한 표현 수단 또는 매체를 의미한다.
- 텍스트, 이미지, 영상, 오디오 등 다양한 형태로 존재한다.
- 내부에 지식·정보·데이터가 포함되어 지식 전달의 도구 역할을 한다.

4 데이터와 정보의 관계 〔출제유형〕 DIKW 정의 및 사례

- 데이터는 추론, 예측, 전망, 추정을 위한 **근거의 기능**을 지니며, 이러한 당위적 특성에 주목하여 데이터와 정보의 관계를 살펴볼 필요가 있다.
- DIKW 피라미드(Data-Information-Knowledge-Wisdom)는 데이터, 정보, 지식을 거쳐 최종적으로 지혜(Wisdom)에 도달하는 과정을 **계층적 구조**로 설명한다.

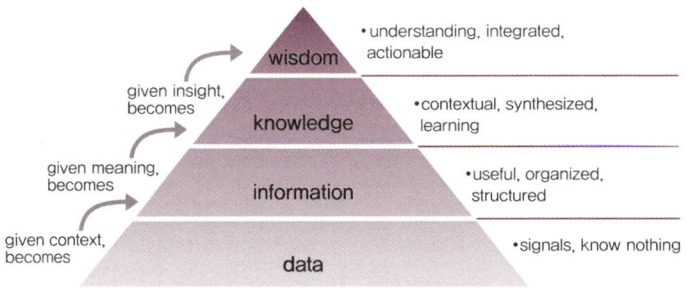

1) 데이터(Data)
- 데이터는 가공되지 않은 객관적인 사실로, 개별적으로는 의미가 크지 않다.
- 존재 형식을 불문하며, 다른 데이터와의 상관관계가 없는 **순수한 수치나 기호**를 의미한다.
- 예 A 마트에서 연필 가격은 100원, B마트에서 연필 가격은 200원이다.

2) 정보(Information)
- 데이터를 가공하거나 상관관계를 이해하여 **패턴을 인식하고 의미를 부여**한 결과이다.
- 예 A 마트의 연필 가격이 B마트보다 더 싸다.

3) 지식(Knowledge)
- 여러 정보의 패턴을 상호 연결하여 이해하고, 이를 토대로 **판단이나 예측**을 내릴 수 있는 상태이다.
- 예 상대적으로 저렴한 A 마트에서 연필을 사야겠다.

4) 지혜(Wisdom)
- 근본 원리에 대한 깊은 이해를 바탕으로, 통찰과 **아이디어를 도출하는 단계**이다.
- 예 A 마트의 연필이 싸다면, 다른 상품들도 B마트보다 저렴할 가능성이 크다.

기출유형 개념잡기

04 데이터의 가공 및 처리, 그리고 데이터 간의 연관관계 속에서 의미가 도출된 것을 무엇이라 하는가?

[14회 출제]

① 지식(Knowledge)
② 정보(Information)
③ 데이터(Data)
④ 지혜(Wisdom)

정답 ②

해설 정보(Information): 데이터를 가공·처리하고 상호 연관관계를 파악하여 의미를 부여한 것이다.

기출유형 개념잡기

05 다음 중 DIKW의 계층적 구성 요소에 해당하지 않는 것은?

[13회 출제]

① 지혜(Wisdom)
② 정보(Information)
③ 데이터(Data)
④ 아이디어(Idea)

정답 ④

해설 DIKW 피라미드는 데이터(Data) → 정보(Information) → 지식(Knowledge) → 지혜(Wisdom)의 4단계 계층 구조를 설명한다.

기출유형 개념잡기

06 다음 데이터의 유형은 정성적 데이터(Qualitative Data)와 정량적 데이터(Quantitative Data)로 분류된다. 아래 보기에서 성격이 다른 것은?

[15회 출제]

① 풍향
② 습도
③ 기상특보
④ 1시간 강수량

정답 ③

해설 풍향, 습도, 시간당 강수량은 기상 관측 수치와 관련된 데이터이나, 기상특보는 상황을 알리는 질적 분류 데이터로서 정성적 데이터에 해당한다.

기출유형 개념잡기

07 DIKW 피라미드 계층 구조에서 지식(Knowledge)에 해당하는 것은? [15회 출제]

① A 마트는 연필을 100원, B마트는 200원에 판매한다.
② A 마트의 연필 가격이 더 싸다.
③ 상대적으로 저렴한 A 마트에서 연필을 사야겠다.
④ A 마트의 다른 상품들도 B마트보다 저렴할 것으로 판단한다.

정답 ③

해설 지식(Knowledge): 여러 정보를 종합·이해하고 판단·행동으로 이어지는 결과이다.

기출유형 개념잡기

08 다음 보기는 암묵지와 형식지의 상호작용에 관한 설명이다. 알맞게 연결된 것은? [17회 출제]

1단계: 암묵적 지식 노하우를 다른 사람에게 알려주는 것 → ( )
2단계: 암묵적 지식 노하우를 책이나 교본 등 형식지로 만드는 것 → ( )
3단계: 책이나 교본(형식지)에 자신이 알고 있는 새로운 지식(형식지)을 추가하는 것 → ( )
4단계: 만들어진 책이나 교본(형식지)을 보고 다른 직원들이 암묵적 지식(노하우)을 습득 → ( )

① 공통화 → 표출화 → 연결화 → 내면화
② 표출화 → 공통화 → 연결화 → 내면화
③ 연결화 → 내면화 → 공통화 → 표출화
④ 내면화 → 공통화 → 연결화 → 표출화

정답 ①

해설 SECI 모델은 개인의 암묵지를 다른 사람과 공유하는 공통화(Socialization) → 암묵지를 교본·매뉴얼 등 형식지로 전환하는 표출화(Externalization) → 여러 형식지를 결합·체계화하여 새로운 형식지를 창출하는 연결화(Combination) → 형식지를 학습하여 개인의 암묵지로 체화하는 내면화(Internalization)의 순환 과정을 의미한다.

02 데이터베이스 정의와 특징

학습목표
데이터베이스 정의 및 특징을 알아본다.

출제경향 및 중요도
① 데이터베이스 정의★
② 데이터베이스 관리시스템(DBMS) 정의★
③ 데이터베이스 설계 절차★
④ 데이터웨어하우스, 데이터 마트구분★★
⑤ 데이터웨어하우스의 특징★
⑥ 데이터베이스의 특징과 특성★★

1 데이터베이스 용어의 연혁

연도	주요 내용
1950년대	• 미국 정부가 전 세계에 산재한 자국 군대의 군비 상황을 집중 관리하기 위하여 컴퓨터 기술로 구현한 도서관 설립에서 비롯, 이때 수집된 자료를 일컫는 '데이터(data)의 기지(base)'라는 뜻으로 데이터베이스가 탄생
1960년대	• 미국 SDC가 개최한 심포지엄에서 데이터베이스라는 용어가 공식적으로 사용 • 시스템을 통한 체계적 관리와 저장 등의 의미를 담은 '데이터베이스 시스템'이라는 용어가 등장
1970년대	• 유럽에서 데이터베이스라는 단일어가 일반화됨 • CAC가 한국 과학기술 정보센터를 통해 서비스되면서 우리나라에서 데이터베이스 이용이 도입됨
1980년대	• 'TECHNOLINE'이라는 온라인 정보검색 서비스를 개시하여 본격적인 데이터베이스 서비스 시대를 맞이함 • 국내의 데이터베이스 관련 기술의 연구·개발은 1980년대 중반부터 시작되어 오늘에 이르고 있음

2 데이터베이스 정의 출제유형 DB와 DBMS 개념 구분

1) 데이터베이스(Database)란

- 동시에 복수의 적용 업무를 지원할 수 있도록, 복수 이용자의 요구에 대응하여 데이터를 받아들이고 저장·공급하기 위하여 일정한 구조에 따라 "편성된 데이터의 집합", 또는 "관련된 레코드의 집합"을 의미한다.

2) 데이터 독립성(Data Independence)

- 데이터베이스는 응용 프로그램과 분리된 독립적인 저장소로, 데이터를 저장하고 보존하는 데 초점이 맞추어져 있다.

3) 데이터베이스 관리 시스템(DBMS, Database Management System)
- 데이터베이스를 더 쉽게 구축·유지하며, 데이터를 효율적으로 관리할 수 있도록 설계된 **소프트웨어를 의미**한다.

4) DBMS의 주요 기능
- 데이터 삽입(Insert), 삭제(Delete), 갱신(Update), 검색(Retrieve) 기능 제공
- 데이터의 무결성(Integrity)과 보안(Security) 유지

3 데이터베이스 특징 [출제유형] 데이터베이스 특징 구분

1) 통합된 데이터(Integrated Data)
→ 동일한 내용의 데이터가 **중복되지 않도록** 관리한다.

2) 저장된 데이터(Stored Data)
→ 자기 디스크, 자기 테이프 등 컴퓨터가 **접근할 수 있는 저장 매체**에 보관된다.

3) 공용 데이터(Shared Data)
→ 여러 사용자가 **서로 다른 목적을** 가지고 공동으로 활용할 수 있다.

4) 변화되는 데이터(Changed Data)
→ 새로운 데이터의 추가, 기존 데이터의 삭제·갱신으로 항상 변화하지만, **동시에 최신의 정확한 상태를 유지해야** 한다.

> **확대경** 데이터베이스와 무결성의 관계
> 무결성이란, 데이터베이스에 저장된 데이터가 정확하고(valid), 일관되며(consistent), 유효하게(valid) 유지되도록 보장하는 성질을 말한다.

4 데이터베이스의 특성 [출제유형] 데이터베이스 특성 구분

1) 정보의 축적 및 전달 측면
→ 대량의 정보를 기계가 읽고 쓸 수 있는 **기계 가독성**을 가지며, 필요한 정보를 쉽게 찾을 수 있는 검색 가능성과 원거리에서도 온라인으로 활용할 수 있는 **원격 조작성**을 갖는다.

2) 정보 이용 측면
→ 이용자의 요구에 따라 다양한 정보를 **신속**하고 **경제적으로 획득**할 수 있다.

3) 정보 관리 측면
→ 방대한 양의 정보를 **체계적으로 축적**하고, 새로운 내용을 **추가·갱신**하기가 쉽다.
  정보기술 발전 측면
→ 데이터베이스는 정보처리, 검색, 관리 소프트웨어 등과 함께 **네트워크 기술 발전**을 견인하는 역할을 한다.

4) 경제·산업적 측면
→ 데이터베이스는 **사회·산업 인프라**로서 기능하며, 경제·산업·사회 활동의 **효율성을 제고**하고 국민의 **편의를 증진**한다.

5 데이터베이스 관리시스템(DBMS) 등장 배경

- 과거에는 파일 시스템(File System)을 이용하여 데이터를 관리했으나, 응용 프로그램마다 별도의 파일을 관리하는 방식 때문에 여러 가지 문제가 발생하였다.

1) 데이터 중복성 문제
- 동일한 내용의 데이터가 여러 파일에 중복으로 저장되었고, 응용 프로그램이 데이터 파일에 종속되는 문제가 발생하였다.

2) 데이터 종속성(Data Dependency) 문제
- 응용 프로그램은 파일의 물리적 구조(데이터 구성 방식 및 저장 구조)에 맞게 작성되어야 했다.
- 따라서 파일 구조를 변경하면, 해당 파일을 사용하는 모든 응용 프로그램도 함께 수정해야 했다.
- 이러한 현상을 데이터 종속성이라고 한다.

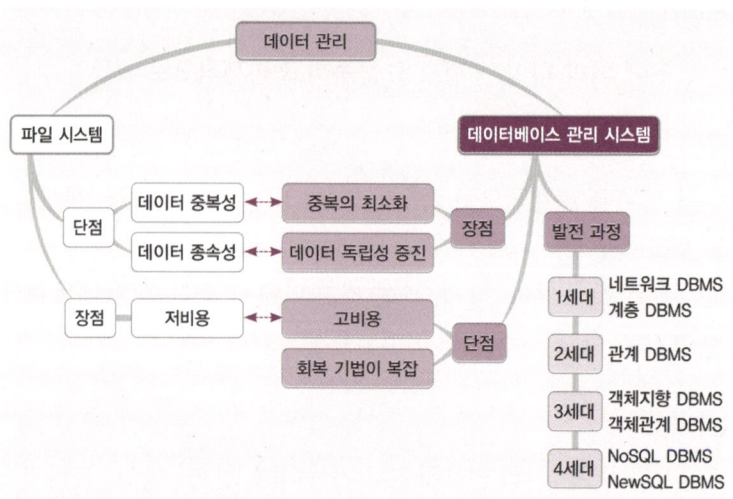

데이터베이스 관리 시스템의 등장 배경

6 데이터베이스 관리시스템(DBMS)의 발전 과정

1) 1세대: 네트워크 DBMS, 계층 DBMS
- 데이터 구조가 복잡하고 변경이 어렵다.

2) 2세대: 관계형(Relational) DBMS
- 데이터를 테이블(행과 열) 형태로 구성한다.
- 예 오라클(유료), 액세스(Access), MySQL(무료).

3) 3세대: 객체 지향(Object-Oriented) DBMS
- 멀티미디어 데이터가 늘어나면서 기존의 테이블 방식만으로는 표현하기 어려워졌다.
- 그래서 동일한 성질을 가진 데이터를 클래스(Class)라는 묶음에 넣고, 그 클래스가 할 수 있는 동작은 메소드(Method)라는 함수로 정의한다.
- 예 게임에서 객체 지향은 캐릭터라는 클래스에 공통 속성을 정의하고, 전사·마법사 같은 객체가 서로 다른 공격 메소드를 수행하도록 구현하는 방식이다.

4) 4세대: NoSQL DBMS
- 미리 데이터 구조를 정하지 않아도 되므로 비정형 데이터를 저장·처리할 수 있다.
- 유연성, 확장성, 고성능을 갖추어 모바일, 웹, 게임 등 다양한 현대 애플리케이션에 적합하다.

- **예** 대표적인 NoSQL 데이터베이스로는 MongoDB(문서형), Redis · DynamoDB (키-값형), Cassandra · HBase(칼럼형), Neo4j(그래프형) 등이 있다.

7 데이터베이스 설계 절차   출제유형 데이터베이스 설계 순서

1) 요구조건 분석 및 명세서 작성
- 데이터베이스를 사용할 사용자, 사용 목적, 사용 범위, 제약조건 등을 체계적으로 분석한다.
- 분석 결과를 바탕으로 데이터베이스의 요구사항 명세서를 작성한다.

2) 개념적 설계(E-R 모델링)
- 수집된 요구사항을 추상적 개념으로 구조화하여 데이터 모델을 설계한다.
- 개념 스키마 모델링과 트랜잭션 모델링을 병행하며, DBMS에 독립적인 모델을 작성한다.
- 요구사항 분석 결과를 근거로 E-R 다이어그램(Entity-Relationship Diagram)을 도출한다.

3) 논리적 설계(데이터 모델링)
- 개념적 설계 결과를 특정 DBMS에서 이해할 수 있는 논리적 자료 구조로 변환한다.
- 관계형 DBMS라면 테이블, 속성, 키, 관계 등을 구체적으로 정의한다.

4) 물리적 설계(데이터 구조화)
- 논리적 구조를 실제 저장 가능한 물리적 데이터 구조로 변환한다.
- 파일 구조, 인덱스, 저장 방식, 접근 경로 등을 설계하여 성능과 효율성을 고려한다.

8 데이터웨어하우스(Data Warehouse, DW)   출제유형 데이터웨어하우스 개념

1) 정의
- 데이터웨어하우스(DW)는 업무 트랜잭션을 처리하는 데이터베이스 시스템에서 사용자가 필요로 하는 **정보를 추출 · 가공**하여, 분석 목적에 맞게 구성한 **데이터베이스**이다.
- 이는 기존 데이터베이스에 저장된 방대한 업무 데이터를 어떻게 하면 효율적으로 활용할 수 있을지에 대한 관점에서 출발한 개념이다.

2) 데이터베이스와 데이터웨어하우스 비교

- 데이터베이스(DB)는 OLTP(On-Line Transaction Processing) 기반으로, **주로 업무 처리를 위한 데이터를 저장·관리한다.**
- 데이터웨어하우스(DW)는 OLAP(On-Line Analytical Processing) 기반으로, 기업이나 조직 내부의 다양한 소스에서 데이터를 중앙 집중화·통합하여 저장하고, 이를 **의사결정 지원과 분석에 활용한다.**

> **확대경** 데이터베이스 언어: SQL **출제유형** SQL 데이터 정의어(DDL) 명령어
>
> - SQL(Structured Query Language)은 관계형 데이터베이스(RDBMS)에서 가장 널리 사용되는 표준 질의어(Query Language)이다.
> - DW는 SQL을 통해 운영 DB에서 데이터를 수집·적재하고, 분석 질의 수행한다.
> - SQL은 기능에 따라 다음과 같이 크게 3가지 언어 집합으로 구분된다.
> ① 데이터 정의어(DDL: Data Definition Language)
>   - 데이터베이스 객체의 구조를 정의하는 언어
>   - CREATE: 테이블, 뷰, 인덱스 등을 생성
>   - ALTER: 기존 객체의 구조를 변경
>   - DROP: 객체를 제거
> ② 데이터 조작어(DML: Data Manipulation Language)
>   - 데이터를 실제로 다루는 데 사용되는 언어
>   - SELECT: 데이터 검색
>   - INSERT: 데이터 삽입
>   - UPDATE: 데이터 수정
>   - DELETE: 데이터 삭제
> ③ 데이터 제어어(DCL: Data Control Language)
>   - 데이터의 보안, 무결성, 권한 관리를 제어하는 언어
>   - GRANT: 사용자에게 권한 부여
>   - REVOKE: 사용자 권한 회수

3) 데이터웨어하우스의 특징 **출제유형** 데이터웨어하우스의 4가지 특징

(1) 데이터의 주제 지향성

- 데이터웨어하우스는 의사결정에 필요한 특정 주제와 관련된 데이터만을 유지하는 주제 지향적 특성을 갖는다.

(2) 데이터의 통합성

- 여러 데이터베이스에서 추출한 데이터를 일관된 상태로 통합하여 저장함으로써, 데이터의 통합성을 보장한다.

(3) 데이터의 시계열성

- 과거와 현재의 데이터를 동시에 보유하여, 시간에 따른 데이터 변화와 동향을 분석할 수 있도록 지원한다.
- 이는 단순히 데이터가 시간에 따라 변하는 것이 아니라, **시간의 흐름에 따른 모든 변경 이력**을 반영하여 분석할 수 있어야 함을 의미한다.

(4) 데이터의 비휘발성

- 일반 데이터베이스는 데이터 삽입, 삭제, 수정이 빈번히 일어나지만, 데이터웨어하우스는 주로 **읽기 전용 데이터로** 구성되어 있어, **데이터의 변경이 거의 없고** 안정적으로 유지된다.

기출유형 개념잡기

09 다음의 데이터베이스 설계 순서로 올바른 것은? [25회 출제]

① 요구사항 분석 → 개념적 설계 → 논리적 설계 → 물리적 설계
② 개념적 설계 → 요구사항 분석 → 논리적 설계 → 물리적 설계
③ 요구사항 분석 → 개념적 설계 → 물리적 설계 → 논리적 설계
④ 물리적 설계 → 개념적 설계 → 논리적 설계 → 요구사항 분석

정답 ①

해설 데이터베이스 설계 절차는 요구사항 분석 → 개념적 설계 → 논리적 설계 → 물리적 설계 → 구현순으로 진행한다.

기출유형 개념잡기

10 데이터베이스 시스템에서 의사결정에 필요한 데이터를 미리 추출하여 원하는 형태로 변환하고 통합한 읽기 전용의 데이터 저장소를 무엇이라 하는가? [17회 출제]

① 데이터웨어하우스
② 관계형 데이터베이스
③ 데이터 마트
④ 온라인 분석 처리 시스템

정답 ①

해설 데이터웨어하우스(Data Warehouse)는 데이터베이스 시스템에서 사용자들이 필요로 하는 정보를 추출·가공·통합하여, 읽기 전용의 형태로 저장해 두는 업무 분석 및 의사결정 지원용 데이터베이스이다.

기출유형 개념잡기

11 데이터웨어하우스의 고유 특성이 아닌 것은? [20회 기출]

① 데이터웨어하우스는 기업 내 의사결정 지원 애플리케이션을 위한 정보를 제공하는 하나의 통합된 데이터 저장 공간이다.
② ETL은 주기적으로 내부 및 외부 데이터베이스로부터 정보를 추출하고, 정해진 규약에 따라 정보를 변환한 후 데이터웨어하우스에 적재한다.
③ 데이터웨어하우스에서 관리하는 데이터는 시간의 흐름에 따라 변화하는 값을 유지한다.
④ 전사적 차원에서 접근하기보다는 재무, 생산, 운영 등 특정 조직의 특정 업무 분야에 초점을 둔다.

정답 ④

해설 보기 ④는 데이터 마트(Data Mart)의 특성에 대한 설명으로, DW는 조직 전체 차원의 통합을 지향한다.

기출유형 개념잡기

12 데이터베이스 특징에 대한 설명 중 적절하지 않은 것은? [20회 출제]

① 데이터베이스는 통합된 데이터이다. 이는 같은 내용의 데이터가 불필요하게 중복으로 저장되지 않음을 의미한다.
② 데이터베이스는 저장된 데이터이다. 이는 자기 디스크, 자기 테이프 등 컴퓨터가 접근할 수 있는 저장 매체에 보관됨을 의미한다.
③ 데이터베이스는 공용 데이터이다. 이는 여러 사용자가 서로 다른 목적으로 공동 활용할 수 있음을 의미한다.
④ 데이터베이스는 저장된 정량적 데이터 상태로만 유지됨을 의미한다.

정답 ④

해설
- 데이터베이스는 단순히 정적인 정량적 상태로만 유지되는 것이 아니다.
- 새로운 데이터 추가, 기존 데이터 삭제·갱신을 통해 항상 변화하면서도, 현재 시점의 정확한 데이터를 유지하는 것이 특징이다.

확대경 데이터웨어하우스 vs 데이터 마트 차이

- 데이터웨어하우스는 조직 전체를 위한 통합 데이터 저장소, 데이터 마트는 데이터웨어하우스에서 추출한 특정 주제·부서 중심의 부분 집합이다.

03 데이터베이스 활용

학습목표
기업 내부 및 사회 기반 구조로서의 데이터베이스 활용에 대해 살펴본다.

출제경향 및 중요도
① 기업 내부 데이터베이스 솔루션의 정의 ★★
② 사회 기반 데이터베이스 솔루션의 정의 ★

1 기업 내부 데이터베이스 〈출제유형〉 기업 내부 데이터베이스 솔루션 정의

- 정보통신망 구축이 가속화되면서 1990년대에는 기업 내부 데이터베이스가 기업 경영 전반의 인사, 조직, 생산, 영업 활동을 포함한 모든 자료를 연계하여 일관된 체계로 구축·운영되었다.
- 이는 기업의 경영활동을 지원하는 전사적 시스템으로 확대·발전하였다.

구분	주요 특징
1980년대 기업 내부 데이터베이스	① OLTP(On-Line Transaction Processing, 온라인 거래 처리) • 주 컴퓨터와 통신회선으로 연결된 다수의 사용자 단말에서 발생한 트랜잭션을 **실시간으로 처리하는 방식** • 처리 결과를 즉시 사용자에게 되돌려 주는 특징을 가짐 • 여러 과정이 하나의 단위 프로세스(트랜잭션)로 실행되며, 은행 거래·주문 처리·항공 예약 시스템 등에서 활용됨 ② OLAP(On-Line Analytical Processing, 온라인 분석 처리) • 다차원 데이터로부터 통계적 **요약 정보와 분석 결과를 제공하는 기술** • 대량의 데이터를 집계·분석하여 경영 의사결정을 지원
2000년대 기업 내부 데이터베이스	① CRM(Customer Relationship Management, 고객 관계 관리) • 선별된 고객으로부터 수익을 창출하고, 장기적인 고객 관계를 유지·강화함으로써 기업의 이익을 극대화할 수 있는 솔루션 • 고객의 행동·구매 이력·선호도 분석을 통해 **맞춤형 서비스와 마케팅 제공** ② SCM(Supply Chain Management, 공급망 관리) • 제조, 물류, 유통업체 등 공급망에 참여하는 모든 기업이 협력을 바탕으로, 정보기술(IT)을 활용하여 **재고를 최적화**하는 솔루션 • 생산에서 최종 소비자에게 이르는 공급망 전체의 효율성을 높이는 것을 목표로 함

2. 분야별 기업 내부 데이터베이스

분야	주요 특징
제조 부문	① **DW(Data Warehouse, 데이터웨어하우스)** • 정보 검색과 분석을 목적으로 구축된 데이터베이스 • 전사적 규모의 시스템으로, 데이터 마트(Data Mart)는 특정 부서·사업부 단위의 소규모 데이터 웨어하우스라 할 수 있음 ② **ERP(Enterprise Resource Planning, 전사적 자원 관리)** • 제조업을 포함한 다양한 비즈니스 분야에서 생산, 구매, 재고, 주문, 공급자 거래, 고객 서비스 등 주요 프로세스를 관리 • 여러 모듈로 구성된 **통합 애플리케이션** 소프트웨어 패키지 ③ **BI(Business Intelligence, 비즈니스 인텔리전스)** • 기업의 DW(Data Warehouse)에 저장된 데이터에 접근하여 경영 의사결정에 필요한 정보를 **리포트 형태로 제공** • 주로 보고서(Report), 대시보드, 시각화 도구 중심의 분석 지원 도구 ④ **BA(Business Analytics, 비즈니스 애널리틱스)** • BI와 달리, 단순 리포트 제공을 넘어 의사결정을 위한 통계적·수학적 분석 기법에 초점을 맞춤 • 예측 분석(Predictive Analytics), 최적화(Optimization), 시뮬레이션 등을 통해 미래 지향적 의사결정 지원
금융 부문	① **EAI(Enterprise Application Integration, 기업 애플리케이션 통합)** • 기업 내부의 다양한 시스템(ERP, CRM, SCM, 인트라넷) 간의 상호 연동을 가능하게 하는 솔루션 • 이기종 시스템 간 데이터 및 프로세스를 통합하여 업무 효율성을 높임 ② **EDW(Enterprise Data Warehouse, 전사적 데이터웨어하우스)** • 기존 DW(Data Warehouse)를 전사 차원으로 확장한 모델 • BPR, CRM, BSC 등 다양한 분석 애플리케이션의 원천 데이터 제공 • 단순히 정보를 빠르게 전달하는 대형 시스템이 아니라, 기업 리소스를 유기적으로 연결하고 통합 관리하는 기반 ③ **블록체인(Blockchain)** • 데이터 분산 처리 기술로, 네트워크에 참여하는 모든 사용자가 거래 내역 등의 데이터를 분산·저장 • 블록을 체인 형태로 연결하여 관리 → **위·변조 방지 효과** • 기존 중앙집중형 거래 방식에서는 은행 중앙서버를 공격하면 데이터 조작이 가능했으나, 블록체인의 경우 네트워크 전체에 분산 저장되므로 사실상 해킹이 불가능
유통 부문	① **KMS(Knowledge Management System, 지식 관리 시스템)** • **조직 내의 지식을 체계적**으로 관리하는 시스템 • 지식을 저장·검색·공유하여 이해, 협업, 프로세스 정렬을 향상시키는 모든 IT 시스템을 의미함 • 과거에는 기업이 주로 물품을 생산하는 환경이었으나, 최근에는 지적 자산(지식·정보)의 중요성이 커짐에 따라 이를 관리하는 시스템으로 발전 ② **RFID(Radio Frequency Identification, 무선 주파수 인식)** • 무선 주파수(RF)를 이용하여 대상(물건, 사람 등)을 자동으로 식별하는 기술 • RF 태그(안테나+칩)에 정보를 저장하고 대상에 부착 → RFID 리더기를 통해 정보를 인식·수집 • 물류, 유통, 출입 통제, 교통 카드 등 다양한 분야에서 활용됨

3 사회 기반 구조로서의 데이터베이스
출제유형 기업 내부와 사회 기반 데이터 솔루션의 구분

1) 1990년대 정보화 추진
- 사회 각 부문에서 정보화가 본격화되면서 데이터베이스 구축이 활발히 추진됨.
- 특히 정부 부처를 중심으로 사회간접자본 차원에서 전자문서교환(EDI) 활용이 본격화되고,
- 부가가치통신망(VAN)을 통한 정보망 구축이 시작됨.

2) 인터넷 보편화와 영향
- 인터넷의 확산으로 국민들이 가정에서도 생활에 필요한 정보를 손쉽게 습득할 수 있게 됨.
- 이에 따라 데이터베이스는 사회 전반의 기반 인프라로 자리매김함.

3) 분야별 사회 기반 구조로서의 데이터베이스
- 1990년대 이후 사회 각 부문에서 데이터베이스 구축이 본격화되면서, 다양한 분야에서 사회 기반 인프라로 자리 잡게 되었다. 대표적인 분야별 DB 구축 사례는 다음과 같다.

분야	주요 특징
물류부문	① **종합물류정보망** • 흔히 '실시간 차량 추적 시스템'이라고 할 수 있음 • 전자지도상에서 운행 중인 차량의 위치 및 상태를 실시간으로 파악 ② **부가가치통신망**(VAN, Value Added Network) • 통신회선을 소유 또는 임차하여 구성한 네트워크에, 단순 전송 기능 이상의 부가가치 기능을 추가한 통신망 • 정보를 축적, 가공, 변환 처리하여 음성 또는 데이터 정보를 제공
지리부문	③ **국가지리정보체계**(NGIS, National Geographic Information System) • 국가 차원에서 구축·운영되는 지리 정보 관리 시스템
교통부문	④ **지능형 교통 시스템**(ITS, Intelligent Transport Systems) • 최신 정보통신기술(IT)을 교통체계에 접목하여 교통의 안전성과 효율성을 높이는 시스템
의료부문	⑤ **의료 EDI**(Electronic Data Interchange, 전자문서교환) • 의료기관과 보험자(국민건강보험공단, 민간보험사 등) 간에 진료 관련 문서를 전자적으로 표준화된 형식으로 교환하는 시스템
교육부문	⑥ **NEIS**(National Education Information System, 교육행정정보시스템) • 교육부와 각급 학교, 교육청을 연결하여 교육행정과 학사 업무를 전산화·통합 관리하는 시스템

기출유형 개념잡기

13 물류·유통업체 등 유통 공급망에 참여하는 모든 업체가 협력을 바탕으로 정보기술(IT)을 활용하고, 재고를 최적화하기 위한 기업 내부 데이터베이스 솔루션을 무엇이라 하는가? [17회 출제]

① ERP ② CRM
③ SCM ④ KMS

정답 ③

해설
- SCM(Supply Chain Management, 공급망 관리)은 공급사슬(supply chain) 상에서 발생하는 모든 활동을 효율적으로 운영·관리하기 위한 시스템이다.
- 제조, 물류, 유통업체 등 공급망 참여자들이 정보 공유와 협력을 바탕으로 재고 최적화·비용 절감·서비스 향상을 달성할 수 있도록 지원한다.

기출유형 개념잡기

14 아래는 용어와 의미를 서로 연결한 것이다. 다음 중 용어-의미가 잘못 연결된 것을 모두 나열한 것은? [19회 출제]

- OLTP → 다차원의 데이터를 대화식으로 분석하기 위한 소프트웨어
- BI(Business Intelligence) → 경영 의사결정을 위한 통계적이고 수학적인 분석에 초점을 둔 기법
- BA(Business Analytics) → 데이터 기반 의사결정을 지원하기 위한 리포트 중심의 도구
- Data Mining → 대용량 데이터로부터 의미 있는 관계, 규칙, 패턴을 찾는 과정

① OLTP
② OLTP, BI
③ OLTP, BI, BA
④ OLTP, BI, BA, Data Mining

정답 ③

해설
- OLTP(On-Line Transaction Processing): 거래 중심의 실시간 처리 시스템 → 설명은 OLAP에 해당
- BI(Business Intelligence): 데이터웨어하우스 기반으로 보고서·대시보드·시각화를 제공 → 설명은 BA에 해당
- BA(Business Analytics): 통계적·수학적 분석 기법을 통한 의사결정 지원 → 설명은 BI에 해당
- Data Mining: 대용량 데이터에서 관계·규칙·패턴 발견 → 올바른 설명

기출유형 개념잡기

15 기업 내부 데이터베이스 활용과 관련 없는 것은? [20회 출제]

① CRM ② ERP
③ ITS ④ KMS

정답 ③

해설 ITS(Intelligent Transport Systems): 지능형 교통 시스템으로, 사회 기반 구조 DB 활용에 해당

기출유형 개념잡기

16 고객별 구매 이력 데이터베이스를 분석하여 고객에 대한 이해를 돕고, 이를 바탕으로 각종 마케팅 전략에 활용되는 데이터베이스 솔루션은? [29회 출제]

① ITS
② SCM
③ CRM
④ NEIS

정답 ③

해설 CRM(Customer Relationship Management, 고객 관계 관리)은 고객 데이터를 체계적으로 분석하여 고객 이해 → 맞춤형 서비스 제공 → 장기적 관계 유지를 가능하게 하는 시스템이다.

2장 데이터의 가치와 미래

01 빅데이터의 이해

학습목표
- 빅데이터의 특징과 출현 배경을 이해한다.
- 빅데이터가 만들어 내는 본질적 변화를 파악한다.

출제경향 및 중요도
① 빅데이터의 특징 ★
② 빅데이터 출현 배경 ★
③ 빅데이터 기능 ★
④ 빅데이터가 만들어 내는 본질적 변화 ★★

1 빅데이터의 정의 〔출제유형〕 빅데이터의 특징 7V 의미

- 빅데이터의 정의는 관점의 범위에 따라 다음과 같이 구분된다.
- 좁은 정의: 3V 또는 7V로 요약되는 데이터 자체 특성 변화에 초점
- 중간 정의: 데이터 특성뿐 아니라 처리·분석 기술적 변화까지 포함
- 넓은 정의: 데이터와 기술 변화뿐 아니라 인재·조직 변화까지 포괄

1) 규모(Volume)
- 미디어, 위치 정보, 동영상 등 데이터의 크기를 의미
- 단순 물리적 크기뿐 아니라 현재 기술로 처리 가능한 양인지 여부가 기준

2) 다양성(Variety)
- 다양한 형태의 데이터를 수용하는 속성
- 정형 데이터뿐 아니라 비정형 데이터도 포함

3) 속도(Velocity)
- 대용량 데이터를 얼마나 빠르게 처리·분석할 수 있는가를 의미
- 데이터는 센서, 스마트폰 등 자동 생성 장치와 다양한 유통 채널을 통해 실시간으로 폭발적으로 생성됨
- 이러한 데이터의 빠른 유입은 실시간·준실시간 처리 속도의 가속화를 요구함

4) 진실성(Veracity)

- 데이터셋이 얼마나 신뢰할 수 있는가를 의미
- 노이즈·편향(Bias) 등으로 신뢰성이 떨어지면 잘못된 결론에 이를 수 있음

5) 정확성(Validity)

- 정확성(Validity)은 데이터가 타당하고 유효한지의 여부를 의미한다.
- 즉, 수집된 데이터가 해당 분석 목적에 맞게 올바르고 적합한지를 판단하는 기준이다.

6) 휘발성(Volatility)

- 데이터가 시간이 지나면 무의미해지거나 보관이 어려운 성격을 의미
- 빅데이터는 단기 활용보다는 장기적 가치 창출 가능성이 중요

7) 가치(Value)

- 빅데이터가 비즈니스·연구에서 유용한 가치를 창출해야 의미가 있음
- 단순히 양이 많은 데이터가 아니라 활용 가치가 핵심

> **용어 정리 | 데이터 크기 단위 변환**
>
> - 1 테라바이트(TB) = 1,024 기가바이트(GB)
> - 1 페타바이트(PB) = 1,024 테라바이트(TB)
> - 1 엑사바이트(EB) = 1,024 페타바이트(PB)
> - 1 제타바이트(ZB) = 1,024 엑사바이트(EB)

> **기출유형 개념잡기**
>
> **17** 다음 중 데이터의 크기를 작은 단위에서 큰 단위로 증가하는 순서대로 바르게 나열한 것은?
>
> [33회 출제]
>
> ① 페타바이트(PB) < 제타바이트(ZB) < 요타바이트(YB) < 엑사바이트(EB)
> ② 페타바이트(PB) < 엑사바이트(EB) < 제타바이트(ZB) < 요타바이트(YB)
> ③ 제타바이트(ZB) < 엑사바이트(EB) < 요타바이트(YB) < 페타바이트(PB)
> ④ 요타바이트(YB) < 제타바이트(ZB) < 엑사바이트(EB) < 페타바이트(PB)
>
> 정답 ②
>
> 해설 • 데이터 단위의 크기 순서는
> - 테라바이트(TB) → 페타바이트(PB) → 엑사바이트(EB) → 제타바이트(ZB) → 요타바이트(YB) 이므로, ②번이 올바른 나열이다.

2 빅데이터 출현 배경
출제유형 빅데이터 출현 원인

- 빅데이터 현상은 완전히 새로운 것이 나타난 것이 아니라, 기존의 **데이터 · 처리 방식 · 조직 차원**에서 **변화**를 의미한다.
- 이러한 대변화가 발생한 배경은 **산업계와 학계**, 그리고 **관련 기술 발전** 측면에서 다음과 같이 요약할 수 있다.

1) 산업계
- 고객 데이터를 축적하여 데이터 속에 숨어 있는 가치를 발굴하고, 이를 새로운 성장 동력으로 활용하는 것이 핵심 과제이다.
- 이 과정은 양질 전환 법칙으로 설명할 수 있다. 즉, 일정한 양이 누적되면 질적인 변화가 일어나 새로운 가치를 창출하게 된다.

2) 학계
- 방대한 데이터를 활용하는 대규모 과학 연구(Big Science)가 빠르게 확산되고 있다.

3) 관련 기술 발전
- 디지털화, 저장 기술, 인터넷 보급, 모바일 혁명, 그리고 클라우드 컴퓨팅의 발전은 빅데이터 출현을 가능하게 한 핵심 기술적 기반이다.

기출유형 개념잡기

18 빅데이터의 출현 배경 설명으로 부적절한 것은?
① 산업계 변화를 보면, 빅데이터 현상은 양질 전환 법칙으로 설명할 수 있다.
② 학계에서도 빅데이터 활용이 확산하고 있으며, 대표적인 사례는 인간 게놈 프로젝트이다.
③ 디지털화, 저장 기술, 클라우드 컴퓨팅 등 관련 기술 발전과 밀접한 관련이 있다.
④ 급격한 정형 데이터 증가가 주된 원인이다.

정답 ④
해설 정형 데이터 증가보다는 반정형 · 비정형 데이터의 급격한 증가가 핵심 원인이다.

3 빅데이터의 기능 출제유형 빅데이터 플랫폼의 의미

- 빅데이터는 다양한 사물에 비유되며, 이를 통해 사회와 산업 전반에 미칠 기능과 역할을 설명할 수 있다.

1) 석탄·철에 비유

- 빅데이터는 산업혁명의 석탄과 철과 같은 역할을 차세대 산업혁명에서 담당할 것으로 기대된다.
- 제조업뿐 아니라 서비스 분야의 생산성을 획기적으로 향상시켜 혁명적 변화를 이끌 것으로 전망된다.

2) 원유에 비유

- 빅데이터는 원유처럼 산업 전반의 원천 자원 역할을 한다.
- 비즈니스, 공공기관의 대국민 서비스, 경제 성장 등에 필요한 정보를 제공하여 생산성을 한 단계 높인다.

3) 렌즈에 비유

- 빅데이터는 현미경이 생물학 발전에 기여한 것과 같은 역할을 사회 전반에서 수행할 것으로 기대된다.
- 예 구글 n-gram Viewer
- 미국을 의미하는 "The United States"*는 남북전쟁 전까지는 '연합 주들(복수)' 의미였으나, 전쟁 이후 연방정부의 역할이 커지며 '하나의 국가(단수)'로 인식되기 시작했다.
- n-gram Viewer를 통해 이러한 언어·사회적 변화 과정을 데이터로 확인할 수 있다.

4) 플랫폼에 비유

- 빅데이터는 **공동 활용을 위한 기반 플랫폼**과 같다.
- 플랫폼은 유·무형 자원을 다양한 참여자가 공유하고 활용할 수 있는 장치
- 예 페이스북
- 원래 SNS 서비스였으나, 2006년 F8 행사 이후 소셜 그래프 자산을 공개하고, 서드파티 개발자들이 앱을 개발·운영할 수 있는 플랫폼으로 발전하였다.

> **기출유형 개념잡기**
>
> **19** 다음 설명은 빅데이터의 어떤 역할을 의미하는가? [18회 출제]
>
> - 페이스북은 SNS 서비스로 시작했지만, 2006년 F8 행사를 기점으로 소셜 그래프 자산을 외부 개발자에게 공개하여, 서드파티 개발자들이 페이스북 위에서 작동하는 앱을 만들 수 있게 하였다.
> - 각종 사용자 데이터나 M2M 센서 등에서 수집된 데이터를 가공·처리·저장해 두고, 이 데이터에 접근할 수 있도록 API를 공개하였다.
>
> ① 인프라스트럭처(Infrastructure)
> ② 플랫폼(Platform)
> ③ 애플리케이션(Application)
> ④ 서비스(Service)
>
> **정답** ②
> **해설** 빅데이터는 플랫폼의 역할을 수행하여, 다양한 주체가 데이터를 기반으로 새로운 서비스와 앱을 만들 수 있게 한다.

4 빅데이터가 만들어 내는 본질적인 변화 〔출제유형〕 빅데이터 본질적인 변화

- 빅데이터는 기존 데이터 처리 방식과 의사결정 패러다임을 근본적으로 변화시킨다. 대표적인 변화는 다음과 같다.

1) 사전 처리 → 사후 처리

- **기존**: 산업혁명 시대 이후 정보 관리는 주로 **사전 처리(pre-processing)** 방식
- **예** 표준화된 문서 포맷 → 원하는 **정보만 수집하고**, 특수 상황 반영은 포기
- 장점: 정보 관리 비용 절감
- 가능한 한 **많은 데이터를 수집하고**, 이후 다양한 방식으로 조합·분석하여 숨은 가치를 발견(**사후 처리, post-processing**)

2) 표본조사 → 전수조사

- **기존**: 비용·기술적 제약 때문에 **표본조사 중심**
- 데이터 수집과 저장 비용의 감소 및 클라우드 컴퓨팅의 발전으로 **전수조사가 가능**
- 장점: 표본조사로는 알 수 없는 패턴·인사이트 제공

3) 질보다 양

- **데이터 양이 충분히 많아지면** 일부 오류 데이터가 결과에 미치는 영향이 미미해짐
- 구글의 자동번역 시스템 사례는 데이터의 **질보다 양이 성능 개선에 더 큰 영향을 미친**다는 것을 보여줌

4) 인과관계 → 상관관계

- **기존의 과학적 발견법은** 이론을 세우고, 그에 따라 데이터를 수집한 뒤 정교한 실험을 거쳐 **인과관계를 규명하는 방식**
- 데이터 수집·처리 비용이 낮아지면서, **상관관계만으로도 충분히 의미 있는 인사이트 제공**
- 비즈니스에서는 반드시 인과관계가 아니더라도, 상관관계 분석만으로 **실질적 의사결정 가능**

> **기출유형 개념잡기**
>
> **20** 다음 중 빅데이터의 본질적인 변화가 아닌 것은? [25회 출제]
> ① 표본조사, 인과관계
> ② 상관관계, 전수조사
> ③ 사후 처리, 데이터의 양적 크기
> ④ 상관관계, 사후 처리
>
> 정답 ①
> 해설 ①번의 "표본조사, 인과관계"는 기존 방식이지, 빅데이터가 만들어 낸 변화가 아니다.

02 빅데이터의 가치와 영향

학습목표
빅데이터의 가치 산정이 어려운 이유를 설명할 수 있다.

출제경향 및 중요도
① 빅데이터의 가치 산정이 어려운 이유 ★
② 빅데이터의 영향 ★

1 빅데이터의 가치 〔출제유형〕 빅데이터 가치 산정이 어려운 이유

- 빅데이터의 가치는 분명히 존재하지만, **활용 방식 · 새로운 가치 창출 · 분석 기술 발전**에 따라 달라지기 때문에 정확히 산정하기 어렵다.

1) 데이터의 활용 방식

- 데이터는 재사용, 재조합(Mashup), 다목적 활용이 일반화되어, 언제, 어디서, 누가 활용할지 예측하기 어렵다.
- **재사용 사례**: 구글 검색 결과를 저장 후 재활용
- **다목적용 사례**
- 전기자동차 데이터 → 배터리 충전 시간 분석뿐만 아니라 주유소 최적 위치 산정에도 활용됨
- CCTV 데이터 → 범죄 수사에서 절도범 검거에 활용될 뿐만 아니라, 고객 구매 행태 분석에도 사용됨
- **재조합 사례**: 휴대전화 전자파와 뇌종양 관계 연구

2) 기존에 없던 새로운 가치 창출

- 데이터 분석을 통해 이전에는 알 수 없던 새로운 패턴 · 변수를 발견
- 아마존 킨들 전자책 데이터 → 독서 데이터를 분석하여 사용자의 독서 패턴을 파악
- 페이스북 소셜 그래프(Social Graph) → 친구 관계를 예측 변수로 활용하여, 개인 행동을 예측

3) 분석 기술 발전의 영향

- 새로운 분석 기법이 등장하면서 기존에 가치가 없던 데이터도 새로운 가치를 창출
- 텍스트 마이닝(Text Mining)을 통해 여론 분석, 감성 분석 등 활용

> **기출유형 개념잡기**
>
> **21** 다음 중 빅데이터 가치 산정이 어려운 이유를 나타내는 가장 부적절한 것은? [22회 출제]
> ① 재사용, 재조합, 다목적용 데이터 개발 등이 일반화되면서 특정 데이터를 언제·어디서·누가 활용할지 예측하기 어렵다.
> ② 데이터가 기존에 없던 가치를 창출하기 때문에 그 가치를 정확히 측정하기 어렵다.
> ③ 분석 기술의 발달로 지금은 무가치하다고 여겨지는 데이터도 새로운 기술·기법을 통해 새로운 가치로 재탄생할 수 있다.
> ④ 빅데이터 전문 인력을 향상하면서 다양한 곳에서 빅데이터가 활용되고 있어 가치 산정이 어렵다.
>
> 정답 ④
> 해설 • 빅데이터 가치 산정이 어려운 이유는 크게 ① 데이터 활용 방식의 불확실성, ② 새로운 가치 창출, ③ 분석 기술의 발전 때문이다.
> • 빅데이터 전문 인력 증가는 가치 산정과 직접적인 관련이 없으므로, 가장 부적절한 설명이다.

2 빅데이터의 영향(기업, 정부, 개인) 〔출제유형〕 빅데이터가 기업에 미치는 영향

1) 기업
- **혁신**: 소비자 행동 분석과 시장 변동 예측을 통해 비즈니스 모델 혁신 및 신사업 발굴 가능
- **경쟁력 제고**: 원가 절감, 제품 차별화, 기업 활동의 투명성 제고 등으로 경쟁사 대비 우위 확보
- **생산성 향상**: 기업의 효율성 증대 → 산업 전체 생산성 향상 → 국가 GDP 상승 효과

2) 정부
- **환경 탐색**: 기상, 인구 이동, 통계, 법제 데이터 등을 수집하여 사회 변화 추정 및 재해 관련 정보 추출
- **상황 분석**: 수집된 데이터를 기반으로 사회관계망 분석(SNA), 시스템 다이내믹스, 복잡계 이론 등을 적용해 미래 의제 도출
- **미래 대응**: 도출된 미래 의제에 대응하는 방안을 제시 → 법·제도 정비, 거버넌스 체계 개선, 국가 성장 전략, 안보 대책 마련

3) 개인
- 빅데이터 서비스 기업의 등장과 비용 하락으로 인해 정치인·대중 가수 등 일부 개인들이 직접 빅데이터를 활용하는 사례가 나타나고 있으며, 점차 **개인도 활발히 빅데이터를 활용하는 추세**로 발전하고 있다.

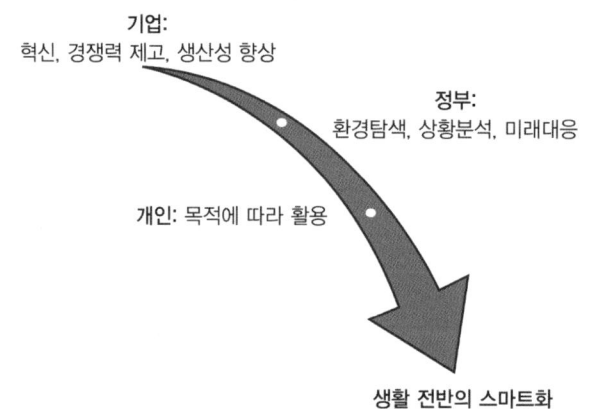

기출유형 개념잡기

22 빅데이터가 미치는 영향에 대해 올바르지 않은 것은? [35회 출제]

① 정치 분야에서는 주요 정세 방향, 정세, 지정학적 동향 등 거시적 흐름을 토대로 분석 기회를 도출한다.
② 상관관계 분석 결과만으로도 인사이트를 얻고 이를 바탕으로 수익을 창출할 기회가 존재한다.
③ 산업 및 경제 구조 변화 동향 등 거시적 흐름을 기반으로 분석 기회를 도출한다.
④ 사물인터넷(IoT)의 발달로 인해 사람이 최대로 개입한다.

정답 ④

해설 사물인터넷(IoT)은 센서와 네트워크를 통해 방대한 데이터를 자동으로 수집·처리하는 기술로, 사람의 개입을 최소화하는 방향으로 발전해 왔다.

기출유형 개념잡기

23 빅데이터 출현 배경과 거리가 먼 것은? [21회 출제]

① 소셜 미디어, 영상 등 비정형 데이터의 급격한 확산
② 데이터 처리 기술의 발전
③ 학계의 거대 데이터 활용 과학 확산
④ 정부의 공공데이터 개방 확산

정답 ④

해설 공공데이터 개방은 빅데이터 출현 배경이라기보다 이미 구축된 데이터를 활용하는 측면에 해당한다. 따라서 출현 배경과는 거리가 있다.

> **기출유형 개념잡기**
>
> **24** 다음 중 빅데이터의 특징으로 볼 수 없는 것은? [33회 출제]
> ① 데이터의 저장 및 분석 비용 절감으로 데이터의 사후 처리가 가능하다.
> ② 데이터 양이 방대하므로 일부 오류가 있더라도 분석 결과에 큰 영향을 주지 않는다.
> ③ 데이터의 복잡성이 증가하여 표본조사의 중요성이 높아졌다.
> ④ 데이터의 품질 향상보다 방대한 양의 데이터에서 인사이트를 찾는 역량이 중시된다.
>
> 정답 ③
> 해설 빅데이터 시대에는 표본조사 → 전수조사로 변화했으며, 데이터의 복잡성과 방대함은 오히려 전수조사 가능성을 높이는 요인이 되었다.

03 비즈니스 모델

학습목표
빅데이터의 활용 기법을 이해한다.

출제경향 및 중요도
① 빅데이터의 활용 기법의 정의 및 활용 사례 ★★★

1 빅데이터 활용 사례 출제유형 분야별 빅데이터의 활용 사례

1) 기업 분야
- 구글: 검색 엔진을 통한 검색 데이터 분석
- 월마트: 구매 패턴 분석을 통한 재고 관리 및 마케팅 전략 최적화
- IBM 왓슨(Watson): 의료 분야에 활용, 질병 진단·치료 지원

2) 정부·공공 분야
- 실시간 교통 정보 분석: 교통 혼잡 완화 및 정책 수립
- CCTV 분석: 국가 안전 관리, 범죄 예방 및 치안 강화

3) 정치·문화 분야
- 정치인: 사회관계망 분석(SNA)을 활용한 선거 유세 전략 수립
- 대중가수: 팬들의 음악 청취 기록 분석 → 맞춤형 콘텐츠 제공

4) 출판·콘텐츠 분야
- 아마존: 킨들 전자책 데이터를 분석하여 독서 패턴 파악, 저자들에게 독자 행태 정보 제공
- 데이터의 재사용(2차, 3차 목적) 및 재조합을 통해 **새로운 가치 창출 가능성이 크며**, 앞으로 기업·정부·개인 차원에서 새로운 비즈니스 모델과 혁신이 지속적으로 나타날 것으로 기대된다.

2 빅데이터 활용 테크닉 〔출제유형〕 빅데이터 테크닉 기법의 정의 및 사례

1) 연관규칙 학습(Association Rule Learning)
- 정의: 데이터 속에서 **변수 간의 상관관계**를 찾아내는 기법
- "커피를 구매하는 사람이 탄산음료도 더 많이 사는가?"와 같은 문제에 답하기 위해 사용
- 상관관계가 높은 상품을 **함께 진열하여 매출 증대**(예 우유와 기저귀)

2) 유형분석(Classification Tree Analysis)
- 정의: "사용자가 어떤 특성을 **가진 집단에 속하는가?**"와 같은 문제를 해결하기 위한 기법
- 기존 데이터(훈련용 데이터)를 바탕으로 **분류 기준을 미리 학습**해야 함
- 새로운 데이터가 주어지면 학습된 분류 틀에 따라 적절한 집단(Class)에 배정
- 문서 분류: 이메일 스팸 필터링, 뉴스 기사 주제 분류 등
- 조직·집단 분석: 고객 세분화, 학생 특성별 그룹화
- 교육 사례: **온라인 수강생을 학습 특성에 따라 분류**

3) 유전 알고리즘(Genetic Algorithms, GA)
- 정의: "최대의 시청률을 얻으려면 어떤 프로그램을 어떤 시간대에 배치해야 하는가?"와 같은 **최적화 문제를 해결**하는 데 활용되는 기법
- 자연선택, 돌연변이, 교차(crossover) 등 진화생물학의 메커니즘을 모방하여 해답을 점진적으로 개선
- 방송 편성 최적화: **최대 시청률을** 얻기 위한 프로그램 편성
- 의료 운영 관리: 응급실에서 의사 **배치 최적화**

4) 기계학습(Machine Learning)
- 정의: 기존 데이터를 바탕으로 **새로운 상황을 예측**하는 기술
- 훈련 데이터(training data)에서 학습한 알려진 특성을 활용
- 규칙을 직접 프로그래밍하지 않아도, 데이터로부터 패턴을 학습하여 예측 수행
- 추천 서비스: "시청자가 현재 보유한 영화 중 어떤 것을 가장 보고 싶어할까?"라는 문제를 해결

5) 회귀분석(Regression Analysis)
- 정의: **독립변수(원인)가 종속변수(결과)에 어떤 영향을 미치는지**를 분석하는 통계 기법
- 변수 간의 관계를 수학적 모형으로 표현
- 독립변수 변화에 따른 종속변수의 **변화 추세와 방향을 예측 가능**
- 마케팅: 사용자의 만족도가 충성도에 어떤 영향을 미치는가?

6) 감정분석(Sentiment Analysis)
- 정의: 특정 주제에 대해 사람들이 **말하거나 글로 표현한 감정·의견·태도를 분석**하는 기법
- 텍스트(리뷰, 댓글, 게시글 등)에 나타난 **긍정·부정·중립 감정을 자동으로 분류**
- 고객 만족도, 브랜드 이미지, 정책 반응 등을 **정량화하여 파악 가능**
- 호텔 서비스 개선: 고객 리뷰를 분석하여 불만·요구 사항 파악 후 서비스 개선
- 마케팅 전략: 신제품 출시 반응 분석, 브랜드 평판 관리

7) 소셜 네트워크 분석(Social Network Analysis, SNA)
- 정의: 사람이나 **조직 간의 관계망을 데이터로 모델링**하고 분석하는 기법
- 네트워크 내에서 **개인·집단 간의 연결 강도, 거리, 중심성 등을 분석**
- 관계망 구조를 기반으로 정보 흐름, 영향력, 네트워크 특성을 규명
- 오피니언 리더(Opinion Leader) 탐색: 네트워크 내에서 가장 영향력 있는 사람 찾기

> **기출유형 개념잡기**

25 빅데이터의 활용 기법에 대한 설명 중 적절하지 않은 것은? [13회 출제]

① 사용자가 어떤 특성을 가진 집단에 속하는가 → 유형분석
② 최대의 시청률을 얻으려면 어떤 프로그램을 어떤 시간대에 방송해야 하는가 → 유전알고리즘
③ 구매자의 나이가 구매 차량의 타입에 어떤 영향을 미치는가 → 회귀분석
④ 어떤 변수 간에 주목할 만한 상관관계를 찾아내는 방법 → 기계학습

정답 ④
해설 ④는 연관규칙 학습에 대한 설명이지, 기계 학습이 아니다.

> **기출유형 개념잡기**

26 다음 아래 보기에서 설명하는 빅데이터 분석 기법은 무엇인가? [35회 출제]

- 존 홀랜드가 다윈 진화론의 적자생존 원리에 기반하여 개발한 최적화 연산 방법이다.
- "최대의 시청률을 얻으려면 어떤 프로그램을 어떤 시간대에 방송해야 하는가?"와 같은 최적화 문제 해결 메커니즘을 제공한다.
- 어떤 미지의 함수 $y = f(x)$를 최적화하기 위해, 진화를 모방한 탐색 알고리즘이다.

① 신경망 알고리즘(Neural Networks)
② 유전 알고리즘(Genetic Algorithms)
③ 의사결정나무(Decision Tree)
④ 군집 알고리즘(Clustering Algorithm)

정답 ②
해설 유전 알고리즘은 최적화(Optimization)에 활용되는 대표적인 진화 기반 알고리즘이다.

04 위기 요인과 통제 방안

학습목표
빅데이터의 위기 요인과 이를 통제하는 방안을 살펴본다.

출제경향 및 중요도
① 빅데이터 시대의 위기 요인과 통제 방안 ★★★
② 개인정보 비식별 기술 ★

1 위기 요인 및 통제 방안 〔출제유형〕 빅데이터 위기 요인과 통제 방안의 연계

- 빅데이터 시대에는 개인정보 유출, 사생활 침해, 데이터 오용 등 다양한 위기 요인이 발생할 수 있다.
- 이러한 위험을 완화하기 위해 비식별화 기술, 법·제도 정비, 책임제 도입 등 다양한 통제 방안이 요구된다.

1) 사생활 침해

(1) 위기 요인

- 빅데이터 시대가 본격화되면서 **정보 수집 센서**의 수가 폭발적으로 증가
- 특정 데이터가 **본래 목적 외**에 가공·처리되어 **2차, 3차 목적**으로 활용될 가능성 증가
- 이에 따라 단순한 **사생활 침해를 넘어 사회·경제적 위협**으로 확산할 수 있음
- 개인정보 보호를 위한 **익명화(비식별화) 기술**이 발전하고 있으나, 여전히 불충분하다는 지적 존재

(2) 통제 방안

- 개인정보 활용 시마다 개인이 **일일이 동의하는 방식**은 현실적으로 **경제적·사회적으로 비효율적**
- 따라서 **"동의제(Consent)"에서 "책임제(Accountability)"로** 전환 필요
- 개인정보 제공자가 책임지는 것이 아니라, 개인정보를 사용하는 주체가 법적·윤리적 책임을 지도록 전환
- 이를 통해 개인정보 사용자가 **더 적극적으로 보호 장치 마련**을 마련하게 하고, 사생활 침해 문제를 구조적으로 완화할 수 있음

2) 책임원칙의 훼손

(1) 위기 요인
- 빅데이터 기반의 분석·예측 기술이 발전하면서 정확도는 높아졌지만, 분석 대상이 되는 **개인이 예측 알고리즘의 희생양**이 될 가능성이 커짐
- 미국 경찰은 알고리즘 분석에 따라 특정 지역을 집중하여 순찰했고, 그 결과 강력 범죄 발생률이 상당수 감소하는 성과를 거둠
- 영화 마이너리티 리포트처럼 범죄를 **실제로 저지르기 전에 체포되는 상황**이 벌어질 수 있음
- 기존의 책임원칙을 훼손하는 결과 초래

(2) 통제 방안
- 책임원칙 훼손을 방지하기 위해서는 **기존의 책임원칙을 강화·보완**해야 함
- 특정 기업이 담합할 가능성이 높다는 예측 알고리즘의 결과만으로는 처벌 불가
- 반드시 실제 담합 **행위 발생 후 책임을 묻는 방식 유지**

3) 데이터의 오용

(1) 위기 요인
- 빅데이터는 **과거에 일어난 사건·현상에 대한 데이터**에 의존
- 이를 바탕으로 미래를 예측할 수 있으나, **항상 정확하지는 않음**
- 잘못된 데이터 해석이나 인사이트 도출은 비즈니스 손실 등 **부정적 결과로 이어질 수 있음**

(2) 통제 방안
- **알고리즘 접근권 보장** 필요성이 대두되고 있음
- 단순히 접근권뿐 아니라 **객관적 인증 제도** 도입 필요
- 알고리즘의 **부당함을 방증하는 방법을 명확히** 규정하고 공개할 것 요구
- **접근권이 제공되더라도** 코딩된 프로그램을 이해·해석할 수 있는 **전문가는 제한적**이므로, **불이익을** 당한 피해자를 대변하고 구제할 수 있는 **전문가 집단이 필요하다.**

> **기출유형 개념잡기**
>
> **27** 빅데이터 위기 요인과 통제 방안에 대한 설명 중 올바르지 않은 것은? [13회 출제]
> ① 데이터 오용의 위기 요소에 대한 대응책으로 알고리즘 접근권 보장과 전문가 집단이 필요하다.
> ② 특정인이 채용이나 대출 등에서 예측 자료에 의해 불이익을 당하지 않도록 제도적 장치를 마련하는 것이 필요하다.
> ③ 책임원칙 훼손 위기의 통제 방안으로 개인정보 활용 동의제를 책임제로 전환하는 것이 효과적이다.
> ④ 사생활 침해 가능성이 증가하면서 개인정보 활용 기준 제정 요구가 커지고 있다.
> 정답 ③
> 해설 보기 ③은 사생활 침해의 통제 방안을 책임원칙 훼손의 방안으로 잘못 연결한 설명이다.

2 데이터 3법 주요 개정 내용

- 데이터 3법은 데이터 이용을 활성화하기 위해 개정된 세 가지 법률을 통칭하며, 데이터 산업 활성화와 개인정보 보호 강화라는 두 가지 목표를 동시에 달성하기 위해 등장하였다.
  ① 개인정보보호법
  ② 정보통신망 이용촉진 및 정보보호 등에 관한 법률(약칭: 정보통신망법)
  ③ 신용정보의 이용 및 보호에 관한 법률(약칭: 신용정보법)

> **확대경 마이데이터 산업**
>
> - 데이터 3법 개정 시행(2020년 8월 5일) 이후, 금융 분야에서 마이데이터 사업을 영위하려면 금융위원회의 허가가 필요하다.
> - 개인은 본인 동의를 통해 타 기업에 저장된 개인정보를 제삼자가 활용할 수 있도록 허용할 수 있으며, 이를 기반으로 맞춤형 금융서비스를 제공받게 된다.
> - 기업은 개인 데이터를 통합·분석하여 새로운 비즈니스 모델 실행이 가능해졌다.

1) 데이터 3법 주요 개정 내용

- 가명 정보 개념 도입
  → 데이터 이용 활성화를 위해 개인정보를 식별할 수 없도록 처리한 가명정보 활용 근거 마련
- 법률 정비 및 추진 체계 일원화
  → 관련 법률 간의 유사·중복 규정 정비 및 개인정보 보호 거버넌스 체계 효율화

- 개인정보처리자 책임 강화
  → 데이터 활용 과정에서 개인정보처리자의 법적·관리적 책임을 명확히 강화
- 개인정보 판단 기준 명확화
  → 기존의 모호했던 개인정보 판정 기준을 명확히 하여 법적 혼란 최소화

용어 정리 개인정보·가명정보·익명정보 비교 **출제유형** 가명 정보와 익명 정보의 구분

구분	정의	특징
개인정보	• 특정 개인을 직접적으로 식별할 수 있는 정보	• 개인을 직접적으로 알아볼 수 있음
가명정보	• 추가 정보의 사용·결합 없이는 특정 개인을 알아볼 수 없는 정보	• 원칙적으로 식별 불가하나, 추가 정보 결합 시 재식별 가능
익명정보	• 시간·비용·기술 등을 합리적으로 고려했을 때, 다른 정보를 결합하더라도 더 이상 개인을 식별할 수 없는 정보	• 재식별 가능성이 거의 없으며, 연구나 통계 분석 목적으로 활용하기에 적합

2) 개인정보 수집 및 목적 내 이용이 가능한 경우

- 개인정보는 원칙적으로 정보 주체의 동의가 필요하지만, 다음과 같은 경우에는 **동의 없이도 수집** 및 목적 내 이용이 가능하다.
  ① 정보 주체의 **동의를 받은** 경우
  ② 법률에 특별한 규정이 있거나, **법령상 의무 준수**를 위해 불가피한 경우
  ③ 공공기관이 법령 등에서 정하는 **소관 업무 수행**을 위해 불가피한 경우
  ④ 정보 주체와의 계약 체결 및 이행을 위해 **불가피하게 필요한 경우**
  ⑤ 급박한 상황에서 정보 주체의 **생명·신체·재산 보호**를 위해 필요한 경우
  ⑥ 개인정보처리자의 정당한 이익 달성이 정보 주체의 권리보다 우선하는 경우

3) 개인정보 수집·이용 동의 시 필수 고지 사항

- 개인정보를 수집·이용할 때에는 정보주체에게 다음 사항을 반드시 고지해야 한다.
  ① 개인정보의 **수집·이용 목적**
  ② 수집하려는 **개인정보 항목**
  ③ 개인정보의 **보유 및 이용 기간**
  ④ 동의를 거부할 **권리가 있다는 사실** 및, 거부 시 발생할 수 있는 **불이익의 내용**

4) 개인정보의 수집 제한

- 개인정보는 반드시 수집 목적에 필요한 **최소한의 범위에서만** 적법하고 정당하게 수집해야 한다.

- 개인정보처리자는 정보 주체가 필요 최소한의 정보 외의 추가 정보 제공에 동의하지 않는다는 이유로, 재화 또는 서비스 제공을 거부해서는 안 된다.
- 개인정보처리자는 개인정보를 활용할 때, 불필요한 식별을 방지하고 정보주체의 권리를 보호하기 위하여 **익명 처리 또는 가명 처리를** 하여야 한다.

> **확대경** 민감정보 · 고유 식별정보 구분
>
> 개인정보처리자는 원칙적으로 민감정보와 고유 식별정보를 처리할 수 없으나, 예외적으로 정보주체의 별도 동의를 얻거나, 법령에서 구체적으로 허용된 때에만 처리할 수 있다.
>
> | 민감정보 | 고유식별 정보 |
> |---|---|
> | • 사상 · 신념
• 노동조합 · 정당의 가입 · 탈퇴
• 정치적 견해
• 건강, 성생활 등에 관한 정보 | • 주민등록번호
• 외국인등록번호
• 여권번호
• 유전자 검사 결과로 얻어진 유전정보
• 운전 면허번호
• 범죄경력자료에 해당하는 정보 |

5) 데이터 비식별화

- 비식별화란, 정보의 일부 또는 전부를 삭제 · 대체하거나 다른 정보와 쉽게 결합하지 못하도록 하여 특정 개인을 알아볼 수 없도록 하는 조치를 말한다.

■ 개인정보 비식별 기술 **출제유형** 비식별 기술의 정의 및 예시

제거 방법	설명	예시
가명 처리	주요 식별 요소를 **다른 값으로 대체**	홍길동, 35세, 서울 거주, 한국대 재학 → **임꺽정**, 30대, 서울 거주, 국제대 재학
총계 처리	개별 데이터 대신 **총합이나 평균값**을 제시하여 개인정보 노출을 막음	임꺽정 180cm, 홍길동 170cm, 이콩쥐 160 → 물리학과 학생 키 **합**: 510cm, 평균 키: 170cm
데이터 값 삭제	개인 식별에 **중요한 값을 삭제**	홍길동, 35세, 서울 거주, 한국대 졸업 → 35세, 서울 거주
범주화	**범주 값으로** 변환해 식별을 어렵게 함	주민등록번호 901206-1234567 → **90년대생**, 남자
데이터 마스킹	주요 개인 **식별자를 가려** 공개된 정보와 결합해도 **식별되지 않도록** 처리	홍길동, 35세, 서울 거주, 한국대 재학 → **홍****, 35세, 서울 거주, **대학 재학

기출유형 개념잡기

28 사생활 침해 방지 기술에 해당하는 것은? [17회 출제]

① 익명화
② 정규화
③ 일반화
④ 표준화

정답 ①

해설 익명화(Anonymization)는 개인정보의 일부 또는 전부를 삭제·대체하여 특정 개인을 식별할 수 없도록 하는 기술로, 대표적인 사생활 침해 방지 기법이다.

기출유형 개념잡기

29 빅데이터의 위기 요인과 통제 방안이 아닌 것은? [35회 출제]

① 사생활 침해
② 책임원칙 훼손
③ 데이터 오용
④ 데이터 변화 관리

정답 ④

해설 데이터 변화 관리는 일반적인 데이터 거버넌스나 품질 관리와 관련된 개념일 뿐, 빅데이터 위기 요인에 해당하지 않는다.

기출유형 개념잡기

30 다음 중 빅데이터 시대의 위기 요인의 사례 연결이 올바르지 않은 것은? [34회 출제]

① 사생활 침해 - 개인정보를 동의 없이 수집하여 맞춤형 광고 제작
② 책임원칙 훼손 - 특정 집단에 소속되어 있다는 이유로 부당한 해고
③ 책임원칙 훼손 - 특정 성향의 직원에 대한 채용 거부
④ 데이터 오용 - 상업적 목적으로 데이터 크롤링하여 개인정보 수집

정답 ④

해설 "데이터 크롤링을 통한 개인정보 수집"은 데이터 오용이 아니라 사생활 침해 사례이다.

05 미래의 빅데이터

학습목표
미래의 빅데이터는 데이터, 기술, 인력의 세 가지 측면에서 이해할 수 있다.

출제경향 및 중요도
① 빅데이터 활용 3요소 ★

1) 데이터 출제유형 빅데이터 활용 3요소

- 빅데이터 시대에는 모든 것을 데이터화하는 흐름을 피할 수 없다.
- 특정 목적 없이 생산된 데이터라 하더라도, 창의적 재활용을 통해 새로운 가치를 만들어 낼 수 있다.

(1) 전망
- 센서 시장의 급성장으로 데이터 생산량이 폭발적으로 증가
- 매년 생성되는 데이터의 단위가 제타바이트(ZB)를 넘어, 브론토바이트(BB) 시대로 진입할 것으로 예상

2) 기술
- 빅데이터 분석 알고리즘의 진화는 앞으로 더욱 가속화될 것이다.
- 일반적으로 데이터 양이 증가할수록 알고리즘의 정확도도 높아지는 경향이 있다.

(1) 전망
- M2M(Machine to Machine), IoT(사물인터넷)의 확산으로 데이터 생산량이 기하급수적으로 증가
- 이에 따라 빅데이터를 다루는 알고리즘의 성능과 효율성 또한 기하급수적으로 향상될 것으로 예상된다.

3) 인력
- 미래 빅데이터 시대에는 데이터 사이언티스트(Data Scientist)와 알고리즈미스트(Agorithmist)의 역할이 점점 더 중요해질 것으로 전망된다.

(1) 데이터 사이언티스트의 역할
- 빅데이터를 다각적으로 분석하여 의미 있는 인사이트를 도출
- 단순 분석가가 아니라, 조직의 전략 방향을 제시하는 기획자적 전문가로서 역할 수행

(2) 알고리즈미스트의 역할

- 빅데이터를 처리·분석하는 알고리즘을 설계·개선하는 전문가
- 데이터 사이언티스트와 협업하여 분석 효율성을 높이고, 빅데이터 활용도를 극대화

> **기출유형 개념잡기**
>
> **31** 빅데이터의 관점에서 사물인터넷(IoT)을 바라볼 때, 그 핵심 역할로 가장 적절한 것은? [33회 출제]
> ① 데이터화(Datafication)
> ② 서비스 지능화(Intelligence Service)
> ③ 분석 고급화(Advanced Analytics)
> ④ 정보 공유화(Information Sharing)
>
> 정답 ①
>
> 해설
> - 사물인터넷(IoT) 환경에서는 센서를 통해 실시간으로 방대한 데이터를 수집한다.
> - 시간이 지날수록 데이터의 양이 기하급수적으로 증가하기 때문에, IoT의 핵심 역할은 세상의 모든 것을 데이터로 전환하는 '데이터화(Datafication)'에 있다.

3장 가치 창조를 위한 데이터 사이언스와 전략 인사이트

01 빅데이터 분석과 전략 인사이트

학습목표
- 빅데이터 열풍 속에서 가치 기반 분석과 전략적 통찰력(Strategic Insight) 창출의 의미와 중요성을 이해한다.

출제경향 및 중요도
① 전략적 통찰이 없는 분석의 함정 ★   ② 전략 도출을 위한 가치 기반 분석 ★

1. 빅데이터 열풍과 회의론 〖출제유형〗 빅데이터 가치 창출의 핵심

- CRM을 비롯한 IT 해결책은 흔히 공포 마케팅이 작동하는 대표적인 영역이다. 초기에는 해당 해결책을 도입하기만 하면 모든 문제가 단번에 해결될 것처럼 강조되지만, 시간이 지나면 이를 도입하지 않으면 뒤처질 수 있다는 불안감이 조성된다. 이에 따라 기업들은 거액을 투자하여 하드웨어와 소프트웨어를 도입하지만, 정작 어떻게 활용하여 가치를 창출할 것인지라는 근본적인 질문으로 되돌아가야 하는 상황이 발생한다.
- 빅데이터 열풍 역시 이러한 패턴을 반복하고 있다. 현재 소개되는 많은 성공 사례가 사실상 기존 분석 프로젝트를 새롭게 포장한 경우가 대부분이며, 국내 일부 업체들은 성과를 내기 위해 기존 분석을 단순히 '빅데이터 분석'으로 이름만 바꾸어 강조하는 데 치중하고 있다는 비판이 제기된다.
- 결국 빅데이터 분석도 기존 분석과 마찬가지로 **데이터에서 가치와 통찰을 도출하여 성과를 창출**하는 것이 핵심이며, 단순히 새로운 기술이나 솔루션 도입만으로는 성과를 담보할 수 없음을 명심해야 한다.

2. 왜 싸이월드는 페이스북이 되지 못했나?

- 구글, 링크트인, 페이스북과 같은 성공적인 인터넷 기업들은 공통으로 **데이터 분석을 기반**으로 출발하였으며, 분석 결과는 내부 의사결정에 있어 결정적인 정보를 제공하였다. 반면 싸이월드는 **직관에 의존한 의사결정에** 머물러 있었고, 이는 경쟁에서 뒤처지게 된 주요 원인 중 하나였다.

GQGGDJ

- 싸이월드에는 데이터 분석을 통해 전략적 통찰을 얻고, 이를 근거로 효과적인 의사결정을 내리며, **구체적인 성과로 연결하는 체계적 문화가 부재**하였다. 결국 분석 기반의 경영 문화가 자리 잡지 못한 탓에 싸이월드는 점차 내리막길을 걷게 되었다.
- 이 사례는 빅데이터가 단순한 기술적 유행어가 아니라, **전략적 분석과 통찰력 창출을 통해** 기업 성패를 가르는 핵심 요소임을 보여준다. 따라서 오늘날 우리는 빅데이터의 기술적 측면을 넘어, 이를 조직의 가치 창출과 의사결정 체계에 어떻게 반영할 것인지에 주목해야 한다.

확대경 전형적인 의사결정 오류 **출제유형** 로직 오류와 프로세스 오류 개념 구분

① 로직 오류
- 부정확한 가정을 세우고 이를 검증하지 않은 상태에서 의사결정을 내리는 경우
- 잘못된 가정·해석으로 인한 오류

② 프로세스 오류
- 의사결정 과정에서 분석과 통찰력을 고려하지 않는 경우
- 절차상의 부실·지연으로 인한 오류

---

3 빅데이터 분석, 'Big'이 핵심이 아니다 **출제유형** 빅데이터 활용의 문제점

- 많은 사람들은 '빅(Big)'한 데이터를 보유하고 있으면 자동으로 가치 창출이 가능할 것이라고 생각한다. 그러나 데이터의 양이 곧 가치로 이어지는 것은 아니다. **진정한 가치는 데이터의 크기가 아니라 데이터 유형의 다양성**에서 비롯된다.
- 빅데이터의 기회는 음성, 텍스트, 이미지, 비디오와 같은 **새롭고 다양한 정보 원천을 활용**하는 데 있다. 예를 들어, 특정 회사는 고객 서비스를 강화하기 위해 콜센터의 음성 데이터를 텍스트로 변환하여 분석하였다. 이를 통해 고객 불만을 더욱 효과적으로 예측하고 대응할 수 있었으며, 나아가 이러한 비정형 데이터를 정형 데이터와 결합해 활용함으로써 고객과 비즈니스 상황을 종합적이고 입체적으로 분석할 수 있었다.
- 결국 핵심은 단순히 '빅'한 데이터를 확보하는 데 있지 않다. **비즈니스의 핵심에 대해 객관적**이고 종합적인 **통찰을 제공**할 수 있는 데이터를 찾고 분석하는 것이 가장 중요하다. 현재와 미래 모두 빅데이터 활용의 **걸림돌은 비용이 아니라, 분석 방법과 성과에 대한 이해 부족**이 될 가능성이 크다.

4 전략적 통찰이 없는 분석의 함정 〔출제유형〕 가치 기반 분석적 통찰력의 의미

- 한국의 경영 문화는 여전히 분석을 국소적인 문제 해결 수단으로만 활용하는 단계에 머물러 있다. 빅데이터는 물론이고 내부의 스몰 데이터조차 충분히 활용하지 못하는 경우가 여전히 많다.
- 이처럼 분석이 단순한 문제 해결 수준에 그치고 경쟁의 본질을 제대로 반영하지 못한다면, 결국 조직은 아무런 **전략적 의미가 없는 분석 결과**만을 양산하게 된다. 이는 분석이 통찰로 연결되지 못할 때 발생하는 대표적인 함정이다.
- 34개국, 18개 산업에 속한 371개 기업의 경영진을 대상으로 조사 결과는 성과가 우수한 기업조차 '**가치 기반 분석적 통찰력**'을 보유했다고 응답한 비율이 매우 낮았다는 점이다. 성과가 높은 기업은 성과가 낮은 기업에 비해 분석에 대한 태도와 활용 방식에서 차이를 보였지만, 세부 수치를 살펴보면 산업 평균 이상의 분석 역량을 갖췄다고 응답한 비율은 77%에 달했지만, **가치 분석적 통찰력을 보유했다고 응답한 비율은 36%에 불과**하였다.

5 일차적인 분석 vs. 전략 도출을 위한 가치 기반 분석 〔출제유형〕 가치 기반 분석 특징

1) 일차적인 분석
- 특정 부서나 업무 영역에서 직접적인 효과를 가져올 수 있다.
- 이러한 경험이 축적되면 분석의 활용 범위를 점차 넓히고, 전략적 차원으로 확장할 수 있다.

2) 가치 기반 분석
- 단순한 성과 측정에 머무르지 않고, 전략적 인사이트를 도출하는 것을 목표로 한다.
- 이를 위해서는 사업 전반과 이를 둘러싼 **거시적 트렌드를 고려**해야 한다.
- **인구통계학적 변화, 경제·사회적 변화, 고객 니즈 변화**, 기타 산업·기술 대변화의 예측
- 이러한 큰 그림을 통해 사업을 폭넓게 조망하지 못한다면, 기업 성과와 경쟁력의 핵심인 전략적 이슈를 다루기 어렵다.

3) 대표적인 일차적인 분석 애플리케이션 사례

산업	일차적인 분석 사례
금융 서비스	신용점수 산정, 사기 탐지, 고객 수익성 분석
소매업	재고 보충, 수요 예측
제조업	맞춤형 상품 개발, 신상품 개발
에너지	트레이딩, 공급, 수요 예측
온라인	웹 매트릭스, 사이트 설계, 고객 추천

> **기출유형 개념잡기**
>
> **32** 빅데이터 분석에 대한 설명 중 적절하지 않은 것은? [34회 출제]
> ① 일차적인 분석으로는 해당 부서 및 업무에 효과가 없다.
> ② 빅데이터의 걸림돌은 분석적 방법과 성과에 대한 이해 부족이다.
> ③ 빅데이터의 가치를 추출해야 하면 빠를수록 효과적이다.
> ④ 비즈니스 핵심에 대해 보다 객관적이고 종합적인 통찰을 줄 수 있는 데이터를 확보해야 한다.
>
> **정답** ①
> **해설** 일차원적인 분석이라 하더라도 부서나 업무 영역에서 직접적인 효과를 얻을 수 있다.

02 전략 인사이트 도출을 위한 필요 역량

학습목표
- 데이터 사이언스의 정의와 역할을 이해한다.
- 데이터 사이언티스트에게 요구되는 핵심 역량을 파악한다.

출제경향 및 중요도
① 데이터 사이언스 정의 ★
② 데이터 사이언스의 3대 구성 요소 ★
③ 데이터 사이언티스트의 요구 역량 ★★★
④ 데이터 사이언티스트의 6가지 핵심 질문 ★

1 데이터 사이언스의 의미와 역할 〔출제유형〕 데이터 사이언스와 기타 학문과의 차이

- 데이터 사이언스란, 데이터를 활용하여 의미 있는 정보를 추출하는 학문이다.
- 기존의 **통계학이 주로 정형화된 실험 데이터를 분석 대상으로 삼는 것과 달리**, 데이터 사이언스는 정형·비정형을 가리지 않고 인터넷, 휴대전화, 감시 카메라 등에서 생성되는 숫자·문자·영상 등 다양한 유형의 데이터를 분석 대상으로 한다.
- **데이터 마이닝이 분석 자체에 초점**을 두는 개념이라면, 데이터 사이언스는 분석뿐 아니라 이를 효과적으로 구현하고 전달하는 과정까지 포함하는 포괄적 개념이다.

2 데이터 사이언스의 구성 요소

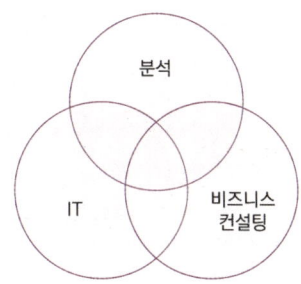

데이터 사이언스의 핵심 구성 요소

1) IT(Data Management)
- 프로그래밍, 데이터 엔지니어링, 데이터 웨어하우징, 고성능 컴퓨팅 등

2) Analytics(분석적 영역)
- 수학, 확률모델, 머신러닝, 분석학, 패턴 인식과 학습 등

3) 비즈니스 컨설팅
- 커뮤니케이션, 프레젠테이션, 스토리텔링, 시각화 등

3 데이터 사이언티스트의 역량

- 외국의 전문가들은 공통으로 강력한 호기심(Intensive Curiosity)을 데이터 사이언티스트의 핵심 특징으로 꼽는다. 여기서 말하는 호기심이란 단순한 흥미를 넘어, **문제의 이면을 파고들고, 올바른 질문을 제기하며, 검증할 수 있는 가설을 세우는 능력**을 의미한다.
- 오늘날 빅데이터 환경에서 활동하는 데이터 사이언티스트들은 흔히 데이터 처리 및 분석 기술(하드 스킬)만을 요구받는 것처럼 보인다. 그러나 이는 데이터 사이언티스트가 갖추어야 할 능력의 절반에 불과하다.
- 나머지 절반은 **통찰력 있는 분석, 설득력 있는 전달, 협업 능력과 같은 소프트 스킬(Soft Skills)** 이다. 이러한 역량이 뒷받침될 때, 데이터 사이언티스트는 단순한 분석가를 넘어 **전략적 인사이트를 창출하는 전문가**로 자리매김할 수 있다.

1) 데이터 사이언티스트의 요구 역량 [출제유형] 하드 스킬과 소프트 스킬 개념 구분

- 데이터 사이언티스트는 단순한 기술 전문가가 아니라, 분석적 사고와 비즈니스적 통찰을 함께 갖춘 융합형 인재이다. 따라서 Hard Skill과 Soft Skill의 균형이 필수적이다.

(1) Hard Skill

① 빅데이터에 대한 이론적 지식: 관련 기법에 대한 이해와 방법론 습득
② 분석 기술에 대한 숙련: 최적의 분석 설계 및 노하우 축적

(2) Soft Skill

① 통찰력 있는 분석: 창의적 사고, 호기심, 논리적 비판 능력
② 설득력 있는 전달: 스토리텔링과 데이터 시각화(Visualization)를 통한 효과적 커뮤니케이션
③ 다분야 간 협력: 원활한 의사소통(Communication)과 협업 역량

> **확대경** 가트너가 본 데이터 사이언티스트의 핵심 역량 [출제유형] 가트너의 핵심 역량
> - 데이터 관리(Data Management): 방대한 데이터를 수집·저장·정제·처리하는 능력
> - 분석 모델링(Analytical Modeling): 통계, 데이터 마이닝, 기계 학습 등을 활용해 문제 해결
> - 비즈니스 분석(Business Analysis): 비즈니스 맥락에서 해석하고 전략적 의사결정에 연결
> - 소프트 스킬(Soft Skills): 분석 결과를 이해하기 쉽게 전달하고, 조직 내 합의를 이끌어내는 역량

4 ▶ 데이터 사이언스: 과학과 인문의 교차로

- 데이터 사이언스는 단순히 기술적·과학적 기법에 의존하는 학문이 아니다. 오히려 과학과 인문이 만나는 교차로에 서 있다고 할 수 있다.
- 세계적인 데이터 사이언스 전문가들은 공통적으로 데이터 사이언티스트에게 다음과 같은 역량을 요구한다.

> - 스토리텔링과 커뮤니케이션 능력
> - 창의력과 열정
> - 직관력과 비판적 시각
> - 글쓰기 및 대화 능력

- 이러한 역량들은 대부분 **인문학의 주요 주제**와 맞닿아 있다. 따라서 데이터 사이언티스트는 **과학적 분석 능력과 더불어 인문학적 소양을 함께** 갖추어야 하며, 이를 통해 데이터를 해석하고 설득력 있는 메시지로 전달할 수 있어야 한다.

5 ▶ 전략적 통찰력과 인문학의 부활 〔출제유형〕 사회·경제 환경 변화

- 오늘날의 인문학 열풍은 단순한 일시적 유행이 아니라, 사회·경제적 변화 속에서 필연적으로 등장한 흐름이라고 할 수 있다. 특히 외부 환경적 요인을 살펴보면, 인문학의 필요성과 전략적 통찰력의 중요성이 더욱 분명해진다.
- 최근의 사회·경제 환경 변화는 다음과 같은 세 가지 특징적 흐름으로 요약된다.

1) 단순 세계화에서 복잡한 세계화로의 전환
- 글로벌 환경은 단순히 시장이 확장되는 단계를 넘어, 다양성·정체성·맥락·관계·연결성·창조성이 핵심 키워드로 새롭게 부상하고 있다.

2) 비즈니스 중심의 이동: 생산에서 서비스로
- 과거에는 제품 생산이 기업 경쟁력의 핵심이었지만, 이제는 고객 서비스 품질이 더욱 중요한 요소가 되었다.

3) 경제·산업 논리의 변화: 생산에서 시장 창조로
- 과거에는 단순히 생산력 확대가 중심이었으나, 오늘날의 핵심은 새로운 현지화 패러다임에 근거한 시장 창조로 이동하였다.

6 데이터 사이언티스트에 요구되는 인문학적 사고의 특성과 역할

출제유형 정보와 통찰 핵심 질문의 구분

- 데이터 사이언티스트는 단순히 데이터를 처리·분석하는 기술적 전문가가 아니다. 인문학적 사고를 기반으로 데이터를 해석하고, 의미 있는 질문을 던지며, 이를 통해 조직의 전략적 의사결정을 지원하는 역할을 수행한다.
- 아래 표는 데이터 사이언티스트가 다룰 수 있는 6가지 핵심 질문을 두 차원으로 나누어 정리한 것이다.

구분	과거	현재	미래
정보 Information	무슨 일이 일어났는가? 리포팅(보고서 작성 등)	무슨 일이 일어나고 있는가? 경고	무슨 일이 일어날 것인가? 추출
통찰 Insight	어떻게, 왜 일어났는가? 모델링, 실험설계	차선 행동은 무엇인가? 권고	최악, 최선의 상황은? 예측, 최적화, 시뮬레이션

1) 첫 번째 차원: 단순 정보 활용
- 과거에 무슨 일이 일어났는지를 요약하는 수준
- 주로 보고서 형태로 정리되며, 단순한 기술(Descriptive) 차원의 정보 제공에 그친다.

2) 두 번째 차원: 통찰력 제시
- 단순 요약을 넘어, 분석 도구와 기법을 활용해 핵심 문제를 깊이 탐구
- 이를 통해 사업 성과를 좌우하는 중요한 질문에 대해 깊이 있고 유용한 해답을 도출한다.

7 데이터 분석 모델링에서 인문학적 통찰력의 적용 사례

- 데이터 분석 모델링에 인문학적 통찰력을 적용할 때, 인간을 바라보는 관점은 크게 세 가지로 구분할 수 있다.

1) 인간을 바라보는 세 가지 관점

(1) 타고난 성향적 관점
- 인간을 변하지 않는 존재로 상정하는 시각이다.
- 유전적 요소처럼 선천적으로 주어진 성향이 존재하며, 인간은 이를 기초로 구분된다고 본다.

(2) 행동적 관점

- 타고난 성향만으로는 인간을 정확하게 판단하기 어렵다는 시각이다.
- 예를 들어, 오늘까지 신뢰감을 주던 사람이 다음 날 전혀 다른 행동을 보일 수 있다.
- 현재의 신용 리스크 모델은 인간을 이러한 행동적 관점에서 바라보고 있다.

(3) 상황적 관점

- 특정 행동을 반복하는 사람은 앞으로도 같은 행동을 할 가능성이 높다.
- 그러나 이는 상황이 동일하게 유지될 때만 유효하다. 갑작스러운 상황 변화는 전혀 다른 행동을 유발할 수 있다.

> **기출유형 개념잡기**
>
> **33** 빅데이터 사이언티스트의 요구 역량에 해당되는 소프트 스킬(Soft Skill)에 대한 설명 중 가장 적절하지 않은 것은? [26회 출제]
> ① 통찰력 있는 분석
> ② 설득력 있는 전달
> ③ 다분야 간 협력
> ④ 빅데이터에 대한 이론적 지식
>
> 정답 ④
> 해설 빅데이터에 대한 이론적 지식은 분석 기법 및 방법론을 이해하는 하드 스킬(Hard Skill)에 해당한다.

03 빅데이터 그리고 데이터 사이언스의 미래

학습목표
빅데이터 시대에 나타나는 가치 패러다임의 변화를 이해한다.

출제경향 및 중요도
① 가치 패러다임의 변화 ★

1. 빅데이터의 시대

- 2025년 기준, 전 세계적으로 생성되는 디지털 정보량은 이미 수백 제타바이트(ZB) 규모에 도달한 것으로 추정된다.
- 이를 일상적인 비유로 설명하면, 대한민국 국민 전원이 수십만 년 동안 매 분마다 트위터에 글 3개씩 게시했을 때의 총량과 맞먹는 수준이다.
- 이처럼 기하급수적으로 폭증하는 데이터는 사회 전반에 걸쳐 본격적인 초(超)빅데이터 시대의 도래를 의미한다.

2. 빅데이터 회의론을 넘어: 가치 패러다임의 변화 〔출제유형〕 가치 패러다임의 변화 순서

- 오늘날 우리는 내외부 환경이 급격하게 변하는 시대를 살고 있다. 변화의 물결이 거셀수록, 그 흐름을 정확히 읽는 능력이 중요하다. 많은 신기술·신상품·서비스가 성공하는 이유는 바로 이러한 가치 패러다임의 작동 원리에 부합하기 때문이다.
- **가치 패러다임의 변화는 크게 세 단계로 구분**할 수 있다.

1) 디지털화(Digitalization)

- 아날로그 세계를 얼마나 효과적으로 **디지털화**하느냐가 가치를 창출하는 핵심이었다.
- 이 흐름을 대표하는 인물이 바로 빌 게이츠였다.

2) 연결(Connection)

- 빌 게이츠가 미처 주목하지 못한 다음 단계는 **연결**이다.
- 디지털화된 정보와 대상들이 서로 연결되면서, **얼마나 효율적이고 효과적인 연결을 제공하는가**가 새로운 성공의 조건이 되었다.
- 오늘날 사람과 기기 등 수많은 대상이 이미 인터넷을 통해 연결되어 있으며, 사물인터넷(IoT)의 성숙과 함께 연결은 더욱 확장되고 복잡해지고 있다.

3) 에이전시(Agency)

- 미래의 핵심 키워드는 "복잡한 연결을 얼마나 믿을 만하게 관리할 수 있는가"이다.
- 이는 마치 프로 스포츠 선수의 매니지먼트 역할과 유사하며, 수많은 데이터를 빠르고 정확하게 처리해 개인·기기·**사물 간의 연결을 효율적으로 관리**해야 한다.
- 이러한 에이전트 기능 수행의 중심에는 **바로 데이터 사이언스**가 있다.

Digitalization → Connection → Agency

3 데이터 사이언스의 한계와 인문학

- 아무리 정량적인 분석이라 하더라도 **모든 분석은 가정(assumption)에 근거**한다는 사실을 잊어서는 안 된다. 어떤 뛰어난 모델이라도 그 이면에는 전제가 존재하며, 이 가정이 현실과 어긋나면 분석은 잘못된 결과를 초래할 수 있다.
- 대표적인 사례가 2008년 글로벌 금융위기이다. 당시 금융시장의 분석 모델들은 현실의 복잡성을 충분히 반영하지 못했고, 잘못된 가정 위에 구축된 분석 결과가 전 세계적인 경제 위기를 불러왔다.
- 따라서 훌륭한 데이터 사이언티스트는 **인문학적 성찰 태도**를 지녀야 한다. 인문학자처럼 모델의 능력에 대해 끊임없이 **의문을 제기**하고, 가정과 현실의 불일치를 비판적으로 바라보며, 분석 모델이 미처 포착하지 못하는 위험을 파악하기 위해 **현실을 자세히 관찰**해야 한다.

데이터 분석 기획

2과목

4장 데이터 분석 기획의 이해
5장 분석 마스터플랜

출제 방향

- ADsP 제2과목 데이터의 분석 기획은 출제 유형이 안정적이며, 기존 기출의 틀을 크게 벗어나지 않는다.
- 출제 유형 학습과 함께 상호 연계된 개념의 비교와 차이점에 대한 체계적 이해를 병행할 경우, 고득점 전략 수립에 중요한 기반이 될 수 있다.

과목 구성

4장 데이터 분석 기획의 이해
01 분석 기획 방향성 도출
02 분석 방법론
03 분석 과제 발굴
04 분석 프로젝트 관리 방안

5장 분석 마스터플랜
01 분석 마스터플랜 수립
02 분석 거버넌스 체계 수립

4장 데이터 분석 기획의 이해

01 분석 기획 방향성 도출

학습목표
- 분석 기획의 개념과 특징을 이해한다.
- 분석 방향성을 도출할 때 고려해야 할 주요 사항을 파악한다.

출제경향 및 중요도
① 분석 주제 유형 ★★★
② 과제 단위와 마스터플랜 단위의 구분 ★
③ 분석 기획 시 고려 사항 ★
④ 수집 데이터의 형태에 따른 분류 ★

1 분석 기획의 특징

- **분석 기획이란** 실제 분석 수행 이전 단계에서, **분석 과제를 정의**하고 의도한 결과를 도출할 수 있도록 이를 관리·조정할 수 있는 방안을 사전에 계획하는 일련의 작업을 의미한다.
- 이는 분석 과제나 프로젝트를 직접 실행하는 과정은 아니지만, **달성해야 할 목표(What)**를 명확히 하고, 활용할 데이터와 **수행 방법(How)**을 구체화하는 과정이다.
- 따라서 분석 기획은 성공적인 분석 결과를 도출하기 위한 **핵심적인 사전 작업**으로서 중요한 의의가 있다.
- 분석을 기획한다는 것은, 아래 그림에서 알 수 있듯이 **세 가지 영역에 대한 균형 잡힌 역량**과 시각을 요구한다.
- 해당 문제 영역에 대한 **전문성과 통계학적 지식**을 활용한 분석 역량, 그리고 분석의 도구가 되는 **데이터 및 프로그래밍** 기술 역량을 조화롭게 갖추어야 한다.
- 이를 바탕으로 **분석의 방향성과 구체적인 계획**을 수립하는 것이 분석 기획의 본질이라 할 수 있다.

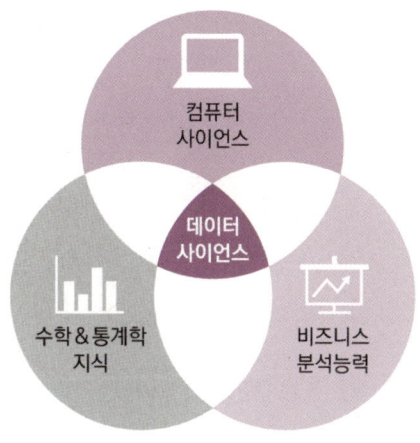

1) 분석 주제 유형 출제유형 분석 주제 네 가지 유형 구분

- 분석은 **분석 대상과 분석 방법의 유무**에 따라 네 가지 유형으로 구분된다.
- 실제 분석 과정에서는 이 네 가지 유형이 **서로 융합적으로 반복**되며 적용된다.

(1) Optimization(최적화)

- **분석 대상과 분석 방법을 모두 파악**한 상태에서, 주어진 문제를 **최적화 문제로 정의**하고 해결하는 방식

(2) Solution(솔루션)

- 분석 대상은 명확하지만, 분석 방법을 알지 못하는 경우, 적합한 **솔루션을 탐색**하여 문제를 해결하는 방식

(3) Insight(통찰)

- 분석 대상이 불명확하지만, 분석 방법은 알고 있는 경우, 데이터를 활용하여 **새로운 인사이트를 도출**하는 방식

(4) Discovery(발견)

- **분석 대상과 방법 모두 불명확할 때**, 데이터를 탐색·발견 과정을 통해 새로운 분석 대상을 규명하는 방식

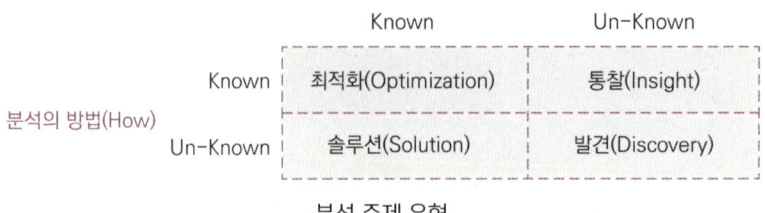

분석 주제 유형

> **기출유형 개념잡기**
>
> **01** 분석의 대상이 명확하지 않은 경우, 기존의 분석 방법을 활용하여 새로운 지식을 도출하는 분석 주제 유형은 무엇인가? [13회 출제]
> ① Optimization　　　　　　　　② Insight
> ③ Solution　　　　　　　　　　④ Discovery
> 정답 ②
> 해설 Insight는 분석 대상이 불분명하지만, 분석 방법을 알고 있는 경우에 적용되는 분석 주제 유형이다.

2) 목표 시점별 분석 기획 방안 〔출제유형〕 과제 단위와 마스터플랜 단위 구분

- 분석 기획은 목표 시점에 따라 두 가지 방식으로 구분할 수 있다.

(1) 과제 중심 접근방식

- 당면한 과제를 신속하게 해결하기 위해 적용하는 단기적 접근.

(2) 장기적 마스터플랜 방식

- 분석 역량의 내재화와 지속적 활용을 위한 장기적 전략.
- 이 두 가지 방식은 상호 보완적으로 작용하며, 융합적으로 적용하는 것이 바람직하다.

당면한 분석 주제의 해결		지속적 분석 문화 내재화
과제 단위		마스터플랜 단위
Speed & Test	1차 목표	Accuracy & Deploy
Quick-Win	과제의 유형	Long Term View
Problem Solving	접근방식	Problem Definition

목표 시점별 분석 기획 방안

> **용어 정리**
> - Quick-win(즉각적 성과 도출)이란, 프로세스 진행 과정에서 일반적인 상식과 경험을 통해 원인이 명확히 드러나는 경우, 개선 단계를 뒤로 미루지 않고 즉시 조치하여 불합리한 요소를 제거하고 단기간에 과제를 달성하는 실행 방식을 의미한다.

2. 분석 기획 시 고려 사항 〔출제유형〕 분석 기획할 때 3가지 고려 사항

1) 가용한 데이터(Available Data)

- 분석을 수행하기 위해서는 데이터 확보가 필수적이다. 데이터의 유형에 따라 적용할 수 있는 솔루션 및 분석 방법이 달라지므로, 데이터 유형에 대한 이해가 선행되어야 한다.

(1) 수집 데이터의 형태별 분류

① **정형 데이터(Structured Data)** 〔출제유형〕 데이터의 형태별 특징
  - 관계형 데이터베이스(RDBMS)의 테이블처럼 **고정된 스키마(행·열 구조)를 가진 데이터**
  - **스키마가 존재하므로** 테이블 → 컬럼 → 로우 탐색과 같이 **정형화된 방식으로 접근할** 수 있다.
  - 예시: RDBMS 테이블(단일 및 조인), 스프레드시트

② **반정형 데이터(Semi-Structured Data)**
  - 데이터 내부에 **메타데이터(스키마 정보)**를 포함하고 있는 형태.
  - 일반적으로 파일 기반으로 저장되며, 규칙성을 파악해 파싱 규칙을 적용해야 한다.
  - 예시: XML, JSON, HTML, 오픈 API, 웹로그, IoT 센서 데이터, URL 형태 데이터

> **용어 정리**
> 파싱(Parsing)이란, 문서(예 HTML, XML 등)에서 원하는 데이터를 특정한 패턴이나 규칙에 따라 추출하여 가공하는 과정을 의미한다.

③ **비정형 데이터(Unstructured Data)**
  - 비정형 데이터란 정해진 스키마 구조 없이, 개별 데이터가 독립된 객체로 수집되는 형태의 데이터이다.
  - 대표적으로 **자연어 텍스트, 이미지, 동영상** 등 멀티미디어 데이터가 이에 해당한다.
  - 예시: 동영상, 이미지, 소셜 미디어 텍스트 데이터

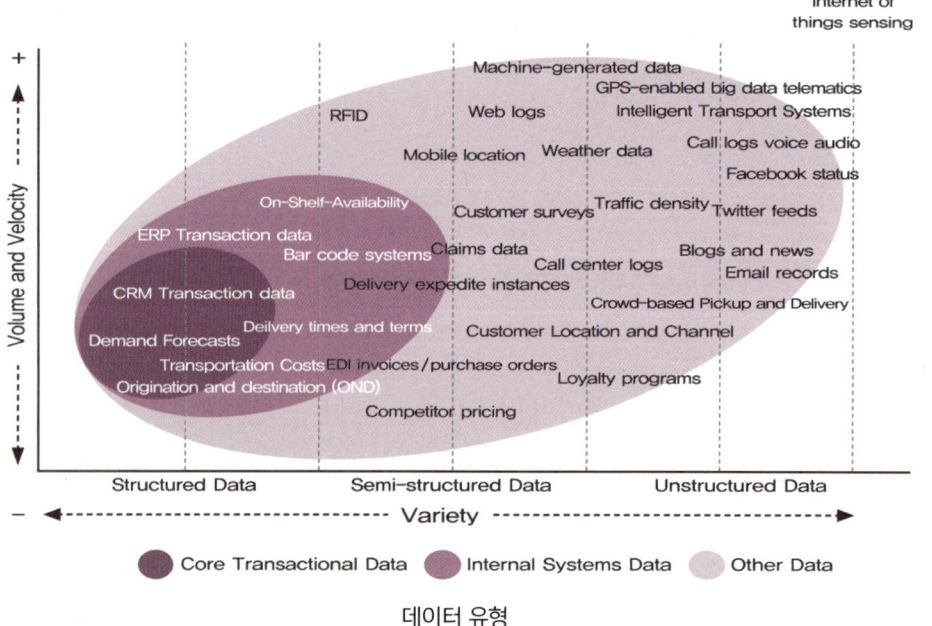

데이터 유형

2) 적절한 유스케이스(Proper Use-Case) 탐색

- 분석 기획 단계에서는 유사한 분석 시나리오나 기존 솔루션을 적극적으로 활용하는 것이 중요하다.
- 이러한 유스케이스를 기반으로 소통하면, 분석 결과를 실제로 활용할 사용자 관점에서 공감대를 형성할 수 있다.
- 이는 원활한 분석 수행과 결과의 실질적 적용에 크게 기여한다.

3) 장애 요소에 대한 사전 계획 수립(Low Barrier of Execution)

- 분석 정확도를 높이기 위해서는 기간과 투입 자원의 증가가 불가피하며, 이는 곧 비용 상승으로 이어질 수 있다. 따라서 이를 최소화하기 위한 사전 고려와 계획 수립이 필요하다.
- 또한 분석이 단발성에 그치지 않고 조직 내 역량을 지속적으로 내재화되기 위해서는, 체계적인 교육과 지속적 활용 방안을 포함한 변화 관리(Change Management) 전략이 반드시 마련되어야 한다.

기출유형 개념잡기

02 분석 기획 고려 사항 중 장애 요소에 대한 설명으로 부적절한 것은 무엇인가? [18회 출제]

① 데이터 유형에 따라 적용할 수 있는 솔루션과 분석 방법이 다르므로, 유형에 대한 분석이 선행되어야 한다.
② 유사 분석 시나리오 및 솔루션이 있다면 이를 최대한 활용하는 것이 중요하다.
③ 장애 요소들에 대한 사전 계획 수립이 필요하다.
④ 이해하기 쉬운 모델보다는 복잡하고 정교한 모형이 더 효과적이다.

정답 ④
해설 복잡하고 정교한 모형이 반드시 효과적인 것은 아니며, 분석 결과를 이해하고 활용할 수 있도록 단순하면서도 직관적인 모델을 설계하는 것이 중요하다.

02 분석 방법론

학습목표
분석 수행을 체계적이고 일관된 방식으로 진행할 수 있도록 다양한 분석 방법론을 이해한다.

출제경향 및 중요도
① 분석 방법론의 구성 요소 ★
② 분석 모형 프로세스 ★★
③ 기업의 합리적 의사결정 장애 요소 ★

1 분석 방법론 개요 출제유형 분석 방법론의 계층 구조의 구분

- 데이터 분석 방법론은 기업 내 데이터 분석을 효과적으로 정착시키기 위해, **분석 절차와 방법을 체계화한 지침**이다.
- 일반적으로 방법론은 **계층적 프로세스 모델(Stepwised Process Model)**의 형태로 구성된다.

1) 단계(Phase)

- **최상위 계층에 해당**하며, 각 단계는 프로세스 그룹(Process Group)을 거쳐 최종적으로 단계별 완료 보고서가 산출된다.
- 각 단계는 **기준선으로 설정**되어 관리되며, **버전 관리(Configuration Management)**를 통해 체계적으로 통제된다.

2) 태스크(Task)
- 각 단계는 여러 개의 태스크로 이루어진다.
- 태스크는 단계를 구성하는 단위 활동을 의미한다.

3) 스텝(Step)
- **가장 하위 계층**으로, 입력 자료(Input Data) → 처리 및 도구(Process & Tools) → 출력 자료(Output Data)로 구성된 단위 프로세스를 말한다.

> **[확대경] 분석 방법론의 구성 요소** **[출제유형] 분석 방법론의 구성 요소**
>
> - 분석 방법론은 데이터 분석 프로젝트를 체계적으로 수행하는 데 필요한 핵심 구성 요소들로 이루어진다.
> ① 상세한 절차(Procedure)
>   - 분석 과정에서 수행해야 할 단계별 절차를 정의한다.
> ② 방법(Methods)
>   - 각 단계에서 활용할 분석 접근방식과 방법론을 의미한다.
> ③ 도구와 기법(Tools & Techniques)
>   - 분석을 수행하기 위한 소프트웨어 도구 및 기법을 포함한다.
> ④ 템플릿과 산출물(Templates & Outputs)
>   - 분석 과정의 표준화된 문서 양식과 최종적으로 도출되는 성과물을 의미한다.

2 기업의 합리적 의사결정의 중요성 [출제유형] 기업의 합리적 의사결정의 장애 요인

- 최근 기업 경쟁력 강화를 위해 데이터 분석 및 활용의 중요성이 크게 주목받고 있다.
- 과거에는 기업들이 품질 목표나 재무 성과를 달성하기 위해, 데이터 기반 의사결정보다는 경험과 직관(감)에 의존해도 일정 수준의 목표를 달성할 수 있었다.
- 그러나 오늘날의 극심한 글로벌 경쟁 환경에서는 이러한 방식만으로는 한계가 분명해졌다. 이에 따라 기업들은 데이터 기반의 의사결정을 위해 많은 노력을 기울이고 있다.
- 하지만 **고정관념, 편향된 사고, 프레이밍 효과 등은** 기업의 합리적 의사결정을 방해하는 주요 **장애 요인**으로 작용한다.
- 따라서 진정한 데이터 기반 의사결정을 실현하기 위해서는 **기업 문화의 혁신과 업무 프로세스 개선**이 반드시 필요하다.

> **[용어 정리]**
> - 프레이밍 효과란, 동일한 사건이나 상황이라 하더라도 문제를 제시하는 표현 방식에 따라 개인의 판단이나 선택이 달라지는 현상을 말한다.

> **기출유형 개념잡기**
>
> **03** 기업의 합리적 의사결정의 장애 요소에 해당하는 것은? [13회 출제]
> ① 프레이밍 효과, 고정관념
> ② 비편향적 사고, 프레이밍 효과
> ③ 비편향적 사고, 고정관념
> ④ 편향된 생각, 방법론에 근거한 의사결정
>
> 정답 ①
> 해설 기업의 합리적 의사결정을 방해하는 대표적 장애 요소에는 고정관념, 편향된 사고, 프레이밍 효과 등이 있다.

3 방법론의 생성 과정

- 방법론(Methodology)은 개인의 경험과 지식을 바탕으로 형성된 암묵지(Tacit Knowledge)가 조직 차원에서 공유할 수 있는 형식지(Explicit Knowledge)로 전환되는 과정을 통해 만들어진다.
- 형식화된 지식은 체계적으로 문서화 및 정리되고, 최적화 과정을 거쳐 조직 표준 방법론으로 발전한다.
- 이후 이러한 방법론은 다시 개인에게 전파·활용되어 암묵지로 내재화되는 선순환 과정을 반복하며, 조직 내에서 지속적으로 정착·완성된다.
- 따라서 방법론은 적용되는 업무의 특성에 따라 다양한 모델과 형태를 가질 수 있다.

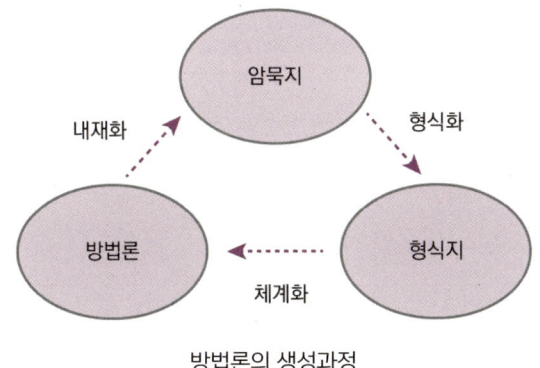

방법론의 생성과정

4 다양한 방법론에 따른 분석 모형 프로세스 출제유형 분석 모형 프로세스의 특징 구분

- 분석 방법론은 프로젝트의 성격과 데이터 환경에 따라 서로 다른 접근방식을 적용할 수 있다. 대표적인 모델은 다음과 같다.

1) 폭포수(Waterfall) 모델

- 특징: 각 단계를 **철저히 검토·승인**한 뒤 확실히 마무리하고 다음 단계로 넘어가는 **단계적(Sequential) 접근방식**
- 진행 방식: 하향식(Top-Down)으로 진행되며, 문제나 개선사항 발견 시 전 단계로 되돌아가는 피드백 절차를 포함한다.
- 장점: 단계별 **관리가 명확하고 체계적**이다.
- 단점: 초기 설계 오류 발생 시 전체 프로젝트에 큰 영향을 미친다.

2) 나선형(Spiral) 모델

- 특징: 여러 번의 **반복적 개발 과정**을 통해 프로젝트를 **점진적으로 완성하는 방식**
- 적용 사례: 새로운 프로젝트나 **대규모 시스템 소프트웨어 개발**에 적합하다.
- 장점: **반복(iteration)을 통해 리스크**를 점진적으로 줄일 수 있다.
- 단점: 반복 관리 체계가 부족하면 프로젝트 진행이 어려워질 수 있다.

3) 프로토타입(Prototype) 모델

- 특징: 사용자의 요구사항이나 **데이터 소스를 명확히 규정하기 어려울 때**, 먼저 프로토타입을 개발하여 검증하고 개선하는 반복적 방식.
- 장점: 폭포수 모델의 피드백 한계를 보완하며, **사용자 요구사항 반영**이 쉽다.
- 단점: 초기 프로토타입 품질에 따라 프로젝트 성패가 좌우될 수 있다.

■ 분석 모형 프로세스

구분	폭포수 모델	프로타이핑 모델	나선형 모델
개념도	분석 → 설계 → 개발 → 테스트	요구분석 → 프로토타입 → 평가 (상세개발/취소)	계획, 위험분석, 고객평가, 개발 (나선형)
특징	순차적 접근	프로토타입 개발	위험분석, 반복개발
장점	이해가 용이 관리가 편리함	요구분석 용이 개발 타당성 검증 가능	위험성 감소와 변경에 유연한 대처
단점	전반부 요구분석 어려움	프로토타입 폐기에 따른 비용 증가	단계 반복에 따른 공정관리 어려움

> **기출유형 개념잡기**
>
> **04** 소프트웨어 개발에서 분석, 설계, 개발, 시험, 운영 및 유지보수의 전 과정을 단계적으로 순차 진행하는 방법론은 무엇인가? [15회 출제]
> ① 폭포수 모델
> ② 프로토타입 모델
> ③ 나선형 모델
> ④ 애자일 모델
>
> 정답 ①
>
> 해설 폭포수(Waterfall) 모델은 소프트웨어 개발을 단계적(Sequential)으로 진행하는 전통적 방법론이다.

5 KDD 분석 방법론

▲ 출제경향 및 중요도
① KDD 분석 절차 순서와 개념 ★
② CRISP-DM 절차 순서와 개념 ★★
③ KDD vs CRISP-DM 비교 ★

1) KDD(Knowledge Discovery in Database)

- KDD는 1996년 Fayyad가 체계적으로 정리한 데이터 마이닝 프로세스이다.
- 데이터베이스에 저장된 방대한 데이터로부터 의미 있는 지식을 탐색하는 과정을 의미한다.
- 데이터 마이닝, 기계학습, 인공지능, 패턴 인식, 데이터 시각화 등 다양한 분야에 응용될 수 있는 구조를 갖추고 있다.

2) KDD 분석 절차 〔출제유형〕 KDD 프로세스 순서 및 데이터 전처리의 주요 내용

단계	절차	주요 내용
①	데이터셋 선택(Selection)	• 분석 대상 도메인 이해 및 프로젝트 목표 설정 • 데이터 마이닝에 필요한 목표 데이터 선정
②	데이터 전처리(Preprocessing)	• **잡음(Noise), 이상값(Outlier), 결측치(Missing Value) 식별 및 제거** • 필요 시, 새로운 데이터셋을 추가 선택하여 반복 수행 가능
③	데이터 변환(Transformation)	• 분석 목적에 **적합한 변수 선택** • **차원 축소(Dimension Reduction)** 등으로 **효율적인 데이터 마이닝** 적용을 위한 변환 수행

④	데이터 마이닝(Data Mining)	• 변환된 데이터셋을 이용하여 분석 목적에 맞는 알고리즘 선택 • 패턴 탐색, 분류, 예측 등의 데이터 마이닝 기법 적용
⑤	결과해석 · 평가 (Interpretation · Evaluation)	• 도출된 결과의 해석과 평가 • 분석 목적과의 일치 여부 검증 • 필요 시 Selection 단계부터 반복 수행

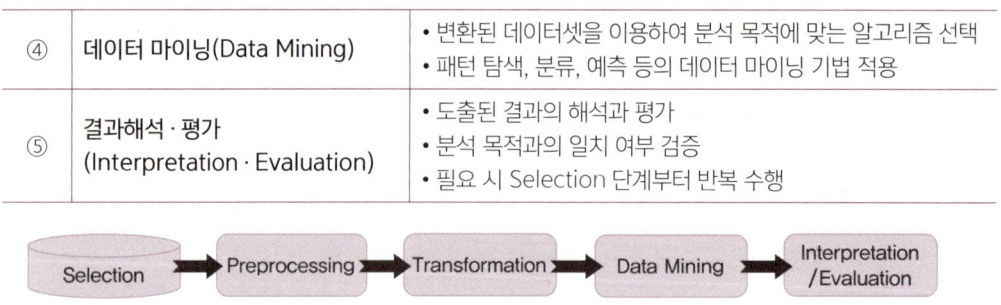

KDD 프로세스

6. CRISP-DM 분석 방법론 〔출제유형〕 CRISP-DM 프로세스 순서 및 단계와 태스크의 구분

1) CRISP-DM
- CRISP-DM(Cross Industry Standard Process for Data Mining)은 1996년 유럽연합 ESPRIT 프로젝트에서 시작된 표준 데이터마이닝 방법론이다.
- 데이터마이닝 프로젝트를 계층적 프로세스 모델로 정리했으며, **총 4개 레벨**로 구성된다.

2) CRISP-DM 4개 레벨 구조

(1) 단계(Phases)
- 상위 레벨로, 데이터마이닝 프로세스를 구성하는 여러 개의 단계(예 비즈니스 이해, 데이터 준비 등)

(2) 일반화 태스크(Generic Task)
- 각 단계를 완전하게 수행할 수 있는 단위 프로세스
- 데이터마이닝의 핵심 활동을 정의한다.

(3) 세분화 태스크(Specialized Task)
- 일반화 태스크를 더 구체적으로 세분화한 실행 단위.
- 실제 업무 환경과 분석 목적에 맞추어 상세화된 작업을 의미한다.

(4) 프로세스 실행(Process Instances)
- 실제 데이터마이닝이 수행되는 실행 단계.
- 각 태스크가 실제 프로젝트 환경에서 구체적으로 구현 · 적용되는 사례

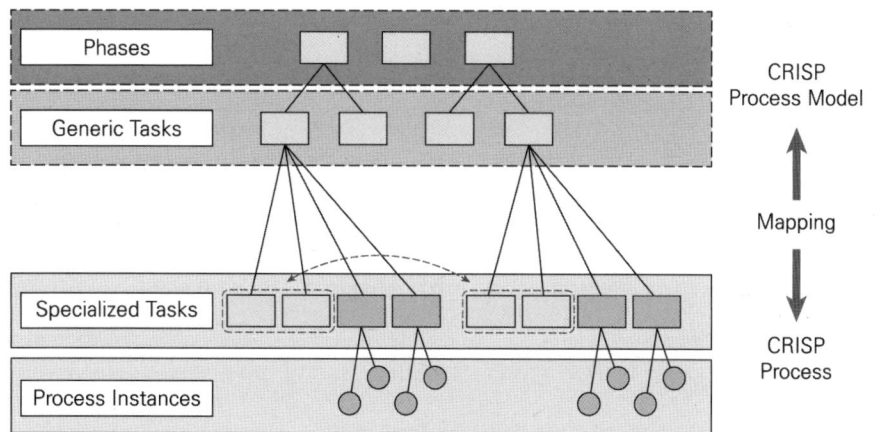

CRISP-DM 계층 구조

3) CRISP-DM 분석 절차

- CRISP-DM 프로세스는 **총 6단계**로 구성되어 있다.
- 단계들은 **폭포수(Waterfall) 모델**처럼 단방향적으로만 진행되지 않으며, **단계 간 피드백(Feedback)**을 통해 반복·보완되면서 완성도를 높여간다는 특징이 있다.

(1) 비즈니스 이해(Business Understanding) 단계

- 분석의 출발점으로, **비즈니스적 요구사항을 분석 목표로 변환**하는 단계이다.
- 주요 태스크(Tasks)
  ① **업무 목적 파악**
  - 프로젝트의 비즈니스 목표 및 성공 기준 정의
  ② **상황 파악**
  - 현재 비즈니스 상황, 환경, 제약조건, 자원 등을 검토
  ③ **데이터 마이닝 목표 설정**
  - 비즈니스 목표를 데이터마이닝 목표로 구체화
  ④ **프로젝트 계획 수립**
  - 일정, 자원 배분, 분석 절차 수립

(2) 데이터 이해(Data Understanding) 단계

- 비즈니스 이해 단계에서 정의한 목표를 달성하기 위해 데이터를 확보하고, 데이터의 특성과 품질을 점검하는 단계이다.

- 주요 태스크(Tasks)
  ① 초기 데이터 수집
  - 분석에 필요한 초기 데이터셋을 확보
  ② 데이터 기술 분석
  - 데이터의 구조, 변수의 유형, 통계 요약값(평균, 분산, 분포 등) 파악
  ③ 데이터 탐색
  - 시각화 기법(히스토그램, 상자 그림, 산점도 등)을 활용하여 데이터 패턴, 관계, 이상치 탐색
  ④ 데이터 품질 확인
  - 결측치, 이상치, 중복 여부 등 품질 문제 확인

(3) 데이터 준비(Data Preparation) 단계
- 데이터 이해 단계에서 확보·점검한 데이터를 분석에 적합한 형태로 가공·구축하는 단계이다. 최종적으로 모델링에 사용할 데이터셋을 완성하는 것이 목표이다.
- 주요 태스크(Tasks)
  ① 분석용 데이터셋 선택
  - 비즈니스 목표에 맞는 관련 데이터 선택
  ② 데이터 정제
  - 결측치 처리, 이상치 제거, 중복 데이터 정리
  ③ 데이터 통합
  - 여러 출처의 데이터를 결합하여 단일 분석용 데이터셋으로 통합
  ④ 데이터 포맷팅
  - 모델링에 적합한 구조와 형식으로 변환

(4) 모델링(Modeling) 단계
- 데이터 준비 단계에서 완성된 분석용 데이터셋을 활용하여 적절한 알고리즘을 선택·적용하고, 모델을 구축·평가하는 단계이다.
- 주요 태스크(Tasks)
  ① 모델링 기법 선택
  - 분석 목적(분류, 회귀, 군집, 연관 등)에 맞는 모델링 기법 선택
  ② 모델 테스트 계획 설계
  - 모델 평가를 위한 데이터 분할 방식 및 검증 전략 수립

③ **모델 작성**
- 실제 데이터를 적용하여 모델을 학습
④ **모델 평가**
- 정확도, 정밀도, 재현율, AUC, RMSE 등 다양한 지표를 활용해 모델 성능을 평가

(5) 평가(Evaluation) 단계
- 모델링을 통해 생성된 모델이 비즈니스 목표와 분석 목적을 충족하는지 종합적으로 검증하는 단계이다.
- 주요 태스크(Tasks)
  ① **분석 결과 평가**
  - 모델링 결과가 비즈니스 목표와 부합하는지 확인
  ② **모델링 과정 평가**
  - 데이터 준비, 모델링 기법 선택, 평가지표 활용 등 전체 과정 점검
  ③ **모델 적용성 평가**
  - 모델이 실제 운영 환경에 적용 가능한지 판단

(6) 전개(Deployment) 단계
- CRISP-DM의 마지막 단계로, 모델을 실제 환경에 적용하고 그 활용 방안을 구체화하는 과정이다.
- 주요 태스크(Tasks)
  ① **전개 계획 수립**
  - 모델을 실제 업무 환경이나 시스템에 적용하기 위한 계획을 수립하는 단계
  ② **모니터링 및 모델 유지보수 계획 수립**
  - 성능 모니터링 체계와 주기적 유지보수·재학습 계획을 수립하는 단계
  ③ **프로젝트 종료 보고서 작성**
  - 프로젝트 전체 과정을 체계적으로 문서화
  ④ **프로젝트 리뷰**
  - 프로젝트 수행 과정 자체를 되돌아보며 개선점을 도출

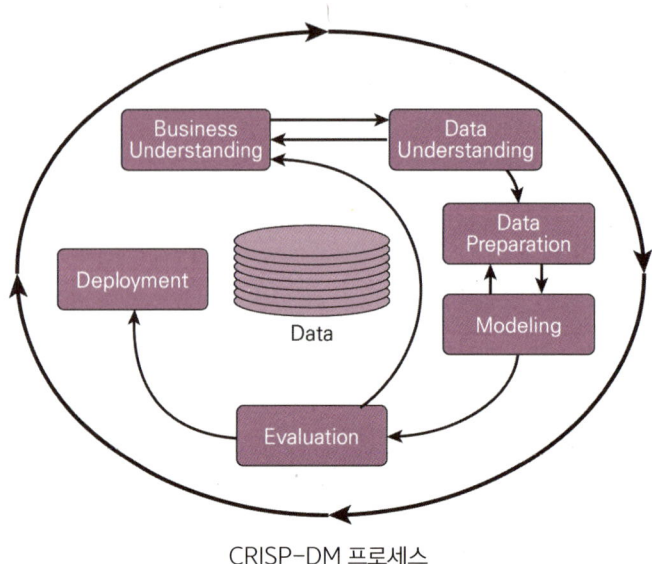

CRISP-DM 프로세스

> **용어 정리**
>
> • 과대적합(Overfitting)이란 기계학습에서 모델이 학습 데이터에 지나치게 적합되도록 학습한 결과, 새로운 데이터(평가용 데이터)에서는 일반화 성능이 저하되는 현상을 의미한다.

> **기출유형 개념잡기**
>
> **05** 다음 중 CRISP-DM의 모델링(Modeling) 단계의 Task로 올바르지 않은 것은? [25회 출제]
> ① 모델링 기법 선택
> ② 모델 테스트 계획 설계
> ③ 모델 작성
> ④ 모델 적용성 평가
> 정답 ④
> 해설 모델링 단계의 주요 Task는 모델링 기법 선택, 모델 테스트 계획 설계, 모델 작성, 모델 평가이다.

7 빅데이터 분석 방법론

1) 빅데이터 분석 방법론의 계층적 프로세스 모델

- 빅데이터를 분석하기 위한 방법론은 계층적 프로세스 모델(Stepwise Process Model)로, 3개 계층(단계-태스크-스텝)으로 구성된다.

(1) 단계(Phase)

- 최상위 계층에 해당한다.
- 각 단계는 프로세스 그룹(Process Group)을 통해 완성된 산출물을 도출한다.
- 단계는 기준선(Baseline)으로 설정되어 관리되며, 버전 관리(Configuration Management) 등을 통해 체계적으로 통제된다.

(2) 태스크(Task)

- 각 단계는 여러 개의 태스크(Task)로 구성된다.
- 태스크는 단계를 이루는 주요 활동 단위를 의미한다.

(3) 스텝(Step)

- 태스크를 실제 실행 가능한 수준으로 세분화한 최소 단위 프로세스이다.
- WBS(Work Breakdown Structure)의 워크 패키지에 해당한다.
- 각 스텝은 입력자료(Input), 처리 및 도구(Process & Tools), 출력자료(Output)로 정의되어 수행된다.

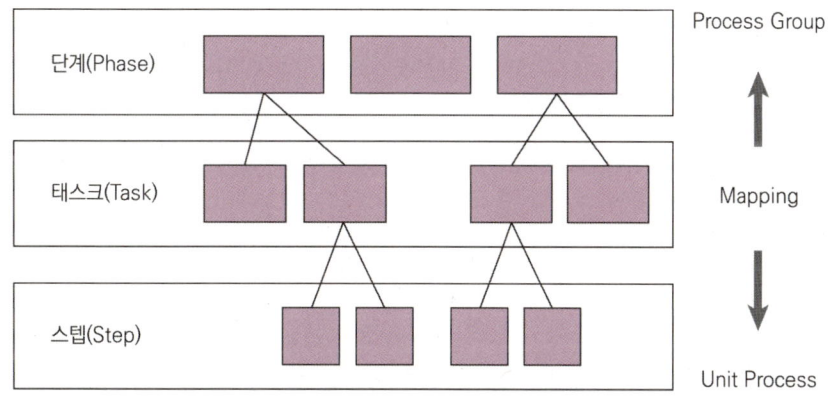

빅데이터 분석 방법론의 계층 구조

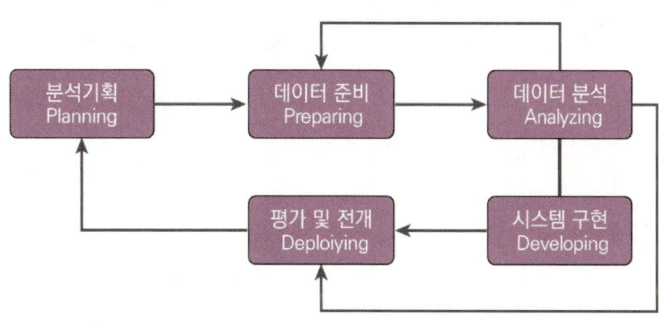

빅데이터 분석 방법론 프로세스

2) 빅데이터 분석 방법론 🔔출제유형 빅데이터 분석 방법론의 피드백 구간

(1) 분석 기획(Planning)
- 비즈니스 도메인과 문제점을 인식하고, 분석 계획 및 프로젝트 수행계획을 수립한다.
- 빅데이터 분석 프로젝트는 단순한 데이터 분석이나 데이터 마이닝이 아니라, **대용량의 정형·비정형** 데이터를 활용해야 한다.
- 또한 분석 및 운영을 위한 인프라 구축을 병행하거나 기존 시스템과 다수의 인터페이스를 수행해야 하므로 프로젝트 위험 요소가 많다.
- 따라서 분석 기획 단계에서는 **프로젝트 위험을 사전에 식별**하고, 이에 대한 **대응 방안을 수립하는 프로세스도 반드시 포함된다.**

(2) 데이터 준비(Preparing)
- 비즈니스 요구사항을 반영하여 데이터 분석에 필요한 **원천 데이터를 정의**하고 준비한다.
- 분석에 활용되기 위해서는 **데이터 품질 확보**가 매우 중요하므로, **품질 통제**와 **품질 보증** 프로세스를 수행한다.

(3) 데이터 분석(Analyzing)
- 원천 데이터가 확보되면 이를 **분석용 데이터셋**으로 편성하고, 다양한 분석 기법과 알고리즘을 활용한다.
- 분석 과정에서 추가적인 **데이터 확보가 필요할 경우**, 데이터 준비(Preparing) 단계로 피드백하여 두 단계를 반복적으로 수행한다.

(4) 시스템 구현(Developing)
- 데이터 분석 단계를 통해 **분석 기획에 부합하는 모델링을 도출**하고, 이를 운영 중인 시스템에 적용하거나 시스템 개발을 위한 **사전 검증 단계로 프로토타입 시스템**을 구현한다.
- 단순한 데이터 분석이나 데이터 마이닝 결과를 분석 보고서 작성으로 마무리할 때는 **시스템 구현 단계를 생략**하고, 다음 단계인 **평가 및 전개(Deploying) 단계**로 바로 진행한다.

(5) 평가 및 전개(Deploying)
- 데이터 분석 및 시스템 구현 단계를 마친 후, **프로젝트 성과를 평가·정리**하고 **모델의 개선 및 발전 계획을 수립**한다.
- 해당 결과를 차기 **분석 기획 단계로 전달**함으로써, 전체 빅데이터 분석 프로젝트를 종료한다.

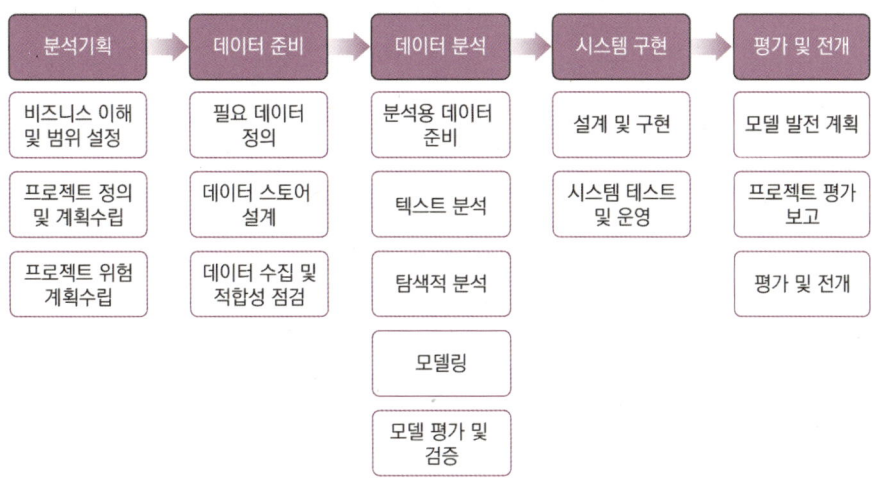

빅데이터 분석 방법론

3) 빅데이터 분석 방법론 프로세스 - 프로세스 단계·태스크·스텝의 구분

프로세스 순서	단계(Phase)	태스크(Task)	주요 내용
①	분석 기획 (Planning)	비즈니스 이해 및 범위 설정	• 프로젝트 관계자(Stakeholders)의 이해를 일치시키기 위해 SOW 작성
		프로젝트 정의 및 계획 수립	• 프로젝트 목표와 KPI, 목표 수준을 구체화하여 상세 프로젝트 정의서 작성 • 프로젝트 수행계획서 작성: 목적·배경, 기대효과, 수행방법, 일정, 추진조직, WBS 포함
		프로젝트 위험 계획 수립	• 프로젝트 수행 중에 발생할 수 있는 모든 위험을 식별 • 위험 대응 전략 수립: 회피(Avoid), 전이(Transfer), 완화(Mitigate), 수용(Accept) • 위험 관리 계획서 작성
②	데이터 준비 (Preparing)	필요 데이터 정의	• 정형·비정형·반정형 데이터 등 내부·외부 데이터를 모두 포함 • 데이터 속성, 데이터 오너, 시스템 담당자 등을 정의하고 데이터 정의서 작성
		데이터 스토어 설계	• 관계형 데이터베이스(RDBMS)를 기반으로 논리적·물리적 설계 • 하둡(Hadoop), NoSQL 등을 활용하여 비정형·반정형 데이터 저장 구조 설계
		데이터 수집 및 정합성 점검	• ETL 도구, API, 스크립트, 크롤링 등을 활용하여 데이터 수집 • 수집 데이터를 설계된 데이터 스토어에 저장하고 정합성 점검 수행

③	데이터 분석 (Analyzing)	분석용 데이터 준비	• 분석 계획 단계에서 정의된 목표를 기반으로 프로젝트 목적을 명확히 인식 • 데이터 스토어에서 필요한 정형·비정형 데이터를 추출
		텍스트 분석	• 감성 분석, 토픽 분석, 오피니언 분석, 소셜 네트워크 분석 수행 • 분석 목적에 맞는 텍스트 기반 모델 구축
		탐색적 분석	• 기초 통계량 산출, 데이터 분포 및 변수 간 관계 파악 • 데이터 특성 이해를 통해 모델링 기초자료로 활용
		모델링	• 가설 설정을 바탕으로 통계 모델 구축 또는 기계 학습 기반 분류·예측·군집 모델 개발 • 데이터 분할: 훈련용·검증용 데이터셋으로 분리하여 과적합 방지 및 일반화 확보 • 데이터 모델링: 훈련 데이터를 활용하여 모델 생성 후 운영 시스템에 적용 • 모델 적용 및 운영 방안: 모델 적용을 위한 상세 알고리즘 설명서 작성
		모델 평가 및 검증	• 프로젝트 정의서의 모델 평가 기준에 따라 객관적 평가 수행 • 품질 관리 차원에서 모델 평가 프로세스 진행
④	시스템 구현 (Developing)	설계 및 구현	• 모델링 단계에서 정의된 알고리즘 설명서와 데이터 시각화 보고서를 기반으로 시스템 아키텍처 및 UI 설계
		시스템 테스트 및 운영	• 단위 테스트, 통합 테스트, 시스템 테스트 등을 통해 구축된 시스템 검증
⑤	평가 및 전개 (Deploying)	모델 발전 계획 수립	• 개발된 모델의 지속적 운영과 성능 향상을 위한 발전 계획 수립
		프로젝트 평가 보고	• 프로젝트 성과를 정량적·정성적으로 평가 • 프로젝트 최종보고서 작성 및 공유

용어 정리

- **SOW**: 작업 명세서, 과업 명세서, 작업 지시서 등으로 불리며, 프로젝트의 진행 과정에서 무엇을, 어떻게, 언제까지 할 것인지 구체적으로 명시한다.
- **WBS(Work Breakdown Structure, 작업 분할 구조도)**: 전체 업무를 체계적으로 분류하여 구성 요소로 세분화한 뒤, 각 요소를 평가하고 일정에 따라 계획하며, 이를 수행 가능한 담당자에게 할당하는 역할을 한다.
- **회피(Avoid)**: 해당 위험 요소 자체를 제거하거나 활동을 중단하여 위험을 회피한다.
- **전이(Transfer)**: 위험의 책임이나 영향을 제3자 또는 다른 방법으로 전가한다.
- **완화(Mitigate)**: 위험이 발생할 가능성이나 영향도를 줄이기 위해 사전 조치를 취한다.
- **수용(Accept)**: 위험을 그대로 받아들이고 발생 시 인력 투입, 일정 조정 등으로 대응한다.
- **ETL(Extract, Transform, Load)**: 데이터의 추출(Extraction)-변환(Transformation)-적재(Loading) 과정을 의미하며, 비즈니스 인텔리전스(BI) 구현을 위한 핵심 구성 요소 가운데 하나다.
- **크롤링(Crawling)**: 웹페이지의 콘텐츠를 수집하여 데이터를 추출하는 행위를 말한다.
- **의사코드(Pseudocode)**: 프로그래밍 언어의 엄격한 문법에 얽매이지 않고, 알고리즘의 흐름과 절차를 사람이 이해하기 쉬운 자연어와 코드 형태로 기술하는 방법을 의미한다.

> **기출유형 개념잡기**
>
> **06 빅데이터 분석 방법론에 대한 설명 중 올바르지 않은 것은?**
> ① 시스템 구현 단계에서는 정보보안은 중요한 문제가 아니다.
> ② 모델링 태스크에서는 모델의 과적합과 일반화를 위하여 데이터를 분할한다.
> ③ 단순한 데이터 분석이나 데이터 마이닝을 통한 분석 보고서를 작성하는 것으로 프로젝트가 종료될 때는 시스템 구현 단계를 수행할 필요가 없다.
> ④ 프로젝트 위험 계획 수립에 대응으로 회피, 전이, 완화, 수용이 있다.
>
> 정답 ①
> 해설 시스템 구현 단계에서는 정보보안이 중요한 문제이다. 이 단계에서는 정보시스템 개발 방법론에 근거하여 소스코드 보안 약점 진단 및 개선이 수행된다.

03 분석 과제 발굴

학습목표
분석 과제 발굴을 위한 다양한 접근방법을 이해한다.

출제경향 및 중요도
① 상향식 접근 방법과 하향식 접근 프로세스 순서 및 개념 ★★
② 디자인 사고(Design Thinking)의 정의 및 프로세스 ★★

1 분석 과제 도출 방식 〔출제유형〕 상향식·하향식 접근방식의 개념

- 분석 과제는 풀어야 할 다양한 문제를 **데이터 분석 문제로 변환**한 후, 이해관계자가 이해하고 프로젝트로 수행할 수 있는 **과제 정의서 형태**로 도출된다.
- 분석 과제를 도출하는 방식은 크게 **하향식 접근방법(Top Down Approach)과 상향식 접근 방법(Bottom Up Approach)**으로 나눌 수 있다.

1) 하향식 접근방법(Top Down Approach)

- 분석 과제가 상위 단계에서 **명확히 정의된** 상태에서 출발한다.
- 이에 대한 해답을 찾기 위해 각 과정을 **체계적으로 단계화**하여 수행한다.
- **문제 정의가 분명할 때 효율적**이며, 전통적인 프로젝트 관리 방식과 유사하다.

2) 상향식 접근 방법(Bottom Up Approach)

- 문제의 정의 자체가 어려운 경우, 데이터를 기반으로 **문제를 재정의**하고 해결 방안을 탐색한다.
- 분석 과정에서 새로운 인사이트를 발견하며, 이를 **반복·개선하는 과정**을 거친다.
- 시행착오를 통해 문제를 점차 구체화하며, 데이터 활용도가 높아질수록 유용성이 증가한다.

분석 과제 도출 유형

3) 분석 과제 발굴 방법의 활용

- 분석 과제 발굴은 상향식 접근 방법과 하향식 접근방법으로 구분되지만, 실제로 신상품 개발이나 전략 수립 등 중요한 의사결정에서는 **두 방법이 혼용되어 활용**된다.
- 특히 동적인 환경에서는 두 가지 접근방식이 **상호보완적으로 작용**할 때 분석의 **가치를 극대화**할 수 있으며, 이를 통해 **최적의 의사결정**이 가능하다.

4) 디자인 씽킹(Design Thinking)

- **디자인 씽킹(Design Thinking)**은 문제 해결의 시작 단계에서 대상을 세심하게 관찰하고, 그 상황이나 대상에 공감(Empathy)함으로써 다양한 가능성과 아이디어를 탐색한다.
- 이후 많은 아이디어를 발산한 뒤, 이를 필터링·정제하고 다시 반복하여 최적의 결과를 도출한다.
- 디자인 씽킹 프로세스는 **상향식 접근방식의** 발산 단계(Diverge)와 **하향식 접근 방식의** 수렴 단계(Converge)를 반복 수행하는 상호보완적 접근방식이라고 할 수 있다.

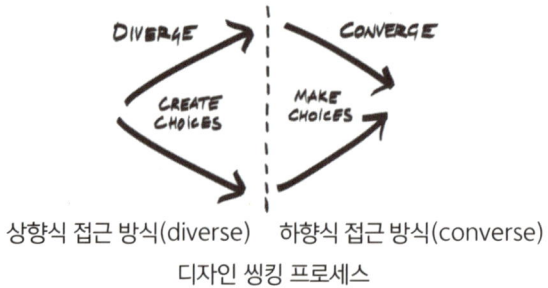

디자인 씽킹 프로세스

(1) 디자인 씽킹(Design Thinking) 프로세스 5단계

① Empathize(공감)
- 사용자 인터뷰, 관찰 등을 통해 고객의 상황과 문제에 깊이 공감하는 단계

② Define(정의)
- 공감 단계에서 얻은 통찰을 바탕으로 고객의 문제(Pain Point)를 정의하는 과정

③ Ideate(아이데이션)
- 현실적 제약을 고려하지 않고 자유롭게 다양한 해결 방안을 발산하는 단계

④ Prototype(프로토타입 제작)
- 도출된 아이디어를 실제 프로토타입(시제품)이나 서비스 시나리오로 구현하는 단계

⑤ Test(테스트)
- 초기 프로토타입을 사용자에게 제시하고 피드백을 수집하여 개선하는 단계

2 하향식 접근방식(Top Down Approach)

출제경향 및 중요도
① 하향식 접근방법의 순서 ★
② 하향식 접근방법의 비즈니스 모델 기반 탐색 ★
③ 혁신적 관점 분석 기회 발굴 – 경쟁자 확대 관점, 시장의 니즈 관점 ★★★
④ 분석 유즈케이스(Use Case)와 타당도 검토의 종류 및 개념 ★

[출제유형] 하향식 접근 방식의 프로세스 순서

- 현황 분석이나 인식된 문제점·전략으로부터 **기회나 문제를 탐색(Problem Discovery)** 하고, 이를 데이터 분석 **문제로 정의(Problem Definition)** 한 후, 해결 방안을 탐색(Solution Search)하며, 마지막으로 데이터 분석의 **타당성을 평가(Feasibility Study)** 하여 분석 과제를 도출한다.

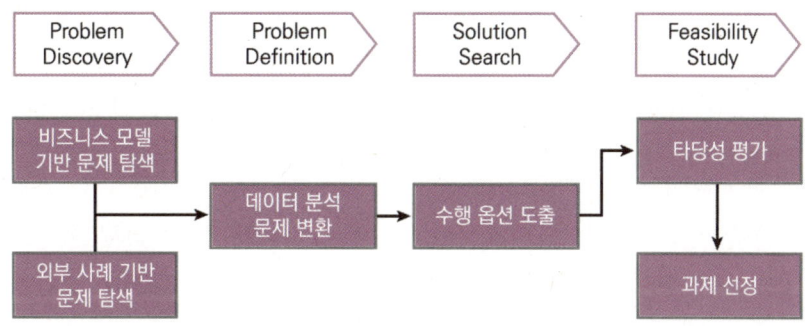

하향식 접근 프로세스

1) 문제 탐색(Problem Discovery) 단계

(1) 비즈니스 모델 기반 문제 탐색 〔출제유형〕 비즈니스 모델 기반 문제 탐색의 특징

- 비즈니스 모델 틀을 활용하여, 가치 창출이 가능한 문제를 누락 없이 도출할 수 있다.
- 비즈니스 모델 관점에서는 기업의 사업 모델을 도식화한 비즈니스 모델 캔버스(Business Model Canvas)의 9가지 블록을 단순화하여 업무·제품·고객 단위로 문제를 발굴한다.
- 또한, 이를 관리하는 두 가지 영역인 규제·감사 영역과 지원 인프라 영역에서 추가적인 기회를 도출하는 작업을 수행한다.
- 과제 발굴 단계에서는 데이터 보유 여부나 구체적인 솔루션에 집중하기보다는, 문제를 해결함으로써 발생할 수 있는 가치(Value)에 중점을 두는 것이 중요하다.

(2) 비즈니스 모델 기반 문제 탐색 영역 〔출제유형〕 비즈니스 모델 기반 5가지 영역

① 업무(Operation)
- 제품과 서비스를 생산하기 위해 운영되는 내부 프로세스 및 주요 자원 관련 주제 도출
- 예시: 생산 공정 최적화, 재고량 최소화

② 제품(Product)
- 생산·제공되는 제품·서비스 개선을 위한 관련 주제 도출
- 예시: 제품의 주요 기능 개선

③ 고객(Customer)
- 제품·서비스를 제공받는 사용자와 고객, 이를 전달하는 채널 관점에서 주제 도출
- 예시: 고객 전화 대기 시간 최소화

④ 규제와 감사(Regulation & Audit)
- 제품 생산 및 전달 과정에서 발생하는 규제 및 보안·품질 관리 관점에서 주제 도출
- 예시: 서비스 품질 이상 징후 관리, 새로운 환경 규제 발생 시 대응 제품 도출

⑤ 지원 인프라(IT & Human Resource)
- 분석을 수행하는 시스템 영역 및 이를 운영·관리하는 인력 관점에서 주제 도출
- 예시: EDW(Enterprise Data Warehouse) 최적화, 적정 운영 인력 산정

(3) 분석 기회 발굴의 범위 확장

- 현재의 사업 방식이나 비즈니스 문제 해결은 **최적화·단기 과제 중심**으로 도출될 가능성이 높다. 따라서 새로운 문제 발굴과 장기적 접근을 위해서는 기업이 수행 중인 기존 비즈니스뿐 아니라 **환경 변화·경쟁 구도·역량 재해석**을 통한 **혁신(Innovation)** 관점에서 추가적인 분석 기회를 도출할 필요가 있다.

- 즉, 현재 사업 환경, 경쟁자, 보유 역량, 제공 시장에 국한하지 않고 **거시적 요인, 경쟁자 동향, 시장 니즈 변화, 역량 재해석** 등 **새로운 관점**을 통해 새로운 유형의 분석 기회와 과제를 발굴해야 한다.
- 이러한 작업을 수행할 때는 분석가뿐 아니라 현업 직원·관련 부서 구성원까지 참여하는 폭넓은 인터뷰와 워크숍 형태의 아이디어 발굴 과정이 필요하다.

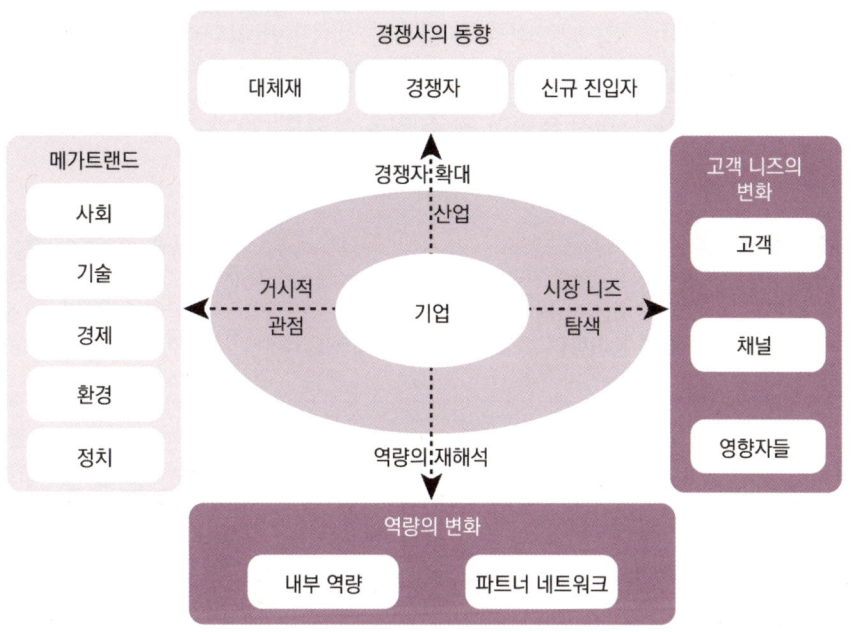

분석 기회 발굴의 확장

① 거시적 관점 요인 〔출제유형〕 거시점 관점 요인 영역 구분

- 거시적 분석은 STEEP 요인으로 요약된다.
- **STEEP은 사회(Social), 기술(Technological), 경제(Economic), 환경(Environmental), 정치(Political) 영역**을 의미한다.
- 이러한 다섯 가지 관점을 통해 기업은 기존 범위를 넘어 보다 폭넓은 기획·탐색을 수행할 수 있다.

영역	주요 내용	사례
사회 (Social)	• 비즈니스 모델의 고객 영역을 확장하여 전체 시장을 대상으로 분석 • 사회적·문화적·구조적 트렌드 변화에 기반한 분석 기회 도출	• 노령화 • 밀레니얼 세대 등장
기술 (Technological)	• 과학, 기술, 의학 등 최신 기술의 등장 및 변화에 따른 역량 내재화와 제품·서비스 개발 기회 도출	• 나노기술 • IT 융합기술
경제 (Economic)	• 산업과 금융 전반의 변동성, 경제 구조 변화 동향을 파악하여 시장 흐름 기반의 분석 기회 도출	• 원자재 가격 변동 • 환율 변화

환경 (Environmental)	• 환경 관련 정부 정책, 사회단체·시민사회의 관심 및 규제 동향 파악	• 원가 절감 • 정보 가시화
정치 (Political)	• 주요 정책 방향, 정세, 지정학적 동향 등 거시적 흐름을 기반으로 한 분석 기회 도출	• 원자재 구매 전략 • 거래선 다변화

② **경쟁자 확대 관점** 출제유형 경쟁자 확대 관점 영역 구분

- 분석 기회는 기존 사업 영역의 **직접 경쟁사 영역**뿐만 아니라, **제품·서비스의 대체재 영역**과 **신규 진입자 영역**까지 관점을 확장하여 탐색할 수 있다.
- 이를 통해 기업에 **잠재적 위협이 될 수 있는 상황**을 다각도로 분석하고, 새로운 분석 기회를 발굴할 수 있다.

영역	주요 내용	사례
대체재 (Substitute)	• 융합적인 경쟁 환경에서는 현재 생산·제공되고 있는 **제품·서비스의 대체재**를 파악해야 한다. • 이를 고려하여 새로운 분석 기회를 도출할 수 있다.	• 현재 오프라인으로 제공하고 있는 자사의 상품·서비스를 온라인으로 전환하여 제공하는 가능성을 탐색한다.
경쟁자 (Competitor)	• 현재 생산·제공 중인 제품·서비스의 **주요 경쟁자 동향**을 파악한다. • 이를 고려하여 잠재적 위협 요인과 새로운 분석 기회를 도출한다.	• 식별된 주요 경쟁사의 제품·서비스 카탈로그와 경영 전략을 분석한다.
신규 진입자 (New Entrant)	• **새로운 경쟁자가 시장**에 진입할 가능성을 파악하고, 그에 따른 위협 요인을 분석한다. • 이를 통해 분석 기회를 도출하고, 자사의 경쟁 우위를 강화할 수 있는 대응 전략을 수립한다.	• 새로운 제품 개발을 위한 크라우드 소싱 서비스(Kickstarter 등)에 등장하는 유사 제품을 분석한다.

기출유형 개념잡기

07 다음 중 경쟁자 확대 관점의 영역이 아닌 것은?

① 대체재 영역
② 경쟁자 영역
③ 신규 진입자 영역
④ 채널 영역

정답 ④

해설 채널 영역은 고객에게 제품·서비스를 제공하는 시장 니즈 관점에 해당하므로 경쟁자 확대 관점의 범주에 포함되지 않는다.

③ **시장의 니즈 탐색** 출제유형 시장의 니즈 탐색 영역 구분

- 현재 수행 중인 사업의 **직접 고객**뿐만 아니라, 고객과 접점을 형성하는 **채널(Channel) 영역**과 고객의 구매·의사결정에 영향을 미치는 **영향자(Influencer) 영역**까지 고려한다.

- 이러한 관점을 바탕으로 **새로운 분석 기회**를 탐색할 수 있다.

영역	주요 내용	사례
고객 (Customer)	• 고객의 **구매 동향**과 **요구사항**을 심층적으로 이해한다. • 이를 기반으로 제품·서비스 개선에 필요한 분석 기회를 도출한다.	• 철강 기업의 경우, 조선 산업과 자동차 산업의 동향, 그리고 주요 거래처의 경영 현황을 파악한다.
채널 (Channel)	• 영업사원, 직판 대리점, 홈페이지 등 기업이 자체적으로 운영하는 채널뿐만 아니라, 최종 고객에게 제품·서비스를 전달하는 **다양한 경로**를 파악한다. • 이를 통해 채널별로 존재하는 특성을 분석하고, 분석 기회를 확대하여 탐색한다.	• 은행의 경우, 인터넷전문은행 등 온라인 채널의 등장에 따른 변화를 파악한다.
영향자 (Influencer)	• 기업 의사결정에 영향을 미치는 주주, 투자자, 협회, 기타 **이해관계자의 주요 관심 사항**을 파악한다. • 이를 기반으로 분석 기회를 탐색한다.	• M&A 시장 확대에 따라 유사 업종의 신규 기업 인수 기회를 탐색한다.

④ **역량의 재해석 관점**
- **내부 역량 영역**뿐만 아니라, 조직의 비즈니스에 영향을 미치는 **파트너 네트워크 영역**까지 포함한다.
- 이를 기반으로 활용할 수 있는 역량을 재해석하여, 폭넓은 분석 기회를 탐색한다.

영역	주요 내용	사례
내부 역량 (Competency)	• 지식재산권, 기술력 등 기본적 역량뿐만 아니라, 중요하지만, 자칫 간과하기 쉬운 지식·기술·스킬과 같은 노하우를 포함한다. • 또한 인프라적 유형 자산까지 폭넓게 재해석하여, 해당 영역에서 분석 기회를 탐색한다.	• 자사가 소유한 부동산 자산을 활용하여 부가가치 창출 기회를 발굴한다.
파트너와 네트워크 (Partners & Networks)	• 자사가 직접 보유하지는 않지만, 밀접한 관계를 유지하고 있는 관계사·공급사 등의 역량을 활용한다. • 이를 통해 수행할 수 있는 기능을 파악하고, 추가적인 분석 기회를 도출한다.	• 수출입·통관 노하우를 활용하여 추가적인 사업 기회를 탐색한다.

(4) 외부참조 모델 기반 문제 탐색 〔출제유형〕 외부참조 모델 기반 문제 탐색의 정의

- 잘 알려진 문제를 해결하는 것뿐만 아니라, **새로운 문제를 발굴**하기 위해서는 **유사하거나 동종의** 환경에서 수행된 기존 분석 과제를 참고하는 것이 중요하다.
- 이러한 접근은 현재 상황과 비교·적용할 수 있는 **주요 시사점(insight)을 제공**한다.
- **유사·동종 사례 벤치마킹을 통한 분석 기회 발굴**은 산업별·업무 서비스별로 제공되는 **분석 테마 후보** 그룹을 활용하여, Quick & Easy 방식으로 필요한 분석 기회를 빠르게 도출하는 방법이다.

- 기업은 후보 그룹을 바탕으로 워크숍 형태의 **브레인스토밍**을 진행하여, 자사에 적용할 분석 테마 후보 목록을 신속하게 도출할 수 있다.
- 특히 오늘날에는 데이터를 활용하지 않는 업종이나 서비스가 사실상 존재하지 않는다. 따라서 다양한 **업무 활용 사례를 발굴**하고, 이를 자사의 업종 및 서비스에 적용하는 것이 가능하다.
- 산업 및 업종을 불문하고 **데이터 분석 사례를** 기반으로 분석 테마 후보 그룹을 미리 정의해 두면, 기업은 해당 후보 그룹을 **벤치마킹하여 빠르고 손쉽게 분석 기회를 도출**할 수 있다.
- 따라서 데이터 분석을 통한 가치 발굴 사례를 **풀(Pool) 형태로** 정리해 두면, 과제 발굴 및 탐색 과정에서 의미 있는 분석 기회를 빠르게 확보할 수 있다.
- 또한 유사·동종 업계뿐만 아니라, **타 업종 및 타 분야의 데이터 분석 사례**를 함께 정리해 두면 새로운 주제 탐색에도 도움이 된다.

(5) 분석 유즈케이스(Analytics Use Case) [출제유형] 분석 유즈케이즈의 정의

- 현재의 비즈니스 모델과 유사·동종 사례 탐색을 통해 **누락 없이 도출한 분석 기회들을**, 구체 과제로 전환하기 전에 **분석 유즈케이스**로 정리한다.
- 분석 유즈케이스에는 **풀어야 할 문제의 상세 설명**과 **문제 해결 시 기대 효과**를 명시하여, 이후 데이터 분석 문제로의 전환과 적합성 평가에 활용한다.

업무	분석 유즈 케이스	설명	효과
재무	현금 잔액 예측	• 일별로 예정된 자금 지출과 입금을 추정	• 자금 과부족 현상 예방 • 자금 운용 효율화
	구매 최적화	• 구매 유형과 구매자별로 과거 실적과 • 구매 조건을 비교·분석하여 구매 방안 도출	• 구매 비용 절감

2) 문제 정의(Problem Definition) [출제유형] 문제 정의의 의미

- **문제 정의 단계는** 식별된 비즈니스 문제를 **데이터 분석 문제로** 변환하여 정의하는 과정이다. 즉, **필요한 데이터와 기법을 규정**하기 위해 비즈니스 문제를 데이터 문제로 전환한다.
- 앞 단계인 문제 탐색(Problem Discovery)이 무엇을(What), 왜(Why) 수행해야 하는지에 초점을 두었다면, **문제 정의 단계는 어떻게(How)** 이를 달성할지를 규정하는 단계라 할 수 있다.
- 데이터 분석 문제의 정의 및 요구사항은 **분석 수행자**뿐만 아니라, 해당 문제 해결로 직접적인 효용을 얻는 **최종 사용자(End User) 관점**에서 이루어져야 한다.
- 문제 정의가 명확할수록 필요한 데이터 정의 및 분석 기법 발굴이 용이하므로, 가능한 한 정확하게 분석 관점에서 문제를 재정의해야 한다.

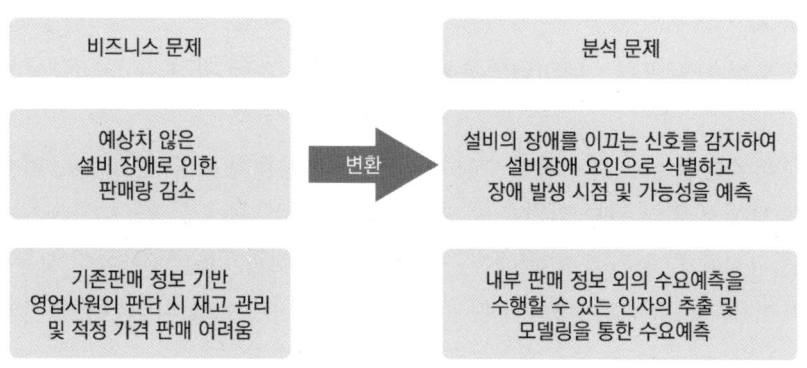

문제 정의

3) 해결 방안 탐색(Solution Search) 단계

- **해결 방안 탐색 단계**에서는 정의된 데이터 분석 문제를 해결하기 위한 **다양한 대안**을 모색한다.
- 동일한 데이터 분석 문제라 하더라도, 어떤 **데이터와 분석 시스템**을 활용하느냐에 따라 소요되는 **예산**과 활용 가능한 **도구**가 달라질 수 있으므로 다각적인 고려가 필요하다.
- 예를 들어, 기존 정보시스템의 일부 기능 보완만으로 분석이 가능한 경우,
- 엑셀(Excel)과 같은 간단한 도구를 활용하여 분석하는 경우,
- 하둡(Hadoop) 등 분산·병렬처리 기반의 빅데이터 분석 도구를 활용하여 보다 체계적이고 심층적인 분석을 수행하는 경우 등, 다양한 대안이 도출될 수 있다.

	분석 역량(who) 확보	미확보
분석 기법 및 시스템(How) 기존 시스템	기존 시스템 개선 활용	교육 및 채용을 통한 역량 확보
신규 도입	시스템 고도화	전문업체(Sourcing)

해결 방안 탐색 영역

4) 타당성 검토(Feasibility Study) 단계 〔출제유형〕 타당도의 구분

(1) 경제적 타당도

- **비용 대비 편익 분석**(Cost-Benefit Analysis) 관점이 필요하다.
- 비용 항목은 **데이터, 시스템, 인력, 유지보수** 등으로 구성된다.
- 비용·편익 분석 결과는 **실질적 비용 절감**이나 **추가적 매출 증대**와 같은 경제적 가치로 산출된다.

(2) 데이터 및 기술적 타당도

- 데이터 분석을 위해서는 **데이터의 존재 여부, 분석 시스템 환경, 분석 역량**이 확보되어야 한다.
- 특히 **분석 역량**은 실제 프로젝트 수행 시 가장 큰 걸림돌이 될 수 있으므로, 기술적 타당성 검토 단계에서 **역량 확보 방안**을 사전에 수립해야 한다.
- 이를 효과적으로 평가하기 위해서는 **비즈니스 지식과 기술적 지식**이 모두 요구되며, 따라서 비즈니스 분석가, 데이터 분석가, 시스템 엔지니어 등 다양한 **전문가와의 협업**이 필수적이다.

기출유형 개념잡기

08 다음 중 분석 과제 접근방법에 대한 설명으로 옳지 않은 것은? [16회 출제]

① 문제가 확실할 때 상향식 접근 방식을 사용한다.
② 문제가 주어지고 해법을 찾기 위해서 하향식 접근 방식을 사용한다.
③ 문제의 정의 자체가 어려운 경우 상향식 접근 방식을 사용한다.
④ 디자인 씽킹(Design Thinking)의 경우 상향식과 하향식을 반복적으로 사용하기 쉽다.

정답 ①
해설 문제가 명확할 때는 하향식 접근 방식을 사용해야 한다.

기출유형 개념잡기

09 다음 중 하향식 접근방법에 대한 설명으로 적절하지 않은 것은? [34회 출제]

① 유즈 케이스보다 새로운 문제를 탐색한다.
② 문제가 명확하게 주어진 경우에 적합하다.
③ 각 과정이 체계적이고 단계적으로 수행되는 방식이다.
④ 문제가 주어지고 이에 대한 해법을 찾기 위한 과정이다.

정답 ①
해설 새로운 문제를 탐색하는 것은 상향식 접근방법의 특징이다. 하향식 접근은 이미 정의된 문제를 체계적으로 해결하는 데 적합하다.

3 ▶ 상향식 접근 방식(Bottom Up Approach)

출제경향 및 중요도
① 지도학습 및 비지도학습의 분석 과제 접근방법 ★
② 프로토타이핑(Prototype) 프로세스 및 개념 ★
③ 분석과제 정의서의 개념 ★

1) 상향식 접근 방식(Bottom Up Approach) 〔출제유형〕 상향식 접근 방식의 특징

- 문제 정의 자체가 어려운 경우, **데이터를 기반으로 문제를 재정의**하고 **해결 방안**을 탐색하며, 이를 지속적으로 개선하는 방식이다.
- 일반적으로 상향식 접근 방식의 데이터 분석은 **비지도 학습(Unsupervised Learning) 방법**에 의해 수행된다.
- 전통적인 통계 분석에서는 **인과관계(원인-결과) 분석**을 위해 가설을 설정하고, 모집단으로부터 표본을 추출한 뒤 **가설검정**을 실시하여 문제를 해결한다.
- 그러나 빅데이터 환경에서는 이러한 **논리적 인과관계 분석**뿐 아니라, **상관관계 분석**이나 **연관 분석**을 통해서도 다양한 문제 해결이 가능하다.
- 즉, **인과관계 중심의 분석**에서 **상관관계 중심의 분석**으로 확장된 것이 빅데이터 분석의 **주요 변화**라 할 수 있다.
- 따라서 상향식 접근 방식은 다양한 원천 데이터로부터 분석을 수행하여 통찰력과 지식을 얻는 접근방법이다.

2) 기존 하향식 접근법의 한계를 극복하기 위한 방법론 〔출제유형〕 하향식 접근방식의 한계

- 기존의 논리적 단계별 접근법(하향식 접근)은 문제의 구조가 분명하고, 이를 해결하기 위한 데이터 분석가와 의사결정자가 존재한다는 전제를 바탕으로 한다.
- 따라서 **솔루션 도출에는 유효하지만, 새로운 문제 탐색에는** 한계가 있다.
- 최근처럼 복잡하고 다양한 환경에서 발생하는 문제에는 기존의 **전통적 단계별 문제 해결 방식**이 적합하지 않을 수 있다.
- 이를 극복하기 위해 스탠퍼드 대학 d.school에서는 **디자인 씽킹(Design Thinking) 접근법**을 통해 전통적인 분석적 사고의 한계를 보완하고자 하였다.
- 디자인 씽킹은 정답을 미리 전제하는 것이 아니라, 사물을 있는 그대로 인식하는 **"What"**의 관점에서 출발한다.
- 즉, 객관적으로 존재하는 데이터 그 자체를 관찰하고, 이를 실제 행동으로 옮김으로써 대상을 더 깊이 이해하는 접근방식을 의미한다.

- 이러한 이유로 d.school은 디자인 씽킹 프로세스의 첫 단계인 **공감(Empathize)**을 특히 강조하고 있다.

3) 지도학습과 비지도학습 [출제유형] 지도학습과 비지도학습 개념 구분

(1) 지도 학습(Supervised Learning)
- **명확한 목적** 아래 데이터 분석을 시행하는 방식을 **지도학습**이라 한다.
- 지도학습에서는 **분류, 추출, 예측, 최적화** 등의 방법을 사용하여 사용자의 주도하에 분석을 수행하고, 지식을 도출하는 것을 목적으로 한다.
- 지도 학습은 결과 **값(목표값, Label)**이 사전에 정의되어 있으며, 입력 데이터에 따라 어떠한 결과가 나올지를 예측하는 방식이다.

(2) 비지도 학습(Unsupervised Learning)
- 일반적으로 상향식 접근 방식의 데이터 분석은 **비지도 학습(Unsupervised Learning) 방법**에 의해 수행된다.
- 비지도학습은 데이터 분석의 목적이 명확히 **정의된 목표값(Target Value)**을 예측하는 것이 **아니라**, 데이터 자체의 결합·연관성·유사성을 중심으로 **데이터의 상태와 패턴을 표현**하는 데 초점을 둔다.
- 대표적인 데이터 마이닝 기법으로는 **장바구니 분석(Market Basket Analysis), 군집 분석(Clustering), 기술통계 및 프로파일링(Descriptive Statistics & Profiling)** 등이 있다.

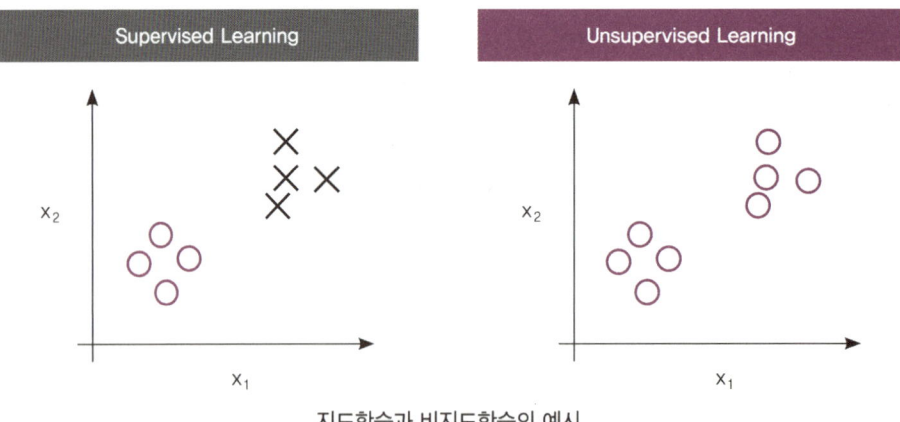

지도학습과 비지도학습의 예시

4) 빅데이터 분석 환경에서 프로토타이핑의 필요성 〔출제유형〕 빅데이터 환경에서 프로토타이핑 역할

(1) 문제 인식 수준
- 문제 정의가 불명확하거나, 이전에 경험하지 못한 새로운 문제일 경우, 사용자와 이해관계자는 프로토타입을 통해 문제를 이해하고 이를 구체화하는 데 도움을 받을 수 있다.

(2) 필요한 데이터 존재 여부의 불확실성
- 문제 해결을 위해 요구되는 데이터 집합이 모두 존재하지 않을 수 있다. 이 경우, 해당 데이터를 **새로 수집할 것인지**, 혹은 **다른 데이터로 대체할 것인지**에 대해 데이터 사용자와 분석가 간의 반복적이고 순환적인 협의 과정이 필요하다.
- 특히 **대체 불가능한 데이터의 존재 여부를 사전에 확인**하면, 실행 불가능한 프로젝트를 진행하는 위험을 방지할 수 있다.

(3) 데이터 사용 목적의 가변성
- 데이터의 가치는 사전에 정해진 수집 목적에 따라 고정되는 것이 아니라, 활용 과정에서 **새로운 목적에 맞게 지속적으로 변화**할 수 있다.
- 조직이 이미 보유한 데이터라 하더라도, 기존 정의를 재검토하여 **사용 목적과 범위**를 확대할 수 있다.

기출유형 개념잡기

10 다음 중 프로토타이핑(Prototyping)에 관한 설명으로 옳은 것은? [25회 출제]
① 신속하게 해결책 모형을 제시하며, 상향식 접근 방법에 활용된다.
② 빠른 결과보다 모델의 정확성에 중점을 둔 기법이다.
③ 워터폴(Waterfall) 방식처럼 전체적인 계획을 수립하고 문서를 통해 개발한다.
④ 대표적인 하향식 접근 방식이라 할 수 있다.

정답 ①
해설 프로토타이핑은 신속하게 해결책 모형(Prototype)을 제시하고, 상향식 접근 방식에 주로 활용된다. 반복적 시도와 개선을 통해 문제를 구체화하고 해결 방안을 탐색할 수 있다.

---

4 분석 과제 정의서 〔출제유형〕 분석 과제 정의서의 특징과 작성 세부 항목

- 분석 과제 정의서는 향후 프로젝트 **수행계획의 핵심 입력 자료**이므로, 이해관계자가 프로젝트의 방향을 설정하고 성공 여부를 판별할 수 있도록 명확하게 작성해야 한다.

- 과제 정의서를 통해 각 분석 과제별 **소스 데이터, 분석 방법, 데이터 수집 및 난이도, 분석 수행 주기, 결과 검증과 오너십(Ownership), 상세 분석 과정** 등을 체계적으로 규정한다.
- 데이터 소스 범위는 내·외부의 정형·반정형·비정형 데이터는 물론, 소셜 미디어와 오픈 데이터까지 확장해 고려하며, 이에 맞추어 분석 방법도 구체적으로 기술한다.

■ 분석 과제 정의서

분석명		분석 정의	
해지 상담 접촉 패턴 분석		해지 계약 건 발생 고객의 해지 시점 상담 정보 분석을 통해 해지 고객의 상담 특성을 발굴하는 분석	
소스 데이터	데이터 획득 난이도	분석방법	
접속 채널, 건수, 접촉 평균시간, 최종 접촉 이후 해지까지 시간, 상담인력 업무 능숙도	하	해지로 이어지는 해지 상담의 유의미한 속성을 요인 분석을 통해 발굴하고, 클러스터링 분석을 통해 영향 요인을 그룹핑하고, 그룹핑된 요인 그룹이 해지에 미치는 영향도를 회귀분석함	
분석 적용 난이도	분석 적용 난이 사유	분석주기	분석 결과 검증 소유
중	접촉 로그 등의 비구조적 데이터 분석 필요	월별	전략기획팀

기출유형 개념잡기

11 다음 중 분석 과제 정의서에 대한 설명으로 옳지 않은 것은? [25회 출제]

① 분석 과제 정의서에는 소스 데이터, 데이터 입수 및 분석 난이도, 분석 방법 등이 포함되어야 한다.
② 분석 과제 정의서는 프로젝트를 수행하는 이해관계자가 프로젝트의 방향을 설정하고, 성공 여부를 판별할 수 있는 자료이다.
③ 분석 과제 정의서는 프로젝트 계획서를 작성하기 위한 중간 결과물이므로, 구성 항목으로 도출 할 필요가 없다.
④ 분석 과제 정의서에는 분석 모델에 적용될 알고리즘이나 모델의 기반이 되는 Feature를 반드시 포함할 필요는 없다.

정답 ③

해설 분석 과제 정의서는 프로젝트 계획서를 작성하기 위한 핵심 입력물이며, 주요 구성 항목을 상세히 작성해야 한다.

기출유형 개념잡기

12 분석 과제를 발굴하기 위한 상향식 접근법(Bottom Up Approach)에 대한 설명으로 적절한 것은?

[30회 출제]

① 일반적으로 상향식 접근 방식의 데이터 분석은 지도학습(Supervised Learning) 방법에 의해 수행된다.
② 상향식 접근 방법은 문제의 구조가 분명하고 문제 정의가 명확한 경우에 적합하다.
③ 디자인 씽킹 프로세스의 수렴 단계(Converge)에 해당한다.
④ 인사이트를 도출한 후 반복적인 시행착오를 통해 문제를 도출하는 과정을 말한다.

정답 ④

해설
- ① 틀림: 상향식 접근법은 비지도 학습(Unsupervised Learning) 방식과 관련이 깊다.
- ② 틀림: 문제 정의가 명확할 때는 하향식 접근법이 적합
- ③ 틀림: 상향식 접근은 발산 단계(Diverge)에 해당한다. 수렴 단계는 하향식 접근과 연결된다.
- ④ 옳음: 상향식 접근법은 데이터를 기반으로 인사이트를 도출하고, 반복적 시행착오를 거쳐 문제를 재정의·도출하는 과정이다.

기출유형 개념잡기

13 다음 중 분석 과제 정의서에 필수적으로 포함되어야 할 항목이 아닌 것은?

[34회 출제]

① 필요 데이터
② 데이터 입수 난이도
③ 수행 주기
④ 상세 분석 알고리즘

정답 ④

해설 상세 분석 알고리즘은 프로젝트 모델링 단계에서 정의되는 것으로, 분석 과제 정의서 단계에서 포함할 필요는 없다.

04 분석 프로젝트 관리 방안

학습목표
분석 과제가 프로젝트로 전환되었을 때, 이를 적절하게 관리할 수 있는 영역별 주요 관리 사항을 이해한다.

출제경향 및 중요도
① 분석 과제의 5가지 주요 특성 ★★
② 분석 프로젝트의 특성 ★
③ 분석 프로젝트의 영역별 주요 관리 항목 ★★

1 분석 프로젝트 관리의 필요성

- 과제 형태로 도출된 **분석 기회**는 프로젝트를 통해 그 **가치를 증명**하고, 최종적으로 **목표를 달성**해야 한다.
- 분석 프로젝트 역시 다른 프로젝트 유형과 마찬가지로 **범위(Scope), 일정(Schedule), 품질(Quality), 리스크(Risk), 의사소통(Communication)** 등 영역별 관리가 수행되어야 한다.
- 그러나 분석 프로젝트는 **다양한 데이터에 기반한 분석 기법 적용**이라는 특성이 있으므로, 아래 표와 같이 **5가지 속성**을 고려한 **추가적인 관리**가 필요하다.

2 분석 과제의 주요 5가지 특성 관리 영역 〔출제유형〕 분석 프로젝트의 5가지 관리 항목의 특징

영역	주요 내용
Data Size	• 분석하고자 하는 **데이터의 양**을 고려한 **관리 방안**이 필요하다. • 예를 들어, 하둡(Hadoop) 환경에서 **방대한 데이터를 분석하는 경우**와 기존 정형 데이터베이스에서 **생성되는 데이터를 분석하는 경우**는 관리 방식이 다를 수밖에 없다.
Data Complexity	• BI 프로젝트처럼 **정형 데이터**가 분석 마트에 구성된 경우와 달리, **텍스트·오디오·비디오** 등 **비정형 데이터**나 다양한 시스템에 흩어진 원천 데이터를 통합해 분석할 때는 초기 데이터 확보·통합 외에도 해당 데이터에 적합한 분석 모델 선정이 필요하다.
Speed	• 분석 결과 활용 시 **속도를 고려**해야 한다. • 일·주 단위 실적 분석은 **배치(Batch) 처리**로 가능하지만, 실시간 사기(Fraud) 탐지나 개인화 추천 서비스의 경우에는 모델 적용과 계산이 **실시간으로 수행**되어야 하므로, 프로젝트 수행 시 분석 **모델의 성능 및 속도를 고려**한 개발·테스트가 필요하다.
Analytic Complexity	• 분석 모델은 **정확도와 복잡도** 간의 **트레이드오프(Trade-off)** 관계가 존재한다. **모델이 복잡할수록 정확도는 높아지지만, 해석이 어려워진다.** 따라서 기준점을 사전에 정의해 두어야 한다.

Accuracy & Precision	• Accuracy(정확도)는 모델과 실제 값 사이의 차이가 작음을 의미한다. • Precision(정밀도)은 모델을 반복 적용했을 때 결과가 얼마나 일관되게 동일한지를 나타낸다. • 활용 측면에서는 Accuracy가, 안정성 측면에서는 Precision이 중요하다. 그러나 두 요소는 종종 트레이드오프 관계에 있으므로 모델 해석 및 적용 시 사전 고려가 필요하다.

확대경 분석 모델에서 정확도와 복잡도 간의 트레이드오프(Trade-off)가 발생하는 이유

- 모델의 표현력(Complexity)과 일반화 성능(Accuracy) 사이의 균형 문제 때문이다.
- 모델이 지나치게 단순하면 데이터의 복잡한 패턴을 충분히 반영하지 못해 과소적합(Underfitting)이 발생하여 정확도가 낮아진다.
- 반대로 모델이 과도하게 복잡하면 훈련 데이터에는 높은 정확도를 보이지만, 새로운 데이터에는 성능이 저하되는 과대적합(Overfitting) 문제가 발생한다.
- 모델이 복잡해질수록 해석이 어려워져 실제 의사결정에 활용하기 힘들 수 있다. 따라서 분석 목적과 활용 환경에 맞추어 정확도와 복잡도의 균형을 고려한 기준점을 사전에 설정하는 것이 필요하다.

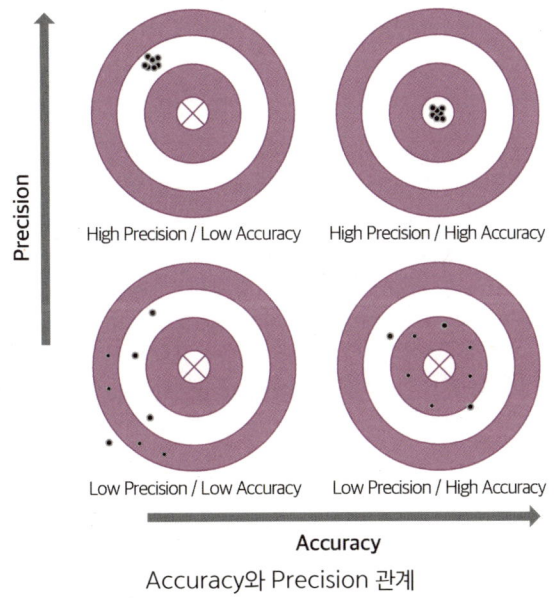

Accuracy와 Precision 관계

3 분석 프로젝트의 특성 〔출제유형〕 분석 프로젝트에서 분석가의 역할

- 분석가의 목표는 **분석의 정확도**를 높이는 것이지만, 프로젝트 관점에서는 도출된 분석 과제를 **구현하여 원하는 결과**를 얻고, 사용자가 이를 **원활하게 활용**할 수 있도록 전체 과정을 고려해야 한다. 따라서 개별적인 분석 업무 수행뿐만 아니라 **전반적인 프로젝트 관리** 또한 중요한 역할이다.

- 분석 프로젝트에서는 **데이터 영역과 비즈니스 영역**의 현황을 이해하고, 프로젝트의 목표인 **분석 정확도 달성과 결과의 가치 전달**을 동시에 조율해야 한다. 이 때문에 분석가는 조정자(Coordinator)의 역할이 특히 중요하다.
- 실제 현장에서는 **분석가가** 프로젝트 **관리자 역할까지 겸임**하는 경우가 많으므로, 프로젝트 관리 방안과 주요 **관리 포인트를 사전에 숙지하는 것이 필수적**이다.
- **분석 프로젝트는** 결과의 재해석을 통한 **지속적인 반복 및 정교화** 과정을 거치는 경우가 많다. 따라서 프로토타이핑 기반의 **애자일(Agile) 접근법**을 고려하는 것이 효과적이다.
- 데이터 분석의 반복과 개선을 통해 의도했던 결과에 점차 가까워지도록 프로젝트가 진행되려면, 적절한 관리 방안이 사전에 수립되어야 한다. 즉, **반복적 특성을 이해한 프로젝트 관리**가 필요하다.
- **분석 프로젝트는 분석 과제 정의서를 기반**으로 시작하되, 지속적인 개선과 변경을 전제로 한다. 기간 내에 가능한 최선의 결과를 도출하기 위해서는 프로젝트 구성원 간의 협업과 유연한 관리가 핵심이다.

> **용어 정리**
> - **애자일(Agile)** 모델은 과거의 워터폴(Waterfall) 모델처럼 전체적인 계획을 미리 세우고 문서를 중심으로 주도해 나가던 방식과 달리, 미래를 완전히 예측하지 않고 개발을 진행한다.
> - 일정한 주기(Iteration)를 두고 끊임없이 **프로토타입(Prototype)**을 제작하며, 필요할 때마다 요구사항을 추가·수정하여 점진적으로 완성된 소프트웨어를 개발해 나가는 방식이다.

4 분석 프로젝트 관리 방안   출제유형 분석 프로젝트 관리 항목의 특성

- 분석 프로젝트는 데이터 분석의 특성을 반영하여 프로젝트 관리 지침(KSA ISO 21500:2013)을 기본 가이드로 활용한다.
- 이 지침의 프로젝트 관리 체계는 **통합, 이해관계자, 범위, 자원, 시간, 원가, 리스크, 품질, 조달, 의사소통의 10개 주제 그룹**으로 구성되어 있다.
- 특히 분석 프로젝트는 일반 프로젝트와 달리, 각 관리 영역에서 추가로 유의해야 할 특성과 관리 항목이 존재한다.
- 각 영역에서 분석 프로젝트가 가지는 특성과 주요 관리 포인트는 다음 표와 같다.

관리 영역	주요 내용
범위(Scope)	• 분석 기획 단계에서 정의된 프로젝트 범위는, 분석이 진행됨에 따라 **데이터의 형태와 양, 또는 적용되는 알고리즘의 종류**에 따라 변경될 수 있다.
시간(Time)	• 데이터 분석 프로젝트는 초기 의도대로 결과(모델)가 도출되기 쉽지 않다. 따라서 **지속적인 반복 작업이 필요**하며, 그 과정에서 **많은 시간이 소요**될 수 있다. • 일정 관리에서는 분석 결과의 품질이 보장된다는 전제를 두고, **타임 박싱(Time Boxing) 기법**을 적용하는 것이 효과적이다.
원가(Cost)	• **외부 데이터**를 활용하는 데이터 분석 프로젝트의 경우, **고비용이 발생**할 수 있으므로 사전에 충분한 조사와 검토가 필요하다.
품질(Quality)	• 분석 프로젝트 결과에 대한 품질 목표를 **사전에 명확히 수립하고 확정**해야 한다. • 프로젝트 품질 관리는 **품질 통제와 품질 보증**으로 구분하여 수행되어야 한다.
통합(Integration)	• 프로젝트의 다양한 관리 프로세스가 **통합적으로 운영**될 수 있도록 관리해야 한다.
조달(Procurement)	• 프로젝트 수행에 필요한 자원과 서비스 조달 과정을 체계적으로 관리해야 한다. • 특히 **PoC(Proof of Concept) 형태**의 프로젝트에서는 전통적인 **인프라 구매** 방식에만 의존하지 않고, **클라우드 등 다양한 대안을 검토**하는 것이 필요하다.
자원(Resource)	• 프로젝트 수행 전에 전문가 확보 가능성을 자세히 검토하고, 필요한 자원을 사전에 확보하는 관리가 필요하다.
리스크(Risk)	• 분석에 필요한 데이터가 확보되지 않은 경우, 프로젝트 진행이 어려울 수 있으므로 관련 위험을 **사전에 식별하고 대응 방안을 마련**해야 한다.
의사소통(Communication)	• 전문성이 요구되는 데이터 분석 결과는 프로젝트에 참여하는 모든 이해관계자가 이해하고 **공유할 수 있도록 전달**되어야 한다.
이해관계자(Stakeholder)	• 데이터 분석 프로젝트에는 데이터 전문가, 비즈니스 전문가, 분석 전문가, 시스템 전문가 등 다양한 전문가가 참여한다. • 따라서 프로젝트 성과를 높이기 위해서는 이들 **이해관계자를 명확히 식별**하고, **역할과 책임을 고려한 체계적인 관리**가 필요하다.

기출유형 개념잡기

14 데이터 분석 프로젝트 실행 과정의 관리 사항으로 적절하지 않은 것은? [13회 출제]

① 분석 과제는 분석 전문가의 상상력을 요구하므로, 일정을 제한하는 일정계획은 적절하지 못하다.
② 분석 과제는 많은 위험이 있으므로, 사전에 위험을 식별하고 대응 방안을 수립해야 한다.
③ 분석 과제는 적용되는 알고리즘에 따라 범위가 변할 수 있으므로, 범위 관리가 중요하다.
④ 프로젝트 관리 프로세스들이 통합적으로 운영될 수 있도록 관리해야 한다.

정답 ①

해설 분석 프로젝트도 일정 관리가 필요하며, 타임박싱(Time Boxing) 기법을 활용해 일정 내에서 반복적·점진적 진행을 관리한다. 따라서 일정 계획이 불필요하다는 설명은 잘못되었다.

기출유형 개념잡기

15 다음 중 분석 프로젝트 관리 방안에 관한 설명으로 적절하지 않은 것은? [33회 출제]

① Accuracy(정확도)는 모델이 전체 데이터 세트에서 올바르게 예측한 비율을 나타낸다.
② 정밀도(Precision)는 TRUE로 예측한 비율 중 실제로 TRUE인 정도를 의미하며, 예측값의 편차와는 관련이 없다.
③ 분석의 활용적 측면에서는 정확도가 중요하고, 안정적인 측면에서는 정밀도가 중요하다.
④ 분석 모델의 정확도와 정밀도는 트레이드오프(Trade-off) 관계를 이룬다.

정답 ②

해설 정밀도(Precision)는 동일한 요소를 반복 측정했을 때 측정값 변동 수준을 의미한다. 따라서 "편차와는 관련이 없다"라는 설명은 잘못되었다.

5장 분석 마스터플랜

01 마스터플랜 수립

학습목표
다양한 분석 과제의 우선순위 기준을 이해한다.

출제경향 및 중요도
① 마스터플랜 수립 시 우선순위 및 적용 범위 고려 요소 ★★★
② ROI 관점에서 투자 비용 요소와 비즈니스 효과 요소 구분 ★
③ ROI 요소를 고려한 우선순위 평가 기준: 시급성 vs 난이도 ★★

1 ▶ 마스터플랜 수립의 필요성

- 지금까지 **분석 과제를 도출**하고 이를 **프로젝트 단위**로 관리하는 방안을 살펴보았다.
- 그러나 분석을 단순히 **단기 과제 수행** 차원에서만 바라볼 것이 아니라, **지속적으로 가치를 창출**하고 이를 조직에 **내재화**하기 위해서는 **중·장기적 관점의 마스터플랜 수립**이 필요하다.
- **분석 마스터플랜**은 분석 대상 과제를 도출한 뒤, **우선순위를 평가**하여 **단기적인 세부 이행 계획(Execution Plan)**과 **중·장기적인 로드맵(Roadmap)**으로 구체화하여야 한다.
- 또한 **분석 로드맵의 과제가 원활히 수행**되도록 하기 위해서는 **분석 거버넌스 체계 수립**이 필수적이다.
- 더불어 조직의 **분석 성숙도(Analytics Maturity)를 측정**하여 현재 수준을 진단하고, 이를 기반으로 **분석 역량 강화 전략**을 수립해야 한다.
- 마지막으로, 분석 거버넌스 체계의 주요 구성 요소인 **인프라(Infrastructure), 데이터(Data), 조직 및 인력(Organization & People), 관리 프로세스(Management Process), 교육 및 변화 관리(Education & Change Management)** 등에 대한 구체적 방안도 함께 마련되어야 한다.

2 분석 마스터플랜 수립 프레임워크 〈출제유형〉 분석과제 우선순위 평가 기준

- 중·장기적 관점에서 분석 마스터플랜을 수립하기 위해서는, 도출된 분석 과제를 대상으로 **전략적 중요도, 비즈니스 성과 및 ROI(투자 회수율), 그리고 실행 용이성**과 같은 기준을 종합적으로 고려하여 **우선순위를 설정**해야 한다.
- **분석을 업무에 내재화**할지, 데이터 **범위를 내부로 한정**할지 혹은 **외부 데이터까지 확장**할지, 그리고 **적용할 분석 기술 수준**을 어디까지로 할지를 종합적으로 검토하여, **분석의 적용 범위 및 방식**에 대해서도 **종합적으로 고려**하여 데이터 **분석을 실행하기 위한 로드맵**을 수립한다.

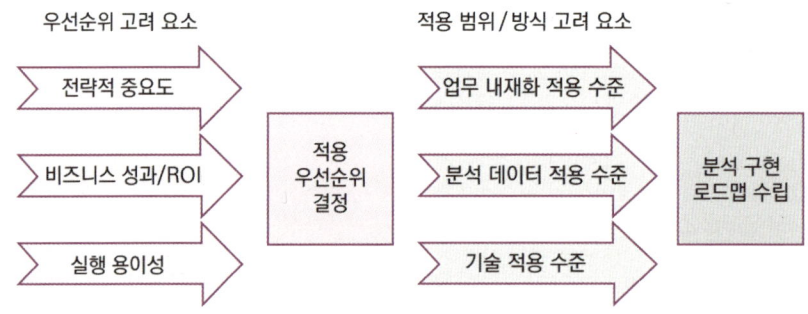

마스터플랜 수립 개요

- 분석 마스터플랜은 일반적인 **ISP(정보전략계획, Information Strategy Planning) 방법론**을 **기반**으로 하되, 데이터 분석 기획의 특성을 반영하여 수행해야 한다. 기업에 필요한 데이터 분석 과제를 빠짐없이 도출한 뒤, **과제의 우선순위를 결정**하고 이를 **단기 계획과 중·장기 계획**으로 구분하여 체계적으로 수립한다.

> **용어 정리** 정보전략계획(ISP, Information Strategy Planning) 〈출제유형〉 정보전략계획의 정의
> - 정보전략계획(ISP)은 기업의 경영 목표 달성에 필요한 전략적 주요 정보를 포착하고, 이를 지원하기 위한 전사적 관점의 정보 구조를 도출하며, 나아가 이를 실행하기 위한 전략 및 실행 계획을 수립하는 전사적 종합 정보 추진 계획이다.

3 수행 과제 도출 및 우선순위 평가

- 우선순위 평가는 정의된 데이터 분석 **과제의 실행 순서**를 정하는 과정이다.
- 업무 영역별로 도출된 분석 과제를 우선순위 평가 기준에 따라 평가하고, 과제 수행의 선·후행 관계를 고려하여 적용 순위를 조정한다.
- 이 과정을 통해 최종 실행 순서가 확정된다.

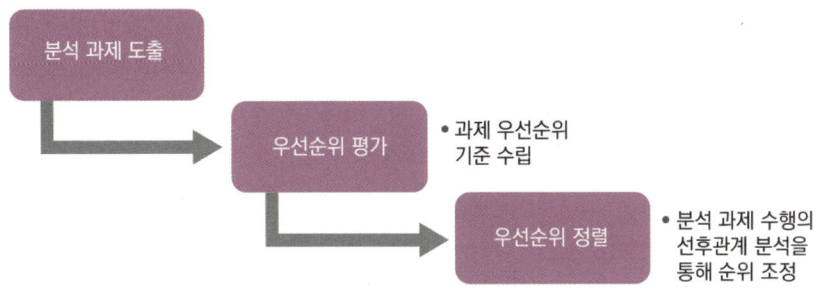

우선순위 평가 방법 및 절차

1) 일반적인 IT 프로젝트의 우선순위 평가

- ISP(정보전략계획)와 같은 일반적인 IT 프로젝트에서는 **과제의 우선순위를 평가**하기 위해 **전략적 중요도, 실행 용이성** 등 기업이 중시하는 가치 기준을 바탕으로 다양한 관점에서 평가 기준을 수립한다.
- 그러나 데이터 분석 과제의 경우, 기업이 처한 상황과 특수성에 따라 우선순위 평가 기준이 달라질 수 있으며, 기존 IT 프로젝트의 우선순위 평가 기준과는 다른 관점에서 접근할 필요가 있다.

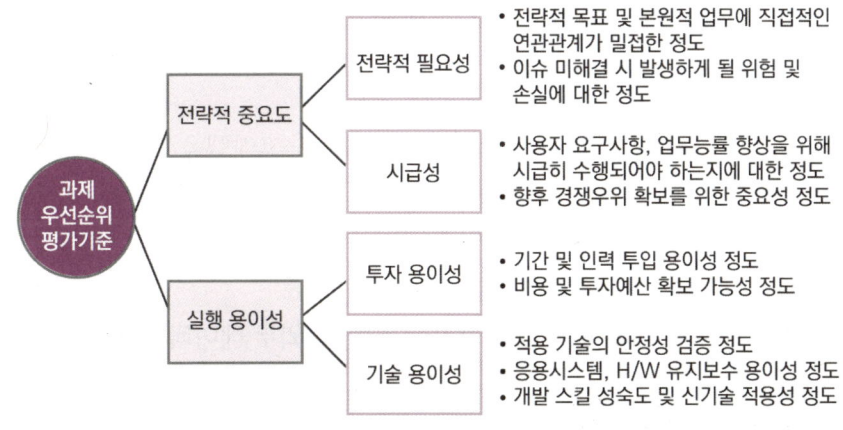

IT 프로젝트 우선순위 평가

2) ROI(Return On Investment, 투자자본수익률) 관점에서 보는 빅데이터 4V

> **출제유형** 빅데이터 4V 투자 비용 요소와 비즈니스 효과 구분

- 빅데이터의 4V를 ROI 관점에서 해석하면, Volume(데이터 양), Variety(데이터 다양성), Velocity(데이터 속도)는 투자 비용 요소(Investment)에 해당한다.

- 반면, Value(가치)는 비즈니스 효과 요소(Business Benefit)로 볼 수 있다. 이는 기업이 데이터 분석을 통해 추구하거나 달성하고자 하는 목표 가치를 의미한다고 정의할 수 있다.

빅데이터 특징을 고려한 분석 ROI

3) ROI 관점에서의 분석 과제 우선순위 평가 기준 〔출제유형〕 시급성과 난이도 구분 기준

(1) 시급성(Urgency)
- 판단 기준은 전략적 중요도이며, 전략적 중요도는 시점에 따라 시급성 여부를 달리 판단할 수 있다.
- 일반적으로 현재 과제는 미래 과제보다 시급성이 높게 평가된다.

(2) 난이도(Difficulty)
- 현재 시점에서 과제를 추진할 때, 비용과 범위 측면을 고려했을 때 즉시 적용이 쉬운지 혹은 어려운지를 판단하는 기준이다.
- 예를 들어, 과제를 시범 과제(Pilot) 형태로 일부 수행할 것인지, 또는 처음부터 전사적으로 수행할 것인지에 따라 난이도가 달라질 수 있다.
- 또한 데이터 소스를 내부 데이터로 한정할 것인지, 외부 데이터까지 확대할 것인지도 난이도 판단의 중요한 요소다.
- 난이도는 기업의 상황에 따라 조율할 수 있으며, 특히 '분석 거버넌스 체계 수립'에서 제시하는 분석 준비도와 성숙도 진단 결과를 반영하여 기업의 분석 수준에 맞게 적용 범위와 방법을 조정할 수 있다.

분석 우선순위 평가 기준

4) 포트폴리오 사분면 분석을 통한 과제 우선순위 선정 기법

[출제유형] 시급성과 난이도 기준일 때 우선순위 순서

- 분석 과제의 우선순위 기준을 **시급성(Urgency)과 난이도(Difficulty)**로 설정하여, 우선 추진해야 할 분석 과제와 제한된 자원을 고려하여 단기적 또는 중·장기적으로 추진해야 할 분석 과제를 **4가지 유형(사분면)**으로 구분한다.
- 이를 통해 분석 과제의 적용 우선순위를 체계적으로 결정할 수 있다.
- **시급성**을 기준으로 할 경우: Ⅲ → Ⅳ → Ⅱ 영역 순으로 우선순위를 둔다.
- **난이도**를 기준으로 할 경우: Ⅲ → Ⅰ → Ⅱ 영역 순으로 우선순위를 둔다.

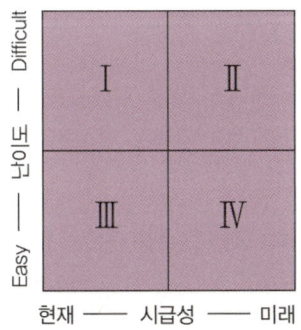

분석 과제 우선순위 선정 매트릭스

(1) Ⅰ 사분면(전략적 중요도 높음·난이도 높음)

- 전략적 중요도가 매우 높아 경영에 미치는 영향이 크므로 시급히 추진해야 하는 과제이다.
- 다만 난이도가 높아 현재 수준에서 즉시 적용하기에는 어려움이 존재한다.

(2) Ⅱ사분면(전략적 중요도 낮음·난이도 높음)
- 현재 시점에서 전략적 중요도가 높지 않지만, **중장기적 관점**에서는 반드시 추진이 필요한 과제이다.
- 그러나 난이도가 높아 즉각적인 적용은 어렵다.

(3) Ⅲ사분면(전략적 중요도 높음·난이도 낮음)
- 전략적 중요도가 높아 현재 시점에서 경영적 가치가 크다.
- 난이도가 낮아 즉시 적용 가능하므로, **우선적으로 추진해야 할 과제**에 해당한다.

(4) Ⅳ사분면(전략적 중요도 낮음·난이도 낮음)
- 전략적 중요도가 크지 않으므로, 중장기적 관점에서 추진하는 것이 바람직한 과제이다.
- 난이도가 낮아 즉시 적용은 가능하나, 시급성은 떨어진다.

5) 분석 과제 우선순위 조정

(1) 데이터 특성에 따른 조정
- 데이터의 양, 특성, 분석 범위 등에 따라 난이도를 조정하고, 이에 따라 적용 우선순위를 재조정할 수 있다.
- 예를 들어, Ⅰ사분면에 위치한 분석 과제(⑨번 과제)는 데이터의 특성과 범위에 따라 **난이도를 조율**함으로써 **우선순위를 조정**할 수 있다.

(2) 기술적 요소에 따른 조정
- 대용량 데이터 분석은 저장·처리·분석을 위한 새로운 기술 요소로 인해 운영 중인 시스템에 영향을 줄 수 있다.
- 이 경우, 기존 **시스템에 미치는 영향을 최소화**하거나, 운영 시스템과 별도로 분리하여 적용함으로써 **난이도를 조정**하고 우선순위를 재조정할 수 있다.

(3) 분석 범위에 따른 조정
- 분석 과제를 한 번에 **전체 범위로 일괄 적용**할 것인지, **일부 범위에 한정**하여 시범 과제(Pilot) 형태로 추진한 뒤 평가 결과에 따라 점진적으로 확대할 것인지를 결정해야 한다.
- 이러한 **범위 조정** 역시 우선순위 평가 및 적용 전략에 **직접적인 영향**을 미친다.

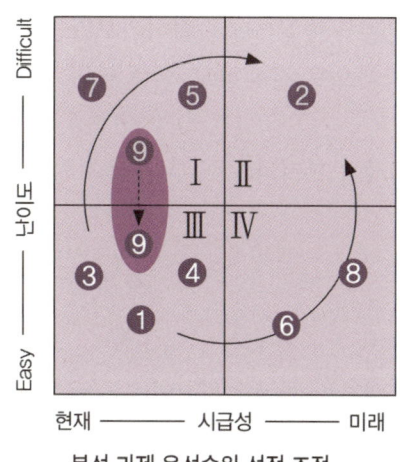

분석 과제 우선순위 선정 조정

기출유형 개념잡기

16 ROI 요소를 고려한 분석 과제 우선순위 평가 기준에 대한 설명으로 적절하지 않은 것은? [23회 출제]
① 전략적 중요도에 따른 시급성이 가장 중요한 기준이다.
② 데이터를 생성·저장·가공·분석하는 비용과 현재 기업의 분석 수준을 고려한 난이도 역시 적용 우선순위를 선정하는 데 중요한 기준이 될 수 있다.
③ 난이도는 해당 기업의 현 상황에 따라 조율할 수 없다.
④ 난이도는 현재 시점에서 과제를 추진하는 것이 비용과 범위 측면에서 바로 적용하기 쉬운 것인지 또는 어려운 것인지에 대한 판단 기준이다.

정답 ③
해설 난이도는 기업의 현 상황(데이터 양, 데이터 특성, 분석 범위 등)에 따라 조율할 수 있으며, 경영진이나 실무 담당자의 의사결정에 따라 적용 우선순위가 달라질 수 있다.

4 이행 계획 수립

1) 로드맵 수립

- 포트폴리오 사분면 분석을 통해 결정된 과제의 우선순위를 바탕으로, 각 분석 과제별 적용 범위와 방식을 고려하여 **최종 실행 우선순위**를 확정한다.
- 이를 기반으로 과제 추진의 흐름을 체계적으로 정리한 단계적 구현 로드맵을 수립한다.

2) 세부 이행 계획 수립 [출제유형] 혼합형 방식 적용의 의미

- 데이터 분석 체계에는 전통적인 폭포수(Waterfall) 방식도 존재하지만, 최근에는 반복적 정련 과정(Iterative Refinement)을 통해 프로젝트 완성도를 높이는 방식을 주로 사용한다.

- 이 반복적 체계는 모든 단계를 동일하게 순환하기보다는, **데이터 수집 및 확보 단계와 분석 데이터 준비 단계는 순차적**으로 진행하고, **모델링 단계는 반복적**으로 **수행**하는 **혼합형 방식**이 적용된다.
- 따라서 이러한 체계적 특성을 고려하여, 세부 일정 계획 역시 **반복·순차적 구조를 반영**해 수립해야 한다.

> **기출유형 개념잡기**
>
> **17** 분석 마스터플랜에 관한 설명으로 적절하지 않은 것은? [33회 출제]
> ① 모든 과정은 순환적이고 반복적인 단계로 작성된다.
> ② 시급성과 난이도에 따라 우선순위를 결정한다.
> ③ 분석 마스터플랜은 분석 대상 과제를 도출하고, 우선순위를 평가하여 단기적인 세부 이행계획과 중·장기적인 로드맵을 작성해야 한다.
> ④ 난이도는 해당 기업의 현 상황에 따라 조율할 수 있다.
>
> 정답 ①
> 해설
> - 반복적인 분석 체계라고 해도 모든 단계를 동일하게 순환하는 것이 아니다.
> - 데이터 수집 및 확보 → 분석 데이터 준비 단계는 순차적으로 진행하고, 모델링 단계는 반복적으로 수행하는 혼합형(Sequential + Iterative) 방식이 주로 적용된다.

02 분석 거버넌스 체계 수립

학습목표
분석 로드맵상의 과제들이 효과적으로 수행될 수 있도록 지원하는 분석 거버넌스 체계 수립 방안을 이해한다.

출제경향 및 중요도
① 분석 거버넌스 체계의 구성 요소 ★★
② 분석 준비도와 분석 성숙도 모델 ★★★
③ 분석 수준 진단 결과의 유형별 특성 ★

1 거버넌스 체계 개요   출제유형 데이터 거버넌스 역할

- **거버넌스(Governance)**는 원래 Government(정부)와 같은 어원을 가지고 있으나, 현재는 더 확장된 의미로 사용된다. 즉, 기업이나 비영리 기관 등에서 **규칙·규범·행동이 구조화**되고, 유지·**규제**되며, **책임이 부여되는 방식과 프로세스**를 포괄적으로 지칭한다.

- **분석 거버넌스(Analytics Governance)**는 기업 내에서 데이터가 어떻게 관리·유지·규제되는지를 정의하는 **내부 관리 방식과 프로세스**를 의미한다.
- **데이터 거버넌스(Data Governance)**는 데이터 활용을 위한 기본 관리 체계로,
- **데이터 품질 보장, 개인정보 및 프라이버시 보호, 데이터 수명 주기 관리, 전담 조직 및 규정 정립, 데이터 소유권 및 관리 권한 명확화** 등을 통해 데이터가 필요한 시점에 적절한 사용자에게 안정적으로 제공될 수 있도록 한다.
- 그러나 **데이터 거버넌스가 확립되지 않을 경우**, 개인 프라이버시 **침해 문제가 발생**할 수 있으며, 이는 곧 **빅브라더(Big Brother) 현상**과 같은 사회적 우려로 이어질 가능성이 크다.

> **용어 정리** 빅브라더 현상의 의미
> - 정보화·디지털화 사회에서 개인정보와 프라이버시가 과도하게 수집·감시·통제되는 상황을 지칭한다.
> - 정부, 기업, 기관 등이 데이터를 과도하게 활용하여 **개인의 자유를 침해**하거나 **사회적 통제를 강화**할 수 있다는 우려를 표현하는 개념이다.

1) 분석 거버넌스 체계 구성 요소 〔출제유형〕 분석 거버넌스의 체계 구성 요소

- 분석 마스터플랜 수립 시점에서는 데이터 분석의 지속적인 적용과 확산을 뒷받침하기 위해 분석 거버넌스 체계를 마련해야 한다.
- 이 체계는 다음과 같은 다섯 가지 요소로 구성된다.

(1) 조직(Organization)
- 분석 기획 및 관리 기능을 수행하는 전담 조직

(2) 프로세스(Process)
- 과제 기획 및 운영을 지원하는 관리 절차와 방법론

(3) 시스템(System)
- 분석 수행을 위한 관련 시스템 및 기술 인프라

(4) 데이터(Data)
- 분석 대상이 되는 내부·외부 데이터 및 품질 관리 체계

(5) 인적 자원(Human Resource)
- 분석 관련 교육, 전문 인력 양성, 데이터 마인드 확산 체계

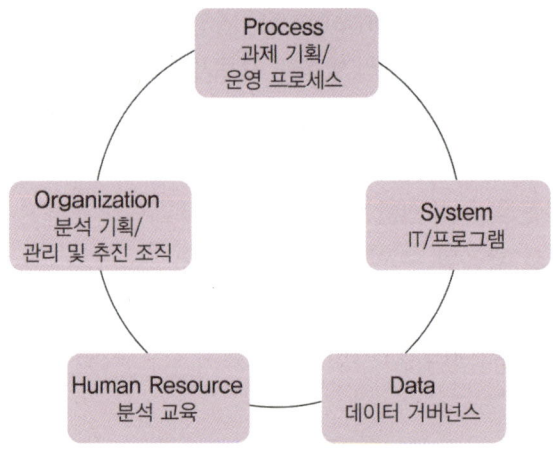

분석 거버넌스 체계 구성 요소

2 데이터 분석 준비도 및 성숙도 모델과 수준 진단

- 현재 많은 기업에서 빅데이터는 핵심 화두로 자리를 잡고 있으며, 데이터를 어떻게 분석·활용하느냐가 기업 경쟁력을 좌우하는 궁극적 요인으로 인식되고 있다.
- 이러한 맥락에서 기업은 데이터 분석의 도입 여부와 **활용 수준에 대해 명확하게 진단**할 필요가 있다.
- 데이터 분석 수준 진단을 통해, 데이터 분석 기반을 구현하기 위해 무엇을 준비·보완해야 하는지, 그리고 분석 유형과 방향성을 결정할 수 있다.
- 데이터 분석 수준은 분석 수준 진단 프레임워크에 따라, **6개 영역의 분석 준비도(Analytics Readiness)와 3개 영역의 분석 성숙도(Analytics Maturity)**를 종합적으로 평가함으로써 진단할 수 있다.

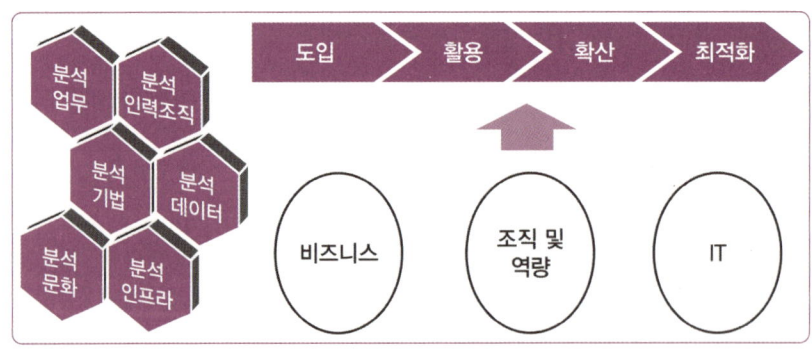

분석 수준 진단 프레임워크

1) 분석 준비도 〔출제유형〕 분석 준비도 6개 영역과 세부 진단 항목

- 분석 준비도 및 성숙도 진단의 궁극적 목표는 기업이 수행하고 있는 **현재의 분석 수준을 명확히 파악**하고, 그 결과를 토대로 **미래의 목표 수준을 정의**하는 데 있다.
- 이를 통해 데이터 기반 분석 경쟁력을 확보하기 위해, 어떤 영역에 선택과 집중을 해야 하는지, 어떤 관점을 보완해야 하는지를 식별할 수 있으며, 나아가 구체적인 개선 방안을 도출할 수 있다.

2) 데이터 분석 준비도 프레임워크

- **분석 준비도(Readiness)는** 기업의 데이터 분석 도입 수준을 진단하는 방법으로, 아래 그림과 같이 **총 6개 영역**을 기준으로 현 수준을 평가한다.
    (1) 분석 업무(Analytics Tasks)
    (2) 인력 및 조직(People & Organization)
    (3) 분석 기법(Analytics Methodology)
    (4) 분석 데이터(Data)
    (5) 분석 문화(Culture)
    (6) IT 인프라(IT Infrastructure)
- 각 진단 영역별로 세부 항목의 수준을 평가한 후, 전체 요건 중 일정 수준 이상을 충족하면 데이터 분석 업무를 도입할 수 있다.
- 반대로 일정 수준에 미달할 경우, 먼저 분석 환경을 조성하고 보완하는 과정이 선행되어야 한다.

분석 업무 파악	인력 및 조직	분석 기법
• 발생한 사실 분석 업무 • 예측분석 업무 • 시뮬레이션 분석 업무 • 최적화 분석 업무 • 분석 업무 정기적 개선	• 분석 전문가 직무 존재 • 분석 전문가 교육훈련 프로그램 • 관리자들의 기본적 분석 능력 • 전사 분석 업무 총괄 조직 존재 • 경영진 분석 업무 이해 능력	• 업무별 적합한 분석 기법 사용 • 분석업무 도입 방법론 • 분석기법 라이브러리 • 분석기법 효과성 평가 • 분석기법 정기적 개선

분석 데이터	분석 문화	IT 인프라
• 분석업무를 위한 데이터 충분성 • 분석업무를 위한 데이터 신뢰성 • 분석업무를 위한 데이터 적시성 • 비구조적 데이터 관리 • 외부 데이터 활용 체계 • 기준데이터 관리(MDM)	• 사실에 근거한 의사결정 • 관리자의 데이터 중시 • 회의 등에서 데이터 활용 • 경영진의 직관보다 데이터 • 데이터 공유 및 협업 문화	• 운영시스템 데이터 통합 • EAL ETL 등 데이터 유통체계 • 분석 전용 서버 및 스토리지 • 빅데이터 분석 환경 • 통계 분석 환경 • 비주얼 분석 환경

3) 분석 성숙도 모델 〔출제유형〕 분석 성숙도의 3개 영역별 진단 항목

- 분석 성숙도 진단(Analytics Maturity Assessment)은 **비즈니스 부문, 조직·역량 부문, IT 부문 등 3개 부문**을 대상으로 수행된다.
- 각 부문은 **성숙도 수준에 따라 다음 4단계로** 구분된다.
  (1) 도입 단계(Initial/Adoption): 데이터 분석을 시범적으로 적용하는 초기 단계
  (2) 활용 단계(Usage): 분석을 실제 업무에 적용하여 가치를 창출하는 단계
  (3) 확산 단계(Expansion): 분석이 조직 전반으로 확산되는 단계
  (4) 최적화 단계(Optimization): 분석이 경영 의사결정과 전략 수립에 체계적으로 내재화된 단계
- 이와 같은 성숙도 모델은 소프트웨어 공학의 CMMI(Capability Maturity Model Integration) 모델과 유사한 개념으로, 시스템 개발 역량과 성숙도를 평가하듯, 업무 프로세스 자체의 성숙도와 이를 관리·개선하기 위한 조직의 역량을 진단하는 데 활용된다.

> **확대경** 능력 성숙도 통합 모델(CMMI: Capability Maturity Model Integration) 이란?
> - CMMI는 조직의 업무 능력(Capability)과 성숙도(Maturity)를 종합적으로 평가하기 위한 국제 표준 모델이다.

- 원래 소프트웨어 개발 분야에서 시작되었으나, 현재는 시스템 엔지니어링, 전산 장비 운영, 프로젝트 관리, 서비스 제공 등 다양한 영역으로 확장되어 활용된다.

단계	도입	활용	확산	최적화
설명	• 분석을 시작하여 환경과 시스템을 구축	• 분석 결과를 실제 업무에 적용	• 전사 차원에서 분석을 관리하고 공유	• 분석을 진화시켜서 혁신 및 성과 향상에 기여
비즈니스 부문	• 실적분석 및 통계 • 정기보고 수행 • 운영 데이터 기반	• 미래 결과 예측 • 시뮬레이션 • 운영 데이터기반	• 전사 성과 실시간 분석 • 프로세스혁신 3.0 • 분석규칙 관리 • 이벤트 관리	• 외부환경 분석 활용 • 최적화 업무 적용 • 실시간 분석 • 비즈니스 모델 진화
조직·역량 부문	• 일부 부서에서 수행 • 담당자 역량에 의존	• 전문 담당부서에서 수행 • 분석 기법 도입 • 관리자가 분석 수행	• 전사 모든 부서 수행 • 분석 CoE 조직 운영 • 데이터 사이언티스트 확보	• 데이터 사이언스 그룹 • 경영진 분석 활용 • 전략 연계
IT부문	• 데이터웨어하우스 • 데이터 마트 • ETL/EAI • OLAP	• 실시간 대시보드 • 통계분석 환경	• 빅데이터 관리 환경 • 시뮬레이션·최적화 • 비주얼 분석 • 분석 전용 서버	• 분석 협업 환경 • 분석 Sandbox • 프로세스 내재화 • 빅데이터 분석

> **용어 정리**
> - 샌드박스란: 운영 환경과 분리된 분석·실험 전용 공간
> - 분석 성숙도에서의 의미: 기업이 데이터 분석 역량을 고도화하면서 혁신과 실험을 안전하게 수행할 수 있는 필수 인프라

> **용어 정리** CoE(Center of Excellence) 정의
> CoE(전문역량센터)는 특정 분야에서 최고 수준의 전문성, 방법론, 도구, 인력, 모범사례(Best Practice)를 집약하여 조직 내·외부로 전파하는 전담 조직이다.

> **기출유형 개념잡기**
> 18 분석 준비도는 기업의 데이터 분석 도입 수준을 파악하기 위한 진단 방법으로 총 6가지 영역을 대상으로 현 수준을 평가한다. 다음 중 분석 업무 파악 영역에 해당하지 않는 것은? [13회 출제]
> ① 발생한 사실 분석 업무
> ② 예측 분석 업무
> ③ 최적화 분석 업무
> ④ 통계 분석 업무
> 정답 ④
> 해설 통계 분석 업무는 분석 준비도의 IT 인프라 영역에 포함되는 요소로, 직접적인 분석 업무 유형에는 해당하지 않는다.

4) 분석 수준 진단 결과 〔출제유형〕 분석 관점에서 분석 수준 진단 4가지 유형

- 분석 수준 진단 결과는 사분면 분석과 같이 분석 관점에서 **4가지 유형으로 구분**할 수 있다.
- 이를 통해 기업은 향후 고려해야 할 데이터 **분석 수준의 목표 방향을 정의**하고, 유형별 특성에 따른 개선 방안을 수립할 수 있다.
- 기업은 분석 준비도와 성숙도 진단 결과를 토대로 자사의 현재 분석 수준을 객관적으로 파악할 수 있다.
- 더 나아가, 이러한 **진단 결과를 유관 업종 및 경쟁사의 분석 수준**과 비교함으로써 기업은 분석 **경쟁력 확보 및 강화를 위한 목표** 수준을 설정할 수 있다.

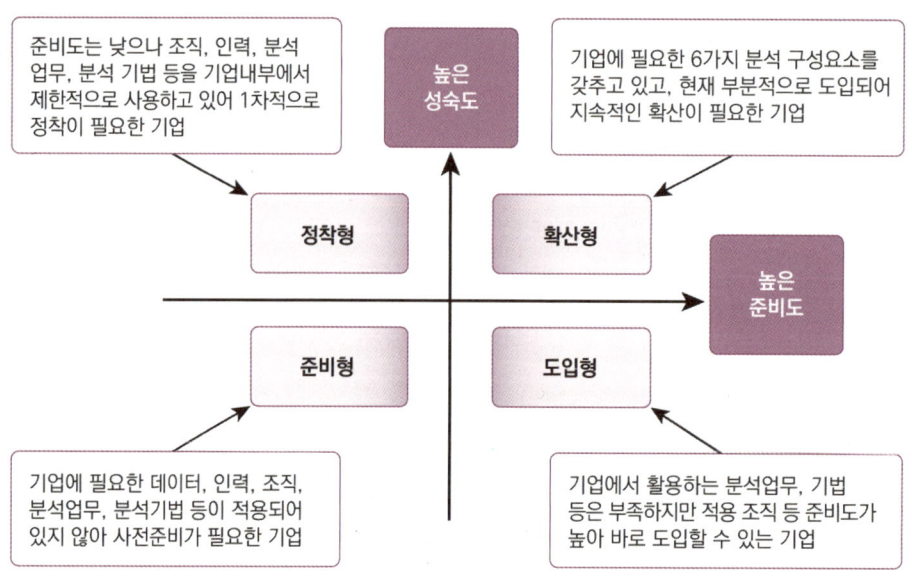

분석 수준 진단 유형

(1) 분석 관점에서의 4가지 유형

① 준비형(Preparation Type)
- 특징: 데이터 분석을 위한 **준비도와 성숙도 수준이 모두 낮은 기업**
- 상황: 데이터, 조직·인력, 분석 업무, 분석 기법 등이 전혀 적용되지 않은 상태
- 개선 방향: 본격적인 분석 도입을 위해 **사전 준비가 필요**

② 정착형(Settlement Type)
- 특징: **준비도는 낮지만**, 기업 내부에서 **조직·인력·분석 업무·분석 기법이 제한적으로 활용**되는 상태
- 상황: 분석 활용이 초기 단계에 머물러 있음
- 개선 방향: 데이터 분석을 기업 내에 안착시키는 것이 우선 과제

③ 도입형(Introduction Type)
- 특징: 분석 **업무·분석 기법은 부족**하지만, **조직과 인력 등 준비도가 높은 기업**
- 상황: 필요시 데이터 분석을 **바로 도입할 수 있는 기반**을 갖춘 상태
- 개선 방향: 확보된 인력과 조직을 활용하여 분석 업무를 적극 도입

④ 확산형(Expansion Type)
- 특징: 데이터 분석을 위한 **6가지 구성 요소를 모두 갖춘 기업**
- 상황: 현재 일부 분석이 도입되어 있으며, **지속적 확산이 가능**한 단계
- 개선 방향: 기존 성과를 기반으로 **분석을 조직 전반으로 확산하고 최적화**

3. 분석 지원 인프라 방안 수립 🐘 출제유형 협의의 분석 플랫폼 구성 요소

- 데이터 분석을 과제 단위로 각각 별도의 시스템을 구축할 경우, **관리의 복잡성 증가와 비용 상승**이라는 부작용이 발생할 수 있다.
- 따라서 분석 마스터플랜을 수립하는 초기 단계에서부터 **장기적이고 안정적으로 활용할 수 있는 확장성 있는 플랫폼 구조**를 도입하는 것이 바람직하다.
- 플랫폼(Platform)이란 단순한 분석 응용 프로그램이 아니라, 분석 서비스를 위한 응용 프로그램이 실행될 수 있는 기반 시스템을 의미한다.
- 일반적으로 하드웨어에 탑재되어, 데이터 분석에 필요한 프로그래밍 환경, 실행 환경, 서비스 환경을 제공한다.
- 이러한 분석 플랫폼이 갖추어지면, 새로운 데이터 분석 수요가 발생했을 때 개별 시스템을 새로 구축할 필요 없이, 기존 플랫폼 위에 새로운 서비스만 추가하는 방식으로 확장성을 확보할 수 있다.

1) 협의의 분석 플랫폼

- 협의의 분석 플랫폼은 데이터 분석을 위한 **응용 프로그램이 실행될 수 있도록 지원하는 핵심 기술 구성 요소**를 의미하며, 주로 **다음 세 가지로 구분**된다.

(1) 데이터 처리 프레임워크

- 정의: 대용량 데이터를 분산·병렬 환경에서 처리하기 위한 기반 구조
- 역할: 데이터 수집, 저장, 전처리 및 변환을 효율적으로 수행

(2) 분석 엔진

- 정의: 데이터에 대한 계산·연산·모델링을 직접 수행하는 핵심 모듈
- 역할: 통계 분석, 머신러닝, 시뮬레이션 등의 알고리즘 실행

(3) 분석 라이브러리

- 정의: 분석 엔진이 활용할 수 있는 알고리즘과 함수들의 집합
- 역할: 회귀분석, 군집분석, 분류, 텍스트마이닝 등 다양한 분석 기법을 모듈 형태로 제공

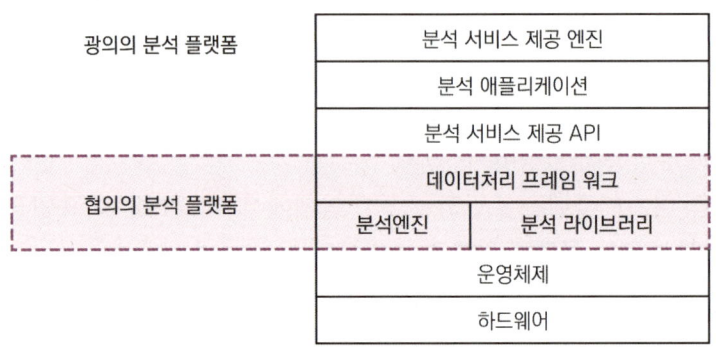

분석 플랫폼의 구성 요소

4. 데이터 거버넌스 체계 수립

출제경향 및 중요도
① 데이터 거버넌스의 구성 요소 ★★
② 데이터 거버넌스의 체계 요소 ★★★
③ 데이터 거버넌스의 정의 ★

1) 데이터 거버넌스 필요성

- 빅데이터는 단순히 데이터의 크기로만 정의되지 않는다. 그러나 오늘날과 같이 실시간으로 대규모의 비정형·반정형 데이터가 쏟아지는 환경에서는, 부서 단위나 프로젝트 단위에서 수행되는 개별적 관리 체계만으로는 한계가 존재한다.
- 따라서 기업 전체를 아우르는 전사 차원의 체계적 데이터 거버넌스(Data Governance)가 필수적으로 요구된다.

2) 데이터 거버넌스(Data Governance) 〔출제유형〕 데이터 거버넌스 정의

- **데이터 거버넌스란** 기업 내 전사 차원의 **모든 데이터**에 대해 **정책·지침, 표준화, 운영조직 및 책임 체계**를 수립하고, 이를 운영하기 위한 **프레임워크 및 저장소를 구축**하는 것을 의미한다.
- 특히 마스터 데이터(Master Data), 메타데이터(Metadata), 데이터 사전(Data Dictionary)은 데이터 거버넌스의 핵심 관리 대상이다.
- 데이터 거버넌스는 독립적으로 운영될 수도 있으나, 기업 전반의 **IT 거버넌스(IT Governance)**나 EA(Enterprise Architecture)의 구성 요소로 포함되어 구축되는 경우도 많다.

> **용어 정리** 📖 **데이터 거버넌스의 주요 관리 대상**
>
> ① **마스터 데이터(Master Data)**
> - 정의: 자주 변하지 않고, 자료 처리 및 운용에서 기본 자료로 제공되는 데이터 집합
> - 특징: 기업 운영의 기반이 되며, 데이터베이스의 마스터 파일 내용과 동일한 의미로 사용되기도 함
> - 예시: 인사 데이터에서 이름, 생년월일, 급여, 주소, 혈액형 등이 해당됨
>
> ② **데이터 사전(Data Dictionary)**
> - 정의: 데이터에 관한 메타정보를 수집·보관·제공하기 위한 장치
> - 특징: 데이터 자원관리의 중요한 요소로, 각 데이터의 이름, 표현 방식, 의미, 사용 방식, 다른 데이터와의 관계를 체계적으로 저장
> - 효과: 데이터 활용의 일관성·정확성을 확보하고, 조직 전체의 데이터 표준화를 지원

3) 데이터 거버넌스의 구성 요소 〔출제유형〕 데이터 거버넌스의 구성 3요소

- 데이터 거버넌스는 **원칙(Principle), 조직(Organization), 프로세스(Process)** 의 3가지 요소가 유기적으로 결합하여, 데이터를 비즈니스 목적에 부합하도록 관리하고 최적의 정보 서비스를 제공할 수 있도록 한다.

(1) 원칙(Principle)
- 정의: 데이터를 유지·관리하기 위한 기본 지침과 가이드 라인
- 주요 내용: 데이터 보안 정책, 품질 기준, 변경 관리

(2) 조직(Organization)
- 정의: 데이터 관리 활동을 수행하는 조직의 역할과 책임 체계
- 주요 역할: 데이터 관리자(Data Steward), 데이터베이스 관리자(Database Administrator) 데이터 아키텍트(Data Architect)

(3) 프로세스(Process)
- 정의: 데이터를 효과적으로 관리하기 위한 활동과 체계
- 주요 활동: 작업 절차, 모니터링 활동, 성과 측정 활동

4) 데이터 거버넌스 체계 요소 〔출제유형〕 데이터 거버넌스 체계 요소

- 데이터 거버넌스를 효과적으로 운영하기 위해서는 데이터 표준화, 데이터 관리 체계, 데이터 저장소 관리, 표준화 활동 요소가 핵심적으로 고려되어야 한다.

(1) 데이터 표준화(Data Standardization)
- 데이터 표준용어 정의, 명명 규칙(Name Rule), 메타데이터 구축, 데이터 사전(Data Dictionary) 구축 등을 포함

- 데이터 표준용어는 표준 단어 사전, 표준 도메인 사전, 표준 코드 등으로 구성되며, 상호 검증 프로세스를 포함해야 함
- 명명 규칙은 필요시 한글·영문 등 다국어 기준으로 작성하여 매핑 상태를 유지해야 함
- 메타데이터 사전은 데이터 구조 체계를 명확히 하여, 데이터 구조 아키텍처(Data Structure Architecture) 및 메타 엔티티 관계 다이어그램을 제공

(2) 데이터 관리 체계(Data Management System)
- 데이터 정합성 및 활용 효율성을 위해, **표준 데이터·메타데이터·데이터 사전에 대한 관리 원칙**을 수립
- 원칙 기반으로 항목별 세부 프로세스를 정의하고, 관리·운영을 위한 조직 및 담당자 역할과 책임을 명확히 설정
- 빅데이터 환경에서는 데이터 양이 급증하므로, 데이터 생명주기 관리(Data Life Cycle Management)를 수립하지 않으면 가용성 저하 및 관리 비용 증가 문제에 직면할 수 있음

(3) 데이터 저장소 관리(Data Repository Management)
- **메타데이터 및 표준 데이터를 관리하기 위한 전사적 저장소**를 구축
- 저장소는 데이터 관리 체계를 지원하기 위한 워크플로우와 관리용 응용 소프트웨어를 제공
- 관리 대상 시스템과 인터페이스를 통해 통제하며, 데이터 구조 변경 시 **사전 영향 평가를 수행**해야 함

(4) 표준화 활동(Standardization Activity)
- 데이터 거버넌스 체계 구축 후, 표준 준수 여부를 **주기적으로 점검 및 모니터링**
- 거버넌스의 조직 내 안정적 정착을 위해 지속적인 변화 관리(Change Management)와 주기적인 교육 시행
- 데이터 표준화 활동을 지속적으로 개선하여, 체계의 실용성과 활용성을 높여야 함

기출유형 개념잡기

19 메타데이터와 데이터 사전의 관리 원칙을 수립하고, 빅데이터의 경우 데이터 생명주기 관리 방안을 마련하는 것에 해당하는 데이터 거버넌스 체계는 무엇인가?
① 데이터 표준화　　　　　　　　② 데이터 관리 체계
③ 데이터 저장소 관리　　　　　　④ 표준화 활동

정답 ②
해설 데이터 관리 체계는 데이터 정합성과 활용 효율성을 높이기 위해 표준 데이터·메타데이터·데이터 사전의 관리 원칙을 수립하는 체계를 의미한다.

5 ▶ 데이터 조직 및 인력 방안 수립

출제경향 및 중요도
① 데이터 분석 업무 주체에 따른 유형 ★★★

1) 데이터 조직 및 인력 방안 수립

- **빅데이터의 등장**으로 기업의 비즈니스는 급격한 변화를 겪고 있으며, 이러한 변화에 대응하고 **차별화된 경쟁력**을 확보하기 위해서는 전문적인 분석 조직이 필요하다.
- 이 조직은 단순한 데이터 과제 발굴을 넘어 **기술 검토, 전사적 업무 적용 계획 수립, 데이터 활용 기획 및 운영 관리**까지 수행하는 역할을 담당한다.
- 따라서 조직은 **다양한 분야의 지식과 경험을 보유한 인력과 각 업무 담당자**로 구성될 수 있으며, 전사 차원의 조직 또는 부서 내 조직 형태로 운영될 수 있다.
- 분석 업무의 수행 주체(Ownership)에 따라 조직구조는 크게 세 가지 유형으로 구분할 수 있다.

2) 분석 조직의 개요

- 데이터 분석 조직은 **기업 경쟁력 확보**를 위해 데이터의 가치를 발견하고, 이를 활용하여 **비즈니스를 최적화(Optimization)**하는 것을 목표로 한다.
- 이를 위해 기업 전반의 다양한 분석 과제를 발굴·정의하고, 분석을 통해 의미 있는 인사이트(Insight)를 찾아 실행할 수 있는 행동으로 연결하는 역할을 수행한다.

목표	기업의 경쟁력을 확보하기 위해 비즈니스 질문에 대한 해답을 찾고, 그에 부합하는 가치를 발굴하여 비즈니스를 최적화하는 것이다.
역할	전사 및 부서 단위의 분석 업무를 발굴하고, 전문적인 기법과 분석 도구를 활용하여 기업 내 빅데이터에서 인사이트를 도출한 뒤 이를 전파하고 실행으로 연결하는 것이다.
구성	기초 통계학과 분석 방법에 대한 지식과 경험을 갖춘 인력으로 구성하여, 전사 또는 부서 단위의 조직 형태로 운영한다.

3) 분석 조직 및 인력 구성 시 고려 사항

- 분석 전문조직은 기업의 상황과 목적에 맞게 **조직구조와 인력 구성 요소를 종합적**으로 고려하여, 기업에 최적화된 형태로 설계·운영해야 한다.
- 단순히 분석 인력을 배치하는 수준을 넘어, 기업 전략과 연계된 **데이터 분석 거버넌스 체계와 지속 가능한 운영 구조**를 마련하는 것이 핵심이다.

구분	주요 고려 사항
조직 구조	• 비즈니스질문을 선제적으로 찾아낼 수 있는 구조인가? • 분석 전담조직과 타 부서 간 유기적인 협조와 지원이 원활한 구조인가? • 효율적인 분석 업무를 수행하기 위한 분석조직의 내부 조직구조는? • 전사 및 단위부서가 필요시 접촉하여 지원할 수 있는 구조인가? • 어떤 형태의 조직(중앙집중형, 분산형)으로 구성하는 것이 효율적인가?
인력 구성	• 비즈니스 및 IT 전문가의 조합으로 구성되어야 하는가? • 어떤 경험과 어떤 스킬을 갖춘 사람으로 구성해야 하는가? • 통계적 기법 및 분석 모델링 전문 인력을 별도로 구성해야 하는가? • 전사 비즈니스를 커버하는 인력이 없다. 그렇다면? • 전사 분석 업무에 대한 적합한 인력 규모는 어느 정도인가?

4) 분석 업무 수행 주체에 따른 3가지 조직 유형 출제유형 분석 업무 수행 주체에 따른 유형 구분

- 데이터 분석 조직은 수행 주체(Ownership)에 따라 다음의 **3가지 조직구조**로 구분할 수 있다.
- 각 기업에 적합한 조직구조는 단정할 수 없으며, **기업의 환경·특성·분석 수준을 고려**하여 선택해야 한다. 또한, 한 사람이 모든 분석 역량을 갖추기는 어렵기 때문에, 전문성을 갖춘 다양한 인재를 조합하여 조직을 구성하는 것이 바람직하다.

(1) 집중형 조직구조

- 조직 내에 독립적인 **분석 전담 조직을 두어** 회사의 모든 분석 업무를 전담한다.
- 전담 조직 내부에서 전사 분석 과제의 **전략적 중요도에 따라 우선순위**를 정해 추진할 수 있다.
- 다만, **협업 부서와의 업무 중복이나 이원화가 발생할 가능성**이 있다.

(2) 기능 중심형 조직구조

- 별도의 **분석 조직을 두지 않고**, 각 업무 부서에서 직접 분석을 수행한다.
- 부서 단위의 실무 중심 분석은 가능하나, **전사적 관점의 핵심 분석 수행이 어렵다.**
- 또한, 부서별로 중복된 분석 업무가 발생할 위험이 크다.

(3) 분산형 조직구조

- 분석 인력을 각 협업 부서에 **분산 배치하여 분석 업무를 수행**한다.
- 전사 차원에서 분석 과제의 우선순위를 선정하고, 이를 실무에 **신속하게 적용**할 수 있는 장점이 있다.
- 그러나 **인력 운영의 효율성이 떨어질 수** 있으며 관리의 복잡성이 증가할 수 있다.

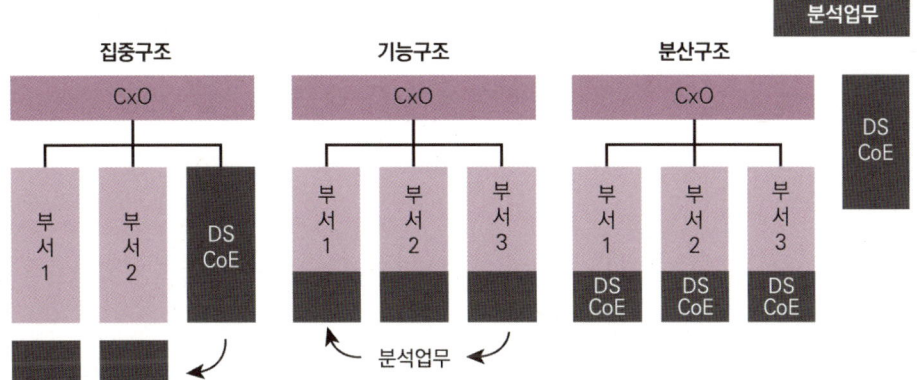

분석 조직 구조

> **기출유형 개념잡기**
>
> **20** 다음 중 집중형 구조의 특징으로 가장 부적절한 것은?
>
> ① 전담 분석 업무를 별도의 독립된 분석 전담 조직에서 담당한다.
> ② 분석 결과에 대한 신속한 실행이 가능하다.
> ③ 전략적 중요도에 따라 분석 조직이 우선순위를 정하여 추진할 수 있다.
> ④ 현업 업무 부서의 분석 업무와 이중화 또는 이원화될 가능성이 높다.
>
> 정답 ②
> 해설 분석 결과에 대한 신속한 실행이 가능하다는 분산형 구조의 장점에 해당한다.

6 분석 과제 관리 프로세스 수립

출제경향 및 중요도
① 분석 과제 관리 프로세스 순서와 개념 ★

1) 분석 과제 관리 프로세스 〔출제유형〕 분석 과제 프로세스의 순서

- 분석 마스터플랜이 수립되고, 초기 데이터 분석 과제가 성공적으로 수행되면, 이후에도 지속적인 분석 니즈와 기회가 **새로운 분석 과제 형태**로 도출된다.

- 이 과정에서 **분석 조직은** 과제의 기획과 운영을 체계적으로 관리하는 역할을 수행해야 한다.
- 따라서 이를 효과적으로 지원하기 위한 **분석 과제 관리 프로세스를 수립**할 필요가 있다.
- 분석 과제 관리 프로세스는 크게 **과제 발굴과 과제 수행 및 모니터링으로** 나누어진다.

(1) 과제 발굴

- 과제 발굴 단계에서는 **조직이나 개인이 도출한 다양한 분석 아이디어**를 체계적으로 수집한다.
- 발굴된 아이디어는 분석 과제 풀(Pool)로 관리되며, 이를 기반으로 **분석 프로젝트를 선정**하는 작업이 이루어진다.

(2) 과제 수행

- 과제 수행 단계에서는 **분석을 담당할 팀을 구성**하고, 선정된 분석 과제를 실제로 실행한다.
- 실행 과정에서 **지속적인 모니터링**을 통해 진행 상황을 점검하며, 산출된 **분석 결과를 공유**하고 필요시 **개선 절차**를 수행한다.

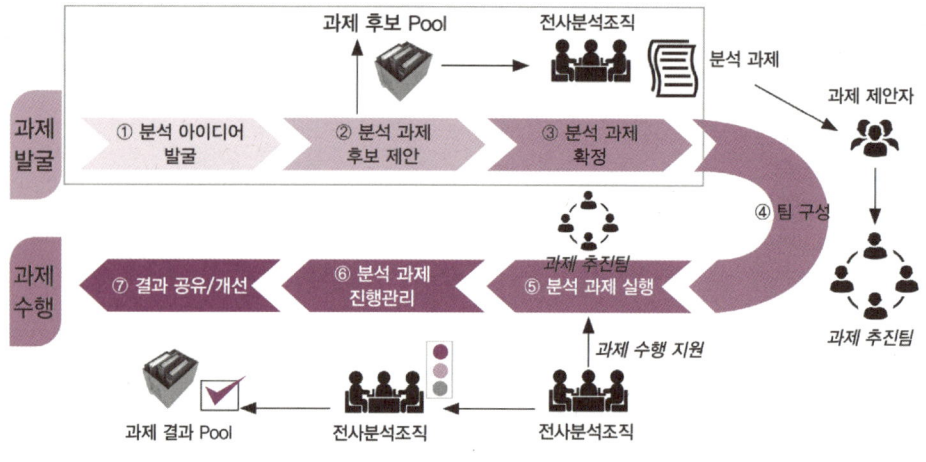

분석 과제 관리 프로세스

- 결과적으로, 분석 조직은 지속적인 프로젝트 관리를 통해 조직 내에 분석 문화를 내재화할 수 있다. 또한 과제 수행 과정에서 도출된 시사점(Lessons Learned)과 **결과물을 과제 풀(Pool)에 축적·관리**함으로써, 향후 유사한 분석 과제를 수행할 때 시행착오를 최소화하고 프로젝트를 더욱 효율적으로 진행할 수 있다.

> **확대경 과제 Pool의 구분**
> ① 과제 후보 Pool
>   • 조직 내·외부에서 발굴된 다양한 분석 아이디어 및 과제 후보군을 체계적으로 관리하는 저장소
>   • 실제 프로젝트로 수행할 과제를 선정하기 위한 분석 과제 목록(Backlog) 역할 수행
> ② 과제 결과 Pool
>   • 이미 수행된 분석 과제의 산출물과 시사점을 축적·관리하는 저장소
>   • 향후 유사 과제를 추진할 때 참고 자료로 활용하여 시행착오 최소화 및 효율성 제고

7 분석 교육 및 변화 관리

출제경향 및 중요도
① 분석 교육의 목표 ★

1) 분석 교육의 필요성 [출제유형] 지속적 분석 교육의 필요성

- 최근 많은 기업에서 구성원들에게 **데이터 분석 교육을 적극적으로 독려**하고 있다.
- 예를 들어, 엔지니어가 입사하면 코드 베이스와 개발 문화를 학습하는 엔지니어 훈련 프로그램을 운영하는 경우가 있다.
- 더 나아가, **마케팅, 기획, 서비스, 관리 등 전사 모든 부서의 구성원**을 대상으로 데이터 분석 훈련 프로그램을 운영하는 사례도 증가하고 있다.
- 이러한 움직임의 배경에는 **모든 구성원이 데이터를 직접 보고·분석하며 가설을 검증할 수 있는 능력을 갖추게 함으로써, 데이터 활용을 통한 비즈니스 가치를 조직 전체로 확장**하려는 목적이 있다.

2) 분석 도입에 대한 문화적 대응

- 과거에는 데이터 분석 업무가 주로 기업 내 데이터 분석가의 역할에 국한되었다. 그러나 최근에는 **모든 구성원이 데이터를 분석**하고 이를 업무에 **직접 활용**할 수 있도록 하여, 조직 전반에 분석 문화를 정착시키려는 변화가 확산하고 있다.
- 새로운 체계가 도입될 때는 저항이나 기존 방식으로 되돌아가려는 관성이 존재한다. 따라서 분석의 가치를 극대화하고 조직에 안정적으로 내재화하기 위해서는 분석 교육과 마인드셋 육성을 통한 적극적인 변화 관리가 필요하다.
- 특히 빅데이터의 등장은 다양한 비즈니스 영역에서 커다란 변화를 불러왔다. 이에 효과적으로 대응하기 위해서는 **기업 특성에 적합한 분석 업무를 도출**하고, 그 가치를 높일 수 있도록 분석 조직과 인력에 대한 **지속적인 훈련을 강화**해야 한다.

- 또한 **경영진이 데이터 기반 의사결정(Data-Driven Decision Making)**을 수행할 수 있는 기업 문화를 정착시키기 위한 변화 관리가 지속적으로 계획되고 실행되어야 한다.

> **기출유형 개념잡기**
>
> **21** 분석 조직 인력들을 협업부서로 직접 배치하여 신속한 업무 수행이 가능한 구조를 무엇이라 하는가? [35회 출제]
>
> ① 집중구조
> ② 기능중심구조
> ③ 분산구조
> ④ 확산구조
>
> **정답** ③
> **해설** 분산구조는 분석 조직의 인력을 협업 부서에 직접 배치하여 현업과 밀착된 신속한 분석 수행이 가능한 형태이다. 따라서 분석 결과를 빠르게 실무에 적용할 수 있다는 장점이 있다.

> **기출유형 개념잡기**
>
> **22** 다음 중 데이터 거버넌스의 구성 요소가 아닌 것은? [35회 출제]
>
> ① 원칙
> ② 조직
> ③ 분석 방법
> ④ 절차
>
> **정답** ③
> **해설** 데이터 거버넌스의 핵심 구성요소는 원칙(Principle), 조직(Organization), 프로세스(절차, Process) 이다.

MEMO

데이터 분석

3과목

6장　R 기초와 데이터 마트
7장　통계 분석
8장　정형 데이터 마이닝

출제 방향

ADsP 제3과목 데이터 분석은 수험생들이 가장 어려움을 느끼는 영역 중 하나이다. 그 이유는 크게 두 가지로 요약할 수 있다.
첫째, 시험 범위가 광범위하여 학습 부담이 크다.
둘째, 출제 문항의 난이도가 지속적으로 상승하고 있다는 점이다.
이와 같은 경향은 수험생 모두에게 부담으로 작용할 수 있으므로, 향후 시험 대비에서는 체계적인 학습 전략과 문제 풀이 경험이 더욱 중요해질 것이다.
따라서 수험생은 본 교재 학습과 더불어 반드시 출제 문제와 예상 문제를 병행하여 풀이해야 한다. 아울러 해설을 면밀히 검토하며 이해하는 과정을 거친다면, 실력 향상은 물론 효과적인 시험 대비에 큰 도움이 될 것이다.

과목 구성

6장 R 기초와 데이터 마트
01 R 기초
02 데이터 마트
03 결측값 처리와 이상값 검색

7장 통계 분석
01 통계학 개론
02 기초 통계분석
03 다변량분석
04 시계열 예측

8장 정형 데이터 마이닝
01 데이터 마이닝
02 모형평가
03 분류분석
04 군집분석
05 연관분석

6장 R 기초와 데이터 마트

01 R 기초

학습목표
R 통계 패키지의 기본적인 문법과 사용 방법을 이해한다.

출제경향 및 중요도
① R의 데이터 구조 이해 ★
② 벡터와 데이터프레임 차이 ★
③ R의 특수 형태 ★
④ 기초통계의 해석 ★
⑤ 상자 그림(Box Plot)과 히스토그램(Histogram)의 시각화 해석 ★

1 분석 환경의 이해

1) 통계 패키지 R의 역사
- R은 미국 벨 연구소(Bell Labs)의 John Chambers가 개발한 S 언어를 기반으로 한다.
- 뉴질랜드 오클랜드대학교의 로스 이하카(Ross Ihaka)와 로버트 젠틀맨(RobertGentleman)이 개발하였다.
- 2000년 최초 1.0 버전이 공개된 이후, 현재까지 지속적으로 버전업이 이루어져 **4.5.1 버전**까지 발전하였다.

2) 통계 패키지 R의 특징
- **오픈 소스(Open Source)**로 누구나 자유롭게 사용할 수 있다.
- 우수한 데이터 핸들링 기능을 제공한다. (텍스트, CSV, 엑셀, SAS, SPSS, Stata, 데이터베이스 등 다양한 데이터 읽기 가능)
- **인터프리터 언어이므로 명령어 단위 실행**이 가능하다.
- 강력한 **그래픽 기능을 지원**한다. (2D, 3D, 동적 그래프 표현 가능)
- **다양한 데이터 구조**를 지원한다. (벡터, 행렬, 배열, 데이터프레임, 리스트 등)
- **메모리(RAM) 기반 처리** 방식으로 속도가 빠르다.

3) RStudio

- R을 지원하는 GUI(Graphic User Interface)는 여러 가지가 있으며, 대표적으로 RStudio, Microsoft Visual Studio, R Commander 등이 있다. 이 중 RStudio는 가장 널리 사용되는 대표적인 통합 개발 환경(IDE)이다.

(1) 스크립트(Script) 창
- R Script를 Batch 모드로 작성하고 **실행할 수 있는 창**이다.
- 실행 방법은 다음과 같다.
- **Ctrl + Enter**
- **실행할 블록을 선택한 후 상단 메뉴의 Run 버튼 클릭**

(2) R 콘솔(Console)
- 실행 결과, 패키지 설치, 오류 메시지 등을 확인할 수 있다.
- 일반적으로는 Script 창에서 작성 → Console 창 실행 → Environment/Plot 창 확인 순으로 작업이 이루어진다.

(3) 환경(Environment) / 히스토리(History) 창
- **환경(Environment) 창**: 현재 실행 중인 프로젝트에서 선언된 변수, 함수, 데이터셋 등의 정보를 확인할 수 있다.
- **히스토리(History) 창**: 지금까지 실행된 명령어 목록을 확인할 수 있다.

(4) Files / Plot / Packages / Help / Viewer 창
- **Files**: 현재 작업 중인 문서 및 폴더 구조 확인
- **Plot**: 실행된 그래프 결과 확인
- **Packages**: 설치된 패키지 및 라이브러리 관리
- **Help**: R 함수 및 패키지의 도움말 확인
- **Viewer**: R Markdown, Shiny 앱 등 시각화된 결과를 확인

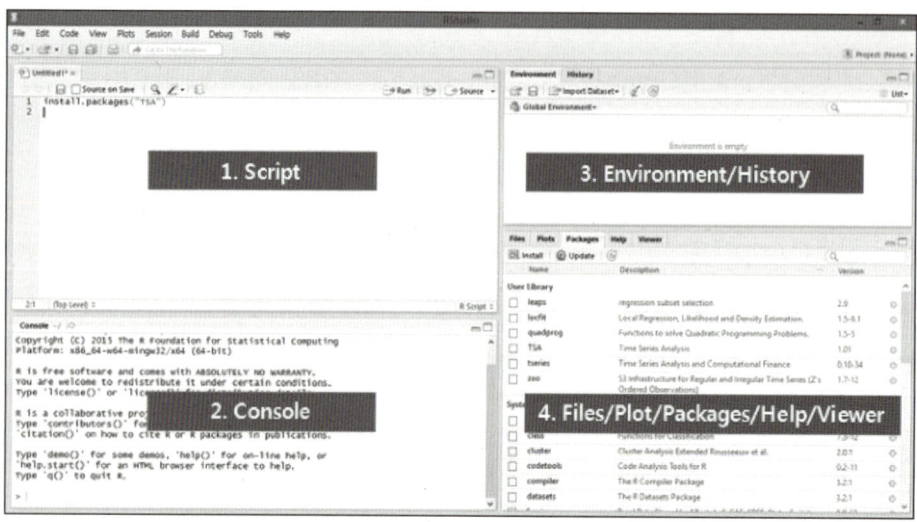

RStudio 구성 화면

2 R 언어와 문법

1) R의 기초

- **주석(Comment)**: # 기호 뒤에 작성된 내용은 실행되지 않고 주석으로 처리된다.
- **대소문자 구분**: R은 대소문자를 구분하므로, 변수 및 함수명을 작성할 때 주의해야 한다.

(1) 연산자와 우선순위

- **사칙연산 기호**: + (덧셈), - (뺄셈), * (곱셈), / (나눗셈), ^ (거듭제곱)

(2) 변수명 규칙

- **사용할 수 있는 문자**: 알파벳, 숫자, 언더스코어(_), 마침표(.)
- 사용할 수 없는 문자: 하이픈(-)
- 첫 글자는 반드시 알파벳 또는 .으로 시작해야 한다.
- 단, . 뒤에는 숫자가 올 수 없다.

(3) 패키지 설치 및 실행

- **패키지(Package)**는 R에서 제공되는 함수와 데이터, 문서 등을 묶어 놓은 라이브러리 집합을 의미한다.
- 기본 R에 포함되지 않은 다양한 기능을 손쉽게 사용할 수 있도록 제공한다.

- 패키지의 설치

```
install.packages("패키지명")
```

- 패키지의 실행

```
library(패키지명)
```

2) 할당 연산자

- 할당(Assignment): 변수나 객체에 값을 저장하는 것을 의미한다.
- 할당 연산자: = 와 <- 을 사용한다.
- R에서 같음을 비교할 때는 == 을 사용한다.

연산자	설명	입력내용	결과
<-, =	오른쪽의 값을 왼쪽의 이름에 저장	x <- 3, x = 3	동일한 값 3

3) 비교 연산자

- 두 개 값을 비교하여 조건이 맞으면 TRUE, 맞지 않으면 FALSE 값을 반환한다.
- 대표적인 비교 연산자는 다음과 같다.

연산자	설명	입력내용	결과
>	크다	3 > 4	FALSE
>=	크거나 같다	3 >= 4	FALSE
==	같다	3 == 4	FALSE
!	부정	!(3 == 4)	TRUE

4) 논리 연산자

- 두 개 이상의 조건을 비교하여 논리적 결괏값(TRUE / FALSE)을 출력한다.
- 대표적인 논리 연산자는 다음과 같다.

연산자	설명	입력내용	결과
&	AND의 개념 두 개의 조건을 동시에 만족할 때만 TRUE가 되는 논리 연산	TRUE & FALSE	FALSE
|	OR의 개념 두 개의 조건 중에서 하나만 만족해도 TRUE가 되는 논리 연산	TRUE|FALSE	TRUE

확대경 논리 연산자의 결과 규칙　**출제유형** 논리 연산자 변환 규칙

- 논리 연산자는 조건 비교의 결과로 TRUE 또는 FALSE 값을 반환한다.
- 이때 논리형 벡터를 숫자형 벡터로 변환하여 사용할 수 있으며, 변환 규칙은 다음과 같다.
- TRUE → 1
- FALSE → 0

3 R의 데이터 구조

- R은 다양한 형태의 데이터를 다루기 위해 여러 가지 기본적인 데이터 구조(Data Structure)를 제공한다.
- 각 구조는 데이터의 형태(1차원/2차원/다차원)와 동질성·이질성 여부에 따라 구분된다.

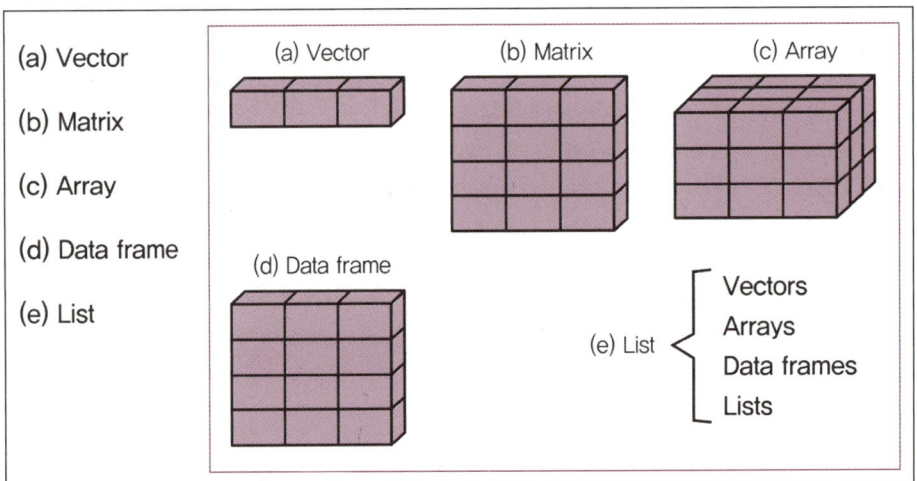

(a) Vector
(b) Matrix
(c) Array
(d) Data frame
(e) List

확대경 R의 특수 형태(Special Values)　**출제유형** NA와 NaN의 구분

- R에서는 일반적인 데이터 값 이외에도 특수한 의미를 가진 값을 제공한다.
① NULL
  - 비어 있는 값(데이터 유형 없음, 길이 0)
  - 주로 객체가 정의되지 않았거나, 초기화 상태를 의미
② NA(Not Available)
  - 결측값(Missing Value)을 의미
  - 데이터가 존재하지 않거나 수집되지 않은 상태
③ NaN(Not a Number)
  - 수학적으로 정의할 수 없는 값
  - **예** 0을 0으로 나눈 경우, 음수의 제곱근
④ Inf / -Inf
  - 양의 무한대(Inf), 음의 무한대(-Inf)

1) 벡터(Vector) 〔출제유형〕 벡터의 특성과 유형

- R에서 **가장 기본적인 데이터 구조**는 벡터(Vector)이다.
- 벡터는 하나 이상의 스칼라(scalar) 원소로 이루어진 집합이며, **모든 원소는 동일한 자료형**을 가져야 한다.
- 서로 다른 자료형이 섞이면, **하나의 공통 자료형**으로 자동 변환된다.
- 예 숫자 + 문자 → 문자형 벡터

(1) 벡터 생성 함수

함수	설명	예시 코드	결과
c( )	• 원소들을 묶어 벡터 생성	c(1, 2, 3)	1 2 3
:	• 연속된 정수 범위 벡터 생성	1:5	1 2 3 4 5
seq( )	• 일정 간격을 가진 수열 벡터 생성	seq(1, 10, by=2)	1 3 5 7 9
rep( )	• 특정 원소 또는 벡터 반복	rep(1:3, times=2)	1 2 3 1 2 3

(2) R에서 사용하는 벡터 유형

- **numeric type**: 실수(소수점 포함)까지 표현 가능한 데이터 타입
- **integer type**: 정수 값을 표현하는 데이터 타입
- **factor type**: 순서형 변수(ordinal)와 명목형 변수(nominal)를 표현하는 데이터 타입
- **character type**: 문자열 데이터를 표현하는 데이터 타입

기출유형 개념잡기

01 다음은 벡터에 관한 설명이다. 옳은 것은? [16회 출제]

① R에서 벡터는 하나 또는 하나 이상의 스칼라 원소들을 갖는 집합이다.
② 문자형 벡터가 포함된 경우에도 각 원소는 고유의 자료형을 유지한다.
③ 논리형 벡터를 숫자형으로 변환하면 TRUE는 0, FALSE는 1로 변환된다.
④ R은 대소문자를 구분하지 않는다.

정답 ①

해설
- ① 옳음: R의 벡터는 하나 이상의 스칼라 원소로 구성된 동일 자료형 집합이다.
- ② 틀림: 서로 다른 자료형이 섞이면 자동 형 변환(coercion)이 일어나며, 문자형이 포함되면 전체가 문자형 벡터가 된다.
- ③ 틀림: 논리형 벡터를 숫자형으로 변환하면 TRUE = 1, FALSE = 0이다.
- ④ 틀림: R은 대소문자를 엄격히 구분한다. 예 Data와 data는 서로 다른 객체다.

2) 행렬(Matrix)

- 행과 열로 이루어진 2차원 데이터 구조
- 한 가지 자료형만 저장 가능(숫자형, 문자형, 논리형 중 하나)
- 벡터를 여러 행과 열로 재구성한 형태
- 생성 함수: matrix()

3) 데이터프레임(Data Frame) [출제유형] 데이터프레임의 특징

- 행렬과 유사한 **2차원 데이터 구조**
- 각 열(Column)은 **서로 다른 데이터 타입**을 가질 수 있다.
- 예 숫자형, 문자형, 범주형이 한 **데이터프레임에 함께 존재 가능하다.**
- 데이터프레임의 각 열에 들어가는 **벡터는 반드시 길이가 동일**해야 하며, 그렇지 않으면 오류가 발생한다.

> **기출유형 개념잡기**
>
> **02** 각 열(Column)이 서로 다른 데이터 타입을 가질 수 있는 데이터 구조는 무엇인가? [18회 출제]
> ① 데이터프레임 ② 벡터
> ③ 행렬 ④ 스칼라
>
> 정답 ①
> 해설 데이터프레임(Data Frame)은 행렬과 유사한 2차원 구조이지만, 각 열이 서로 다른 데이터 타입(숫자형, 문자형, 논리형 등)을 가질 수 있다.

4) 배열(Array)

- 행렬(Matrix)이 2차원 데이터 구조라면, 배열(Array)은 이를 확장한 다차원 데이터 구조이다.
- 단, 행렬과 마찬가지로 배열에 저장되는 데이터는 하나의 동일한 데이터 타입만 가능하다.

5) 리스트(List)

- 리스트는 서로 다른 데이터 유형을 함께 저장할 수 있는 데이터 구조이다.
- 예를 들어, 숫자형 벡터, 문자형 벡터, 데이터프레임, 함수 등을 하나의 리스트 안에 동시에 담을 수 있다.

3 R의 기초 함수 😀 출제유형 summary( )함수의 해석

1) min() 함수
- 정의: 주어진 데이터 벡터에서 가장 작은 값을 반환한다.

2) max() 함수
- 정의: 주어진 데이터 벡터에서 가장 큰 값을 반환한다.

3) 평균(mean)
- 정의: 모든 관측값의 합을 데이터 개수로 나눈 값
- 함수: mean(x, na.rm=TRUE)
- 해석: 데이터의 중심 위치(대표값)를 나타내며, **극단값(Outlier)의 영향**을 많이 받음

4) 중앙값(median)
- 정의: 데이터를 크기순으로 정렬했을 때 한가운데에 있는 값
- 함수: median(x, na.rm=TRUE)
- 해석: 극단값의 영향을 받지 않아 데이터의 전형적인 값을 파악할 때 유용

5) 최빈값(mode)
- 정의: 데이터에서 가장 빈도가 높은 값
- 함수: mode(x, na.rm=TRUE)
- 용도: 범주형 자료(Categorical Data) 분석에서 활용도가 높음

6) 요약 통계(summary)
- 정의: 데이터의 주요 통계량을 한눈에 요약 제공
- 함수: summary(x)
- **수치형 데이터**: 최소값(Min), 1사분위수(Q1), 중앙값(Median), 평균(Mean), 3사분위수(Q3), 최대값(Max)
- **범주형 데이터(Factor)**: 각 범주의 빈도(Frequency)를 출력

4. R의 기술통계 〔출제유형〕 기술통계 함수의 정의

1) 변동계수(Coefficient of Variation, CV)
- 정의: 표준편차(Standard Deviation)를 평균으로 나눈 값
- 목적: 측정 단위가 서로 다른 데이터를 비교할 때 변동 정도를 평가
- 해석: 값이 클수록 데이터의 상대적 변동성이 큼

2) 사분위 범위(Interquartile Range, IQR)
- 정의: 제3사분위수(Q3)-제1사분위수(Q1)
- 목적: 이상치의 영향을 줄이면서 데이터의 산포 정도를 파악
- 해석: 값이 클수록 데이터가 넓게 퍼져 있음을 의미

3) 범위(Range)
- 정의: 최댓값(Max) - 최솟값(Min)
- 목적: 데이터의 전체 분포 폭을 단순하게 파악
- 해석: 값이 클수록 데이터 분산이 크지만, 이상치에 민감

4) 왜도(Skewness)
- 정의: 분포의 비대칭성을 나타내는 지표
- 목적: 데이터가 평균을 기준으로 좌우 어느 방향으로 치우쳤는지 파악
- 양수(+): 분포의 오른쪽 꼬리가 길어져(우측 꼬리 분포) 데이터가 오른쪽으로 치우쳐 있다.
- 음수(-): 분포의 왼쪽 꼬리가 길어져(좌측 꼬리 분포) 데이터가 왼쪽으로 치우쳐 있다.

5) 첨도(Kurtosis)
- 정의: 분포의 뾰족함 정도를 나타내는 지표
- 목적: 정규분포 대비 꼬리의 두꺼움(극단값 발생 가능성)을 파악
- 해석: 값이 크면 뾰족하고 꼬리가 두꺼움(극단값 가능성 ↑), 값이 작으면 완만하다.

6) 분위수(Quantile)
- 정의: 데이터를 크기순으로 정렬했을 때, 일정한 백분위 위치에 해당하는 값
- 목적: 데이터의 분포를 구간별로 나누어 위치와 분포 특성을 파악하기 위함
- 사분위수(Quartile): 데이터를 4등분하는 기준값(Q1=25%, Q2=50%(중앙값), Q3=75%)
- 백분위수(Percentile): 데이터를 100등분한 위치 값(예 90% 분위수는 상위 10% 기준점)

> **기출유형 개념잡기**

03 최솟값, 1사분위수, 중위수, 3사분위수, 최댓값, 평균값을 구할 수 있는 R의 함수는? [16회 출제]
① str( )
② summary( )
③ head( )
④ inform( )

정답 ②

해설 summary() 함수는 벡터, 데이터프레임, 팩터 등 다양한 객체에 대해 기초 통계 요약값을 제공한다.

5 R 그래픽 기능

1) 산점도 그래프   출제유형 산점도 시각화의 역할

- 산점도는 가장 기본적인 그래프로서, 두 변수(x, y)의 값을 평면에 점으로 표시하여 그 관계를 한눈에 살펴볼 수 있다.
- 예를 들어, height(키)와 weight(체중) 자료를 이용하면 산점도로 두 변수의 관계를 시각화할 수 있다.

```
> height<-c(170,168,174,175,188,165,165,190,173,168,159,170,184,155,165)
> weight<-c(68,65,74,77,92,63,67,95,72,69,60,69,73,56,55)
> plot(height,weight)
```

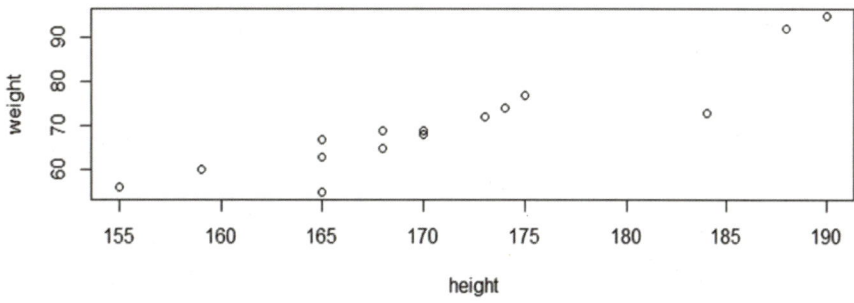

> **기출유형 개념잡기**
>
> **04** 다음 중 산점도(Scatterplot)를 활용할 때 반드시 확인해야 하는 자료의 특징이 아닌 것은 무엇인가?
>
> [출제 예상]
>
> ① 선형(linear) 또는 비선형(nonlinear) 관계의 여부
> ② 이상점(outlier)의 존재 여부
> ③ 자료의 층화 여부
> ④ 원점(0,0)의 통과 여부
>
> 정답 ④
>
> 해설
> - 산점도를 통해 확인해야 할 주요 특징은 다음과 같다.
>   - 선형적 또는 비선형적 관계의 형태: 상관분석이나 회귀분석 적용 가능성을 판단하기 위함.
>   - 이상점(outlier) 존재 여부: 분석 결과를 왜곡할 수 있으므로 반드시 점검 필요.
>   - 자료의 층화(stratification): 집단별로 다른 패턴이 존재하는지 확인할 수 있음.

2) 산점도 행렬 〔출제유형〕 산점도 행렬의 의미

- 산점도 행렬은 여러 변수 간의 산점도를 한 번에 확인할 수 있는 그래프 형태이다. 각 변수 쌍마다 산점도가 그려져, 변수 간의 관계를 직관적으로 파악할 수 있다.
- pairs( ) 함수는 데이터프레임이나 행렬을 입력받아 모든 변수 조합에 대한 산점도를 행렬(matrix) 형태로 출력한다.

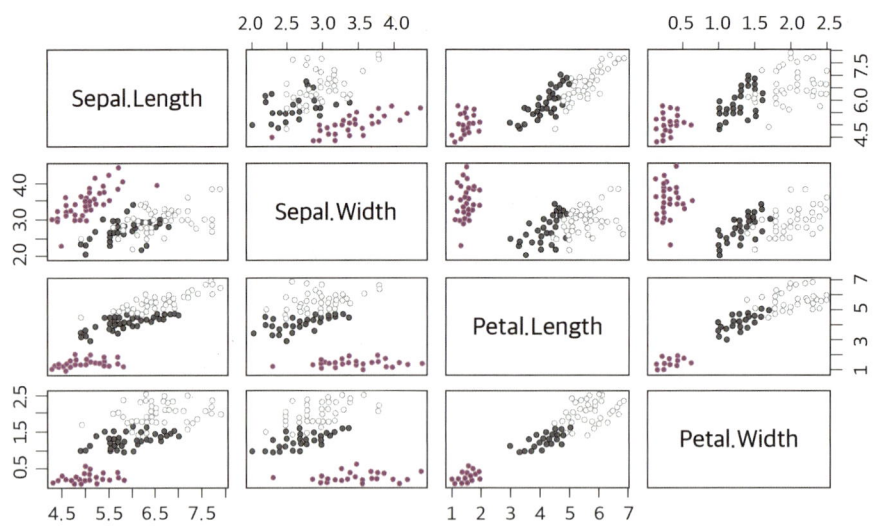

산점도 행렬

3) 히스토그램 〈출제유형〉 히스토그램 계급값의 영향

- 히스토그램은 데이터의 분포를 시각적으로 확인하기 위해, 데이터를 일정한 구간(bin)으로 나누고 각 구간에 속하는 관측값의 개수를 세어 막대 형태로 나타낸 그래프이다.
- 이때 계급값(구간 수와 구간 폭의 결정 방식)에 따라 히스토그램의 모양과 해석이 크게 달라진다.

(1) 구간 수가 너무 적을 때(구간 폭이 넓음)

- 데이터가 지나치게 요약되어 세부적인 분포 특성이 잘 드러나지 않는다.
- 분포의 모양이 단순해져 왜도(skewness), 다봉성(multimodality) 등을 놓칠 수 있다.

(2) 구간 수가 너무 많을 때(구간 폭이 좁음)

- 막대가 너무 많아져 분포가 과도하게 세분화
- 데이터의 전체적인 패턴이 흐려지고 노이즈(noise)가 부각되어 해석이 어려워질 수 있다.

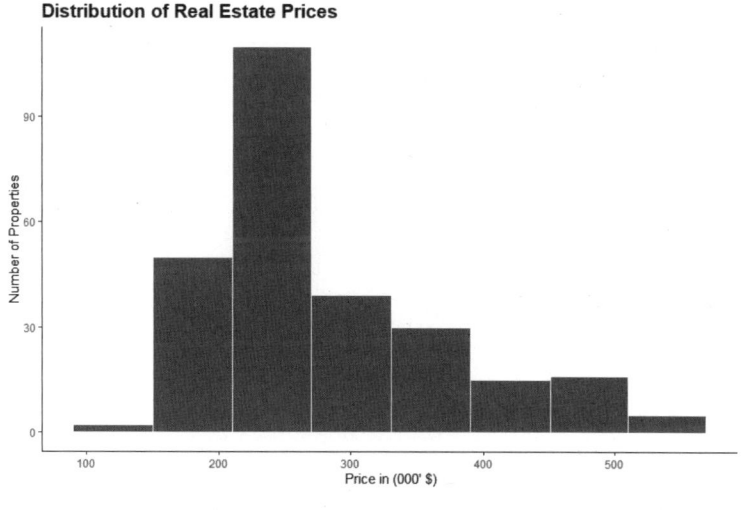

히스토그램

확대경

평균과 중위수의 크기로 데이터 분포의 형태를 확인할 수 있다.

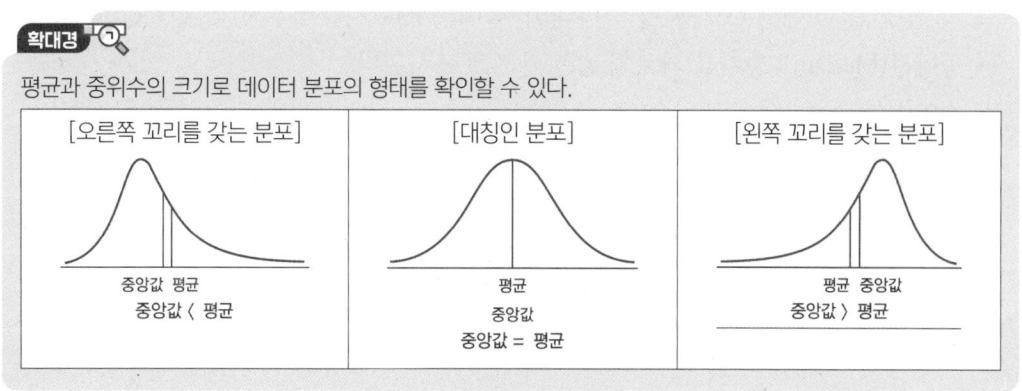

기출유형 개념잡기

05 히스토그램을 작성하여 알 수 있는 자료의 특징에 해당하지 않는 것은? [출제 예상]

① 두 변수의 상관성
② 퍼짐 정도(산포)
③ 좌우 대칭성
④ 봉우리의 개수(다봉성 여부)

정답 ①

해설 상관성은 산점도(Scatterplot)나 상관계수를 통해 파악하는 것이 적절하다.

기출유형 개념잡기

06 왜도가 양수인 오른쪽 꼬리 분포(우측 비대칭 분포)에서, 최빈값·중앙값·평균값의 크기를 작은 값부터 큰 값 순으로 올바르게 배열한 것은 무엇인가? [28회 출제]

① 최빈값 → 중앙값 → 평균값
② 중앙값 → 최빈값 → 평균값
③ 평균값 → 최빈값 → 중앙값
④ 최빈값 → 평균값 → 중앙값

정답 ①

해설
- 왜도(skewness)는 분포의 비대칭 정도를 나타내는 척도이다.
- 양의 왜도(오른쪽 꼬리 분포)에서는 꼬리가 오른쪽으로 길게 늘어나며, 평균값은 이상값(outlier)에 민감하기 때문에 오른쪽 꼬리 방향으로 크게 끌려 올라간다.
- 따라서 평균 > 중앙값 > 최빈값의 관계가 성립한다.

4) 상자 그림(Box plot) 출제유형 상자 그림 시각화의 해석

- 상자 그림(Box plot)은 데이터를 다섯 가지 요약 수치(Five-number summary)로 시각화하는 그래프이다.

(1) 구성 요소

- 상자(Box): Q1에서 Q3까지를 나타내며, 길이는 IQR(사분위수 범위, Q3-Q1)이다.
- 중앙값(Median): 상자를 가로지르는 선으로 표시된다.
- 수염(Whisker): 각 사분위수(Q1, Q3)에서 최솟값·최댓값까지 이어진 선을 말한다.
- 이상값(Outlier): 보통 원(○)으로 표시된다.

(2) 최댓값과 최솟값의 범위

- 최댓값: Q3 + 1.5 × (Q3 − Q1)
- 최솟값: Q1 − 1.5 × (Q3 − Q1)

(3) 분포 해석

- IQR(상자 길이)이 클수록 데이터의 산포(분산)가 크다.
- Q2(중앙값)의 위치가 Q1에 가까우면 왼쪽에 치우친 분포(왼쪽 비대칭)
- Q3에 가까우면 오른쪽에 치우친 분포(오른쪽 비대칭)로 해석할 수 있다.

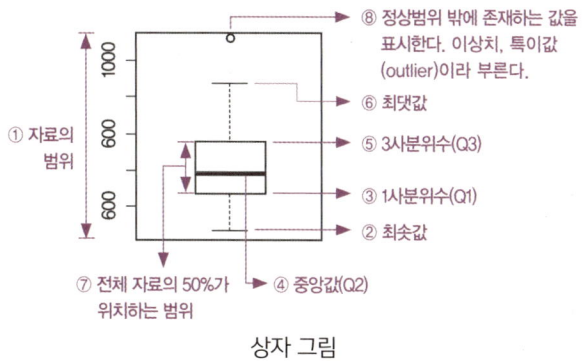

상자 그림

기출유형 개념잡기

07 다음 상자 그림(Box plot)에 관한 설명 중 부적절한 것은? [20회 출제]

① 사분위 간 범위(IQR) 상자는 데이터의 중간 50%를 나타낸다.
② 상자 그림은 그룹 간 분포 차이를 비교할 수 있다.
③ 순서 통계량으로 이상치 판단에 적합하지 않다.
④ 상자 그림에서 IQR은 제3사분위수(Q3)-제1사분위수(Q1)를 의미한다.

정답 ③
해설 상자 그림은 순서 통계량(사분위수, 극단값)을 활용하여 이상치를 판단하는 대표적인 방법이다.

---

5) 모자이크 플롯(Mosaic plot) 　출제유형 모자이크 플롯 시각화의 해석

- 모자이크 플롯은 범주형 다변량 데이터의 분포를 시각화하는 데 적합한 그래프이다.
- 각 사각형의 넓이(area)는 해당 범주에 속하는 데이터의 수(빈도 또는 비율)에 비례한다.

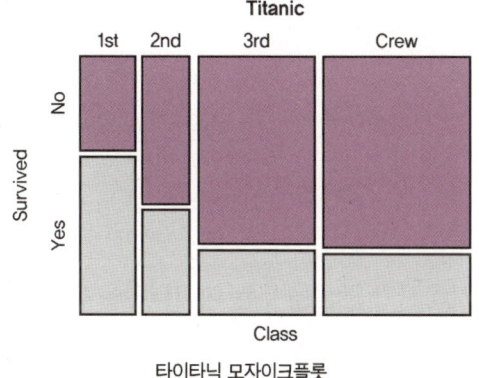

타이타닉 모자이크플롯

기출유형 개념잡기

08 모자이크 플롯(Mosaic plot)의 해석으로 옳지 않은 것은? [16회 출제]

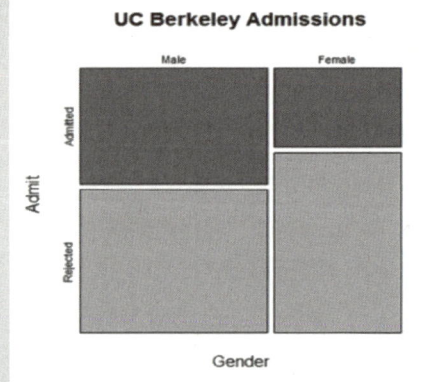

① 남성의 합격자가 여성보다 많다.
② 지원자는 여성이 비율이 더 높다.
③ 남성의 불합격자가 여성보다 많다.
④ 남성 합격자의 비율이 여성 합격자 비율보다 높다.

정답 ②
해설 지원자의 성별 비율을 확인했을 때, 남성이 여성보다 더 높다.

02 데이터 마트(Data Mart)

▎학습목표
데이터 마트 구축에 활용되는 reshape 및 plyr 패키지의 기능을 이해한다.

▎출제경향 및 중요도
① reshape 패키지의 melt( ), cast( ) 기능 ★
② plyr 패키지의 정의와 활용 ★
③ apply 함수의 기능 ★

1 데이터 마트

1) 데이터 마트의 개요

- 데이터 마트는 특정 사용자가 관심을 두는 데이터만을 담은 비교적 작은 규모의 데이터 웨어하우스로, 사용자의 기능과 제공 범위에 따라 데이터웨어하우스와 구분된다.

- 구축 과정에서는 **기초 정보, 요약 변수, 파생 변수를 활용**하며, 처음부터 대규모로 구축하기보다는 일정 규모를 먼저 개발해 효용성을 평가한 뒤 점진적으로 확장하는 것이 바람직하다.
- 이때 **reshape, sqldf, plyr, data.table과 같은 패키지를 활용**하면 데이터 마트를 더욱 효율적으로 구축할 수 있다.

2) 데이터 마트의 필요성

- 데이터 마이닝에서 모델링은 다양한 분석 기법을 적용해 예측이나 분류 모델을 개발하는 과정으로, 이를 위해서는 데이터가 체계적으로 준비되어 있어야 한다.
- 따라서 모델링 이전에 데이터를 수집·가공·변형하는 과정이 필수적이다.
- 잘 정리된 데이터 마트는 이러한 과정을 지원하여 보다 효율적이고 신속한 모델링을 가능하게 한다.

3) 데이터 마트 구축에 활용되는 변수   [출제유형] 파생변수와 요약변수의 개념 구분

(1) 파생변수(Derived Variable, 주관적 변수)

- **기존 변수를 조합하거나 변형하여 새롭게 생성한 변수**이다.
- 특정 조건이나 함수를 통해 값을 정의하므로 **사용자의 주관적 판단이 개입**될 수 있으며, 따라서 논리적 타당성이 확보되어야 한다.
- 일시적 상황에만 의미를 갖는 것이 아니라, **데이터 전 구간에서 보편적 대표성**을 가질 수 있도록 설계하는 것이 중요하다.
- 예 체지방지수(체중(kg) ÷ [신장(m)]^2)

(2) 요약변수(Aggregated Variable, 단순 종합 변수)

- 수집된 데이터를 분석 목적에 맞게 집계·종합(aggregate)하여 생성한 변수이다.
- 데이터 마트에서 가장 기본적인 변수로, 다양한 분석 모델에서 **공통적으로 활용 가능**하여 재사용성이 높다.
- 예 지역별 사고 건수: 사고 데이터 → 지역 단위 집계

2 reshape 패키지의 melt( ), cast( ) 함수   [출제유형] melt( )함수의 역할

- reshape 패키지는 데이터를 재정렬(reshaping) 하면서도 원래 데이터가 가진 정보를 손실 없이 유지한다는 점에서, 단순히 요약 결과만을 보여주는 엑셀의 피벗 테이블과 차이가 있다.
- 이 패키지에서는 주로 melt( ) 함수와 cast( ) 함수를 사용하여 데이터를 재구성한다.

1) melt( ) 함수의 역할

- melt( ) 함수는 데이터를 long format(세로형 구조)으로 변환하는 기능을 한다.
- 여러 개의 열(column)로 분리된 값을 하나의 변수와 값(value) 쌍으로 재구성하여, 데이터 분석이나 시각화에서 활용하기 쉽게 만든다.

2) cast( ) 함수의 역할

- cast( ) 함수는 melt( )로 long format(세로형)으로 변환된 데이터를 다시 wide format(가로형)으로 재구성하거나, 특정 기준에 따라 집계·요약하는 기능을 한다.
- 즉, 행과 열을 재배치하여 원래의 형태로 복원하거나 피벗(pivot) 형태로 변환하는 역할을 한다.

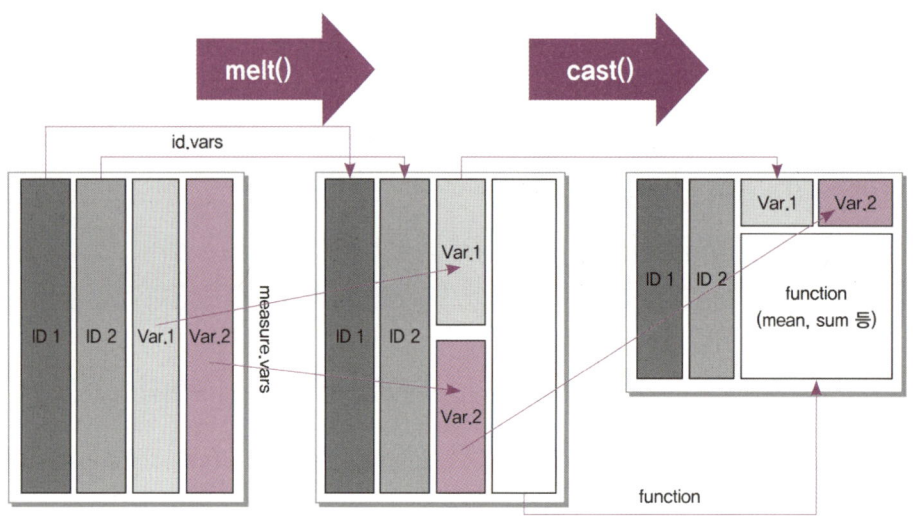

3 plyr 패키지 [출제유형] plyr 패키지의 기능 및 함수명 규칙

- plyr 패키지는 **데이터를 분할(split)**하고, 분할된 데이터에 **함수를 적용(apply)**한 뒤, 결과를 다시 **결합(combine)하는** 일련의 과정을 간단하게 처리할 수 있도록 지원한다.
- apply 함수와 멀티코어 병렬처리 함수를 활용하면, for loop을 사용하지 않고도 간단하고 빠르게 데이터 처리가 가능하다.
- plyr 함수명은 5글자로 구성되며, 앞의 두 문자가 입력 데이터 형태와 출력 데이터 형태를 나타낸다.
- 예 ddply는 데이터 프레임(data frame)을 입력받아 특정 연산을 수행한 후, 다시 데이터 프레임 형태로 결과를 반환한다.

- plyr 패키지는 데이터 마트에서 고객·상품·지역 단위 집계, 요약 통계 생성, 파생변수 추가와 같은 반복적이고 그룹화된 데이터 처리 작업을 효율적으로 수행하는 데 활용된다.

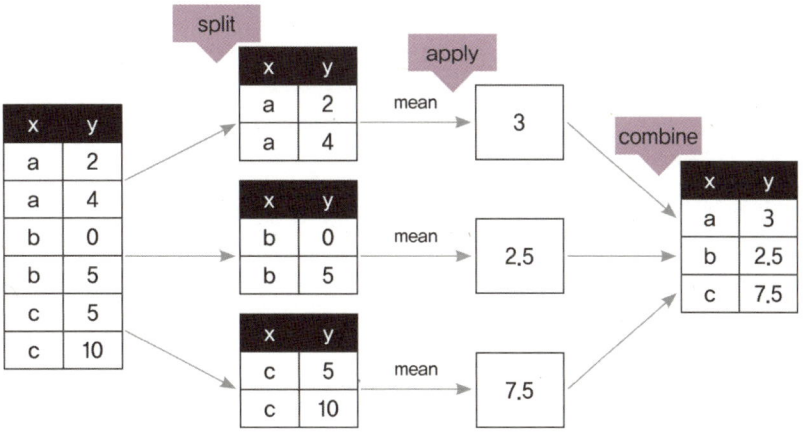

4 데이터 테이블(data.table)

- data.table은 R의 데이터 프레임(data.frame)과 유사한 자료 구조이지만, 보다 빠른 그룹화(grouping), 정렬(ordering), 간결한 문법 지원을 제공한다.
- 대용량 데이터 처리에서 연산 속도가 데이터 프레임보다 훨씬 빠르며, 코드 가독성 또한 높다.
- 데이터 마트 구축 과정에서 대규모 데이터를 효율적으로 집계·요약하는 데 활용된다.
- 예 고객·상품·지역 단위로 매출 합계, 평균 구매액, 거래 횟수를 빠르게 계산할 수 있다.

5 sqldf 패키지

- R에는 다양한 데이터 처리 함수가 존재하여 데이터를 유연하게 다룰 수 있다.
- 그러나 SQL에 익숙한 사용자를 위해 제공되는 sqldf 패키지는, R의 데이터 프레임을 대상으로 직접 SQL 문을 실행할 수 있도록 지원한다.
- 즉, R 환경에서도 별도의 데이터베이스 구축 없이 SELECT, JOIN, GROUP BY, ORDER BY 등의 SQL 문법을 그대로 활용할 수 있다.
- 데이터 마트 구축 시, SQL 기반의 데이터 추출·가공·집계를 손쉽게 수행할 수 있다.

기출유형 개념잡기

09 apply 함수와 multi-core 사용 함수를 이용하면 for loop 없이 간단하게 처리할 수 있으며, apply 함수에 기반해 데이터와 출력 변수를 동시에 배열로 치환하여 처리하는 패키지는 무엇인가? [20회 출제]

① reshape ② plyr
③ data.table ④ outlier

정답 ②

해설 plyr 패키지는 데이터를 분할(split) → 적용(apply) → 결합(combine)하는 과정을 효율적으로 지원한다.

기출유형 개념잡기

10 다음 중 그룹별로 mean, sum의 요약이 불가능한 명령어는? [출제 예상]

① data.table ② sqldf
③ aggregate ④ melt

정답 ④

해설 melt() 함수는 데이터를 long format으로 변환하는 함수로, 요약 통계를 직접 수행할 수 없다.

기출유형 개념잡기

11 plyr 함수 중 입력 데이터가 리스트이고, 출력 데이터 형태가 데이터 프레임인 함수는? [22회 출제]

① ddply ② ldply
③ adply ④ dlply

정답 ②

해설 • plyr 함수명 규칙: 앞의 문자는 입력 데이터 형태, 뒤의 문자는 출력 데이터 형태를 의미한다.
  • d = data.frame
  • l = list
  • a = array
  • 따라서 ldply는 리스트(list)를 입력받아 데이터 프레임(data.frame)으로 변환하는 함수이다.

03 결측값 처리와 이상값 탐색

학습목표
결측값과 이상값의 특징을 이해한다.

출제경향 및 중요도
① 결측값의 대치 방법 ★
② 이상값 탐색 방법 ★
③ 상자 그림(box plot)의 해석 ★
④ ESD(Extreme Studentized Deviate) 알고리즘의 정의 ★

1 결측값의 특징과 고려 사항

- **결측값**은 사회과학, 자연과학 등 다양한 분야에서 관측이나 실험 자료에서 매우 빈번하게 나타나는 현상이다.
- 이러한 결측값을 포함한 자료는 분석 시 복잡한 통계적 기법이 있어야 한다.
- 결측값이 존재하는 자료를 분석할 때 **고려해야 할 사항**은 다음과 같다.
  1) 효율성(Efficiency)의 문제
     - 결측으로 인해 표본 크기가 줄어들면 추정의 정확성이 낮아진다.
  2) 자료 처리 및 분석의 복잡성 문제
     - 결측값이 많을수록 분석 절차가 복잡해지고, 모델링 과정도 어려워진다.
  3) 편의(Bias) 문제
     - 관측된 자료와 결측된 자료 간의 차이에서 발생하는 왜곡이 추론 결과에 영향을 줄 수 있다.
- 따라서 결측값은 **효율적이고 적절한 방법으로 처리**하여 데이터 정보의 손실과 분석 결과의 왜곡을 **최소화**해야 한다.

2 결측값 처리 방법 〔출제유형〕 결측치 처리 기법의 정의

- 결측값 처리는 크게 삭제법(Deletion Methods)과 대치법(Imputation Methods)으로 구분된다.

1) 삭제법(Deletion Methods)

- 결측값을 포함한 사례를 제거하는 방법.
- 계산이 간단하지만 표본 손실과 편의(bias) 발생 위험이 있으며, 결측값을 무조건 제거하면 데이터의 정보가 불필요하게 손실되어 분석 결과가 왜곡될 수 있으므로 신중하게 적용해야 한다.

(1) 완전 분석법(Complete Case Analysis)
- 결측이 포함된 사례 전체를 **제외**하고, 결측이 없는 완전한 사례만 분석
- 장점: 절차가 간단
- 단점: 표본 수 감소

(2) 선택적 삭제법(Pairwise Deletion)
- 분석에 필요한 변수에서만 결측이 있으면 해당 값만 제외, 나머지는 활용
- 장점: 데이터 손실 최소화
- 단점: 분석마다 표본 크기가 달라져 해석이 복잡함

2) 대치법(Imputation Methods)
- 결측값을 적절한 값으로 대체하여 완전한 데이터셋을 만드는 방법

(1) 단순 대치법(Single Imputation)
- 결측값을 하나의 값으로 치환하는 방법. 계산이 단순하지만 변동성을 과소 추정할 수 있다.

① 평균 대치법(Mean Imputation)
- 결측값을 변수의 평균으로 대체
- 장점: 계산이 간단
- 단점: 분산 축소, 표준오차 과소 추정

② 회귀 대치법(Regression Imputation)
- 결측 변수를 종속 변수로, 나머지 변수를 독립 변수로 설정하여 회귀모형으로 예측값을 대체
- 장점: 다른 변수 정보를 활용 가능
- 단점: 모형이 잘못 지정되면 왜곡 가능, 예측값이 관측값과 지나치게 밀착

③ 단순 확률 대치법(Stochastic Imputation)
- 단순 확률 대치법(Stochastic Imputation)은 평균 대치법이나 회귀 대치법에 **랜덤(Random)** 과정을 통해 발생한 오차항을 추가하여 결측값을 대체하는 방법
- 장점: 표준오차 과소 추정 문제 일부 보완
- 단점: 계산이 복잡, 랜덤 과정이 포함되므로 매번 결과가 달라질 수 있다.

(2) 다중 대치법(Multiple Imputation)
- 단순 대치법의 한계를 보완하기 위해 결측값을 m회 대치하여 m개의 완전 데이터셋을 생성 → 분석 → 결과 결합
    - ① 대치 단계(Imputation step): 결측값을 여러 방식으로 대체

② 분석 단계(Analysis step): 각 대치된 데이터셋에 동일한 분석 적용
③ 결합 단계(Combination step): 결과를 종합하여 최종 추론
- 장점: 효율성, 타당성 향상
- 단점: 계산량 많고 구현 복잡

3 데이터 기초 통계

```
> data(iris)
> head(iris)
  Sepal.Length Sepal.Width Petal.Length Petal.Width Species
1          5.1         3.5          1.4         0.2  setosa
2          4.9         3.0          1.4         0.2  setosa
3          4.7         3.2          1.3         0.2  setosa
4          4.6         3.1          1.5         0.2  setosa
5          5.0         3.6          1.4         0.2  setosa
6          5.4         3.9          1.7         0.4  setosa
```

1) head( ) 함수

- 역할: 데이터셋의 **앞부분 일부(기본값 6행)**를 보여준다.
- 활용: 표본 데이터의 일부를 직접 관찰함으로써, **데이터 입력 오류, 변수명, 값의 범위 등을 직관적으로 확인할 수 있다.** 이는 EDA(탐색적 데이터 분석)에서 가장 기초적인 절차이다.

```
> str(iris)
'data.frame':    150 obs. of  5 variables:
 $ Sepal.Length: num  5.1 4.9 4.7 4.6 5 5.4 4.6 5 4.4 4.9 ...
 $ Sepal.Width : num  3.5 3 3.2 3.1 3.6 3.9 3.4 3.4 2.9 3.1 ...
 $ Petal.Length: num  1.4 1.4 1.3 1.5 1.4 1.7 1.4 1.5 1.4 1.5 ...
 $ Petal.Width : num  0.2 0.2 0.2 0.2 0.2 0.4 0.3 0.2 0.2 0.1 ...
 $ Species     : Factor w/ 3 levels "setosa","versicolor",..:
```

2) str( ) 함수 〔출제유형〕 str( )함수의 해석

- 역할: 데이터셋의 구조(structure)를 간략히 보여준다.
- 데이터 유형(예 data.frame)
- 관측치(obs.)와 변수(variables)의 개수
- 각 변수의 자료형(num, Factor, chr 등)
- 각 변수 값의 일부 미리보기

- **예** str(iris) → 150개의 관측치와 5개의 변수로 이루어진 data.frame, 그 중 Species는 Factor, 나머지 4개 변수는 numeric으로 확인 가능.

```
> summary(iris)
  Sepal.Length    Sepal.Width     Petal.Length    Petal.Width          Species
 Min.   :4.300   Min.   :2.000   Min.   :1.000   Min.   :0.100   setosa    :50
 1st Qu.:5.100   1st Qu.:2.800   1st Qu.:1.600   1st Qu.:0.300   versicolor:50
 Median :5.800   Median :3.000   Median :4.350   Median :1.300   virginica :50
 Mean   :5.843   Mean   :3.057   Mean   :3.758   Mean   :1.199
 3rd Qu.:6.400   3rd Qu.:3.300   3rd Qu.:5.100   3rd Qu.:1.800
 Max.   :7.900   Max.   :4.400   Max.   :6.900   Max.   :2.500
```

3) summary( )함수 〔출제유형〕 summary( )함수의 해석

- **역할**: 수치형 자료는 최솟값, 1사분위수, 중앙값, 평균값, 3사분위수, 최댓값을 요약해주며, 범주형 자료는 빈도수를 출력한다.
- **활용**: 중심경향치(measures of central tendency)와 산포도(measures of dispersion)를 통해 자료의 분포 특성을 파악한다.

기출유형 개념잡기

12 summary(Wage) 함수의 출력 결과에 대한 설명으로 옳지 않은 것은 무엇인가? [17회 출제]

```
> summary(Wage)
      year            age         health_ins     logwage           wage
 Min.   :2003   Min.   :18.00   1. Yes:2083   Min.   :3.000   Min.   : 20.09
 1st Qu.:2004   1st Qu.:33.75   2. No : 917   1st Qu.:4.447   1st Qu.: 85.38
 Median :2006   Median :42.00                 Median :4.653   Median :104.92
 Mean   :2006   Mean   :42.41                 Mean   :4.654   Mean   :111.70
 3rd Qu.:2008   3rd Qu.:51.00                 3rd Qu.:4.857   3rd Qu.:128.68
 Max.   :2009   Max.   :80.00                 Max.   :5.763   Max.   :318.34
```

① age 변수의 중위값은 42.00이다.
② logwage 변수를 벡터로 추출하기 위해서는 Wage$logwage를 실행한다.
③ wage 변수는 범주형 데이터 타입이다.
④ year 변수의 최댓값은 2009이다.

정답 ③

해설
- ①:맞음: summary(Wage) 결과에 따르면 age 변수의 중앙값은 42이다.
- ②:맞음: $ 기호를 이용하면 데이터프레임 내 특정 변수를 벡터 형태로 추출할 수 있다.
- ③:틀림: wage 변수는 연속형 수치형(numeric) 변수이며, 범주형이 아니다. summary() 함수는 범주형(Factor) 변수일 경우 도수(Frequency)를 출력한다.
- ④:맞음: year 변수의 최댓값은 2009이다.

4 결측값 처리

1) R의 결측값 처리
- R에서는 NA(Not Available) 값을 탐지하거나 제거·대치하는 다양한 방법을 제공한다.

(1) 결측값 확인
- is.na(x)
- 데이터에서 결측값 여부를 논리값(TRUE/FALSE)으로 반환한다.
- 예 is.na(iris$Sepal.Length) → 해당 값이 NA이면 TRUE, 아니면 FALSE

(2) 결측치 삭제
- na.rm = TRUE
- 합계, 평균 등 통계 함수를 적용할 때 결측값을 제외하고 계산
- 예 mean(x, na.rm = TRUE)

5 이상값 검색

- 이상값 검색(Outlier Detection)은 분석에서 전처리를 어떻게 수행할지를 결정할 때 부정 사용 방지 시스템에서 규칙을 발견할 때 활용할 수 있다.

1) 이상값 처리 원칙 〔출제유형〕 이상값 처리의 원칙
- 단순 입력 오류나 분석 목적과 무관한 값은 삭제할 수 있다.
- 그러나 실제 의미 있는 현상(예 극단적 소비 패턴, 돌발적 사건 데이터)일 경우 분석에서 제외하면 **중요한 정보를 잃게** 된다.
- 따라서 이상값을 삭제할지 보존할지는 **데이터의 특성과 분석 목적을 고려하여 신중히 결정해야** 한다.

2) 이상값 판단 기준
- 이상값 탐지에 과도한 시간을 쓰는 것은 추천되지 않는다.
- 일차적으로는 **summary() 함수로 평균·중위수·사분위수(Q1, Q3)를 확인**하여 이상치 여부를 판단한다.
- 주요 변수별로 시각화(Box plot, Histogram, Scatterplot 등)를 통해 이상값의 특성을 파악한다.

- 부정사용 방지(Fraud Detection) 프로젝트와 같이 보안적 측면이 중요한 경우에는 이상값 탐지에 많은 시간을 투자해야 한다.

3) 이상값의 유형

(1) 잘못 입력된 값(Bad data): 의도하지 않게 입력된 오류 데이터

(2) 분석 목적과 맞지 않아 제거해야 하는 값(Bad data)

(3) 의도되지 않은 현상이지만 분석에 포함해야 하는 값(진정한 이상값)

(4) 의도적으로 발생한 이상값

→ (3), (4)번이 통계적으로 말하는 이상값(Outlier)에 해당한다.

4) 이상값 탐색 방법 [출제유형] 이상값 탐색 기법

(1) 단변량 이상치 탐색(Univariate Outlier Detection)

- 한 변수만을 기준으로 이상치를 판별하는 방법

① **상자 그림**
- 사분위수 범위(IQR, Interquartile Range)를 이용해 이상치를 판정
- 하한 기준: $Q1 - 1.5 \times IQR$
- 상한 기준: $Q3 + 1.5 \times IQR$
    → 이 범위를 벗어나는 값은 이상치로 표시

② **ESD 알고리즘(Extreme Studentized Deviate Test)**
- 평균에서 가장 멀리 떨어진 값을 Studentized 잔차 형태로 계산해 반복적으로 이상치를 판별
- 데이터가 정규분포(Normal distribution)를 따른다고 가정할 때, **평균에서 ±3 표준편차**를 벗어나는 값은 극히 드물며, 이상치일 가능성이 높다.

(2) 다변량 이상치 탐색(Multivariate Outlier Detection)

- 여러 변수의 조합에서 벗어나는 사례를 탐색하는 방법
- 다변량 이상치 탐색은 여러 변수 간의 상관관계를 고려하여, 개별 변수에서는 정상처럼 보여도 변수들의 조합에서 벗어나는 관측치를 찾는 방법이다. 대표적으로 **마할라노비스 거리나 주성분분석(PCA) 기반 방법**이 활용된다.

> **기출유형 개념잡기**
>
> **13** 이상치(outlier) 판별 방법에 대한 설명 중 가장 부적절한 것은? [23회 출제]
>
> ① 평균 ± 3 표준편차 범위를 벗어난 값은 이상치로 간주하며 반드시 제거해야 한다.
> ② IQR = Q3 − Q1일 때, Q1 − 1.5 × IQR보다 작거나 Q3 + 1.5 × IQR보다 큰 값은 이상치로 판단할 수 있다.
> ③ 이상치는 분포에서 벗어난 값으로, 상자 그림(Box plot)을 통해 시각적으로 확인할 수 있다.
> ④ 이상치는 분포를 왜곡할 수 있으나 단순 오류인지는 통계적으로 확정하기 어렵기 때문에, 제거 여부는 분석 목적과 전문가의 판단에 따라 결정해야 한다.
>
> 정답 ①
>
> 해설 평균 ± 3×표준편차를 벗어나는 값은 경험적으로 이상치로 의심할 수 있으나, 이를 무조건 제거하는 것은 잘못된 접근이다. 이상치는 단순 오류일 수도 있지만 중요한 현상을 반영할 수도 있어 삭제 여부는 신중히 판단해야 한다.

7장 통계 분석

01 통계학 개론

학습목표
데이터 분석에 활용되는 통계의 기본 개념을 이해한다.

출제경향 및 중요도
① 확률적 추출 방법의 정의 ★
② 자료의 종류와 특성 ★★
③ 조건부 확률과 독립성의 계산 ★
④ 이산형 확률분포와 연속형 확률분포 구분 및 기댓값 계산 ★
⑤ 중심극한정리(Central Limit Theorem)의 개념 ★
⑥ 구간 추정에서 신뢰수준의 개념 ★
⑦ 제1종 오류(Type I Error)와 제2종 오류(Type II Error)의 정의 및 관계 ★
⑧ 유의확률(p-value)과 유의수준(α)의 개념 ★
⑨ 비모수 검정(Nonparametric Test)의 특징 ★

1 통계 분석 개요

1) 통계학의 정의
- 통계학은 관심 대상에 대한 **자료를 수집**하고, 이를 **요약·정리**하여 **불확실한 사실에 대한 결론**이나 일반적인 **규칙성을 도출하는 방법**을 연구하는 학문이다.

2) 모집단과 표본

(1) 모집단(Population)
- 모집단은 통계적 관찰의 대상이 되는 전체 집단을 의미한다.
- 실제로 모집단 전체에 대해 평균, 분산 등을 조사하는 것은 시간·비용·노력 등 여러 이유로 어려운 경우가 많다.
- 따라서 모집단 전체에서 **일부를 추출**하여 조사하고, 그 결과를 바탕으로 모집단의 성질을 추정하는 방법을 사용한다.
- 이때 **원래 집단 전체를 모집단(Population)**이라 하고, **추출된 일부를 표본(Sample)**이라 한다.

(2) 표본(Sample)
- 표본이란 모집단(Population)의 특성을 대표한다고 가정되는 일부 관측 단위의 집합이다.
- 모집단 전체를 조사하기 어렵기 때문에, 표본을 통해 얻은 정보를 바탕으로 모집단의 성질을 추론한다.

3) 표본 추출방법(Sampling Methods)
- 모집단으로부터 일부를 선택하는 과정을 **표본추출(Sampling)**이라 한다.
- 표본추출 방법은 크게 **확률적 추출(Probability Sampling)**과 **비확률적 추출(Nonprobability Sampling)**로 구분된다.

(1) 확률적 추출(Probability Sampling) 출제유형 확률적 추출 방법의 정의
- 모집단을 구성하는 모든 개체가 **표본으로 선택될 확률이 사전**에 알려져 있고, 일정한 규칙에 따라 표본이 추출되는 방법이다.

① **단순 무작위 추출(Simple Random Sampling)**
- 모집단의 각 개체가 표본으로 선택될 확률이 동일한 경우
- 모집단의 크기가 N이고, 표본의 크기가 n이라면 각 개체가 선택될 확률은 n/N이다.
- 가장 기본적인 추출 방법으로, 표본의 대표성이 크다.

② **계통추출(Systematic Sampling)**
- 모집단의 개체에 1, 2, …, N까지 일련번호를 부여한 후, 첫 번째 표본을 무작위로 선택하고 이후 일정한 간격으로 표본을 추출하는 방법
- 구현이 간단하고 표본이 모집단에 고르게 분포한다.

③ **층화추출(Stratified Sampling)**
- 모집단을 성격에 따라 **몇 개의 집단(층, strata)으로 나눈 후**, 각 층에서 **무작위로 표본을** 추출하는 방법
- 층 내 동질적(homogeneous), 층 간 이질적(heterogeneous)이어야 한다.
- 모집단의 층별 정보를 사전에 알고 있어야 한다.
- 단순 무작위 추출이나 계통 추출보다 불필요한 분산을 줄일 수 있고, 추정의 효율성이 높다.

④ **군집추출(Cluster Sampling)**
- 모집단을 **여러 개의 집단(cluster)**으로 나눈 후, 일부 **집단만을 무작위로 추출**하고, 선택된 집단 내의 **모든 개체 또는 일부 개체를 조사**하는 방법
- 집단 내 이질적, 집단 간 동질적이어야 한다.
- 모집단 전체의 명부를 작성하지 않아도 되는 장점이 있다.

(2) 비확률적 추출(Nonprobability Sampling)
- 개별 개체가 표본으로 선택될 확률이 사전에 알려져 있지 않거나, 일부 개체가 선택될 가능성이 전혀 추정되지 않는 방법

① **판단추출(Judgment Sampling)**
- 연구자가 자신의 전문 지식이나 경험을 바탕으로 표본을 선택하는 방법
- 장점: 특정 목적에 적합한 표본을 쉽게 확보할 수 있음
- 단점: 연구자의 주관적 판단이 개입되어 대표성이 낮을 수 있음

② **할당추출(Quota Sampling)**
- 모집단을 여러 집단(층)으로 나눈 뒤, 각 집단에서 사전에 정해진 수(Quota)만큼 표본을 할당하여 채우는 방법
- 장점: 모집단의 특정 비율을 반영할 수 있음
- 단점: 무작위성이 결여되어 표본 편의(Bias) 발생 가능

③ **편의 추출(Convenience Sampling)**
- 연구자가 가장 쉽게 접근할 수 있는 표본을 선택하는 방법
- 장점: 시간과 비용이 적다.
- 단점: 모집단을 대표하지 못할 가능성이 크며, 일반화 타당성이 낮음

기출유형 개념잡기

14 모집단을 먼저 서로 겹치지 않는 여러 개의 층으로 나눈 후, 각 층에서 단순 무작위추출법에 따라 배정된 표본을 추출하는 방법을 무엇이라 하는가? [17회 출제]
① 층화추출법(Stratified Sampling)
② 집락추출(Cluster Sampling)
③ 계통추출(Systematic Sampling)
④ 편의추출(Convenience Sampling)

정답 ①
해설 층화추출(Stratified Sampling)은 모집단을 성격에 따라 서로 겹치지 않는 층(Strata)으로 나누고, 각 층 내에서 무작위로 표본을 추출하는 방법이다.

---

4) 자료의 종류(측정 척도, Scale) 출제유형 척도의 구분
- 척도(Scale)란 측정을 위해 부여된 **숫자 간의 관계를 의미**하며, 그 관계에 따라 **4가지 척도**로 분류된다.
- 척도의 종류에 따라 적용할 수 있는 분석 방법과 통계 기법에 제한이 따른다.

(1) 명목척도(Nominal Scale)
- 단순히 측정 대상의 특성을 구분·분류하기 위해 숫자를 부여한 척도
- 숫자는 단지 분류 코드일 뿐 대소 비교나 산술 연산이 불가능
- 예 성별(남=1, 여=2), 혈액형(A, B, O, AB)

(2) 서열척도(Ordinal Scale)
- 측정 대상에 대해 대소·순위를 나타내는 척도
- 순위 간 간격은 일정하지 않아 양적 비교 불가
- 예 상품 선호도 순위(1위, 2위, 3위), 만족도 조사(매우 불만족-불만족-보통-만족-매우 만족)

(3) 등간척도(Interval Scale)
- 순위를 부여하되 순위 간 간격이 동일하여 양적 비교 가능
- 절대적인 0점이 존재하지 않음
- 예 온도(섭씨, 화씨), 물가지수, 리커트(Likert) 척도

(4) 비율척도(Ratio Scale)
- 절대적 0점(absolute zero)이 존재하여 비율 계산이 가능한 척도
- 사칙연산(+, −, ×, ÷)이 모두 가능
- 다른 척도에 비해 가장 많은 정보량을 제공
- 예 몸무게, 키, 나이, 소득

기출유형 개념잡기

15 자료의 척도에 대한 설명으로 부적절한 것은? [20회 출제]

① 명목척도: 단순히 측정 대상의 특성을 분류하거나 확인하기 위한 목적으로 숫자를 부여한다.
② 서열척도: 대소 또는 높고 낮음 등의 순위만 제공할 뿐, 양적인 비교는 할 수 없다.
③ 등간척도: 순위를 부여하되 순위 간의 간격이 동일하여 양적인 비교가 가능하다.
④ 비율척도: 측정값 사이의 비율 계산이 가능한 척도이며, 절대 영점이 존재하지 않는다.

정답 ④
해설 비율척도(Ratio Scale)는 절대적 기준점(0, absolute zero)이 존재하며, 측정값 사이의 비율 계산이 가능하다.

2 통계 분석

1) 통계학의 분류

(1) 일반적 분류

① **기술 통계학(Descriptive Statistics)**
- 수집된 자료를 도표나 그림으로 표현하고, 평균·중위수·최빈수 등 대푯값과 분산·표준편차 등 변동 정도를 구하여 자료의 특성을 요약·정리하는 분야
- F. Galton, K. Pearson 등에 의해 발전
- 목적: 관심 대상의 자료를 효율적으로 **정리하고 요약**하는 것
- 대표적인 지표: 평균, 비율, 분산, 표준편차, 지수, 기록 등

② **추론 통계학(Inferential Statistics)**
- 표본 데이터를 이용해 모집단의 특성을 추론하는 분야
- 불확실한 사실에 대한 결론을 도출하고 모집단의 특성을 검정·추정
- 활용 개념: 모집단, 표본, 표본의 크기, 모수(parameter), 통계량(statistics)

(2) 모수 통계 vs 비모수 통계

① **모수 통계(Parametric Statistics)**
- 모집단이 정규분포를 따른다는 가정을 전제로 모집단의 특성을 추정하는 통계
- 모수 통계는 측정치의 **선형성**, **모집단 특성의 정규성**, 그리고 **분산의 동질성**을 전제로 한다.
- 모수 통계는 모집단의 **평균(Mean)과 분산(Variance)**을 기반으로 모집단의 특성을 추정
- 예 t-검정, 분산분석(ANOVA), 회귀분석

② **비모수 통계(Nonparametric Statistics)**
- 모집단이 반드시 정규분포를 따른다는 가정을 하지 않는 통계
- 선형성, 정규성, 분산의 동질성 등의 조건이 필요하지 않음
- 순위, 서열, 범주형 자료 분석에 적합
- 예 카이제곱 검정, 윌콕슨 순위합 검정, 크루스칼-왈리스 검정

3. 확률 이론 — 출제유형: 조건부 확률 및 독립법칙의 개념

1) 확률의 의의

- 통계적 의사결정은 일반적으로 **불확실하고 불충분한 정보**에 기초하기 때문에 항상 크고 작은 오류를 범할 수 있다.
- 이러한 정보와 의사결정의 **불확실성을 합리적으로 처리하기 위한 도구가 바로 확률**이다.
- 확률이란, **어떤 사건이 발생할지가 확실하지 않은 경우, 그 사건이 발생할 가능성의 정도를 수치로 나타낸 척도**이다.

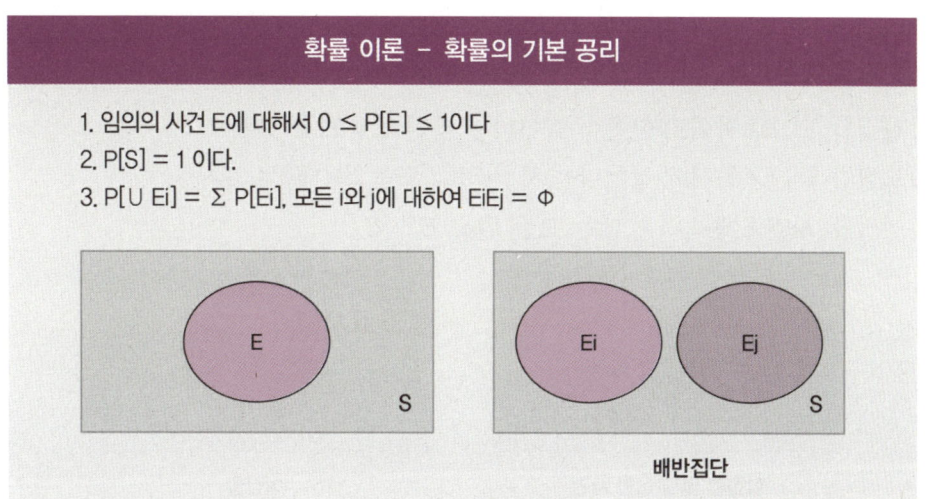

확률 이론 - 확률의 기본 공리

1. 임의의 사건 E에 대해서 $0 \leq P[E] \leq 1$이다
2. $P[S] = 1$이다.
3. $P[\cup E_i] = \Sigma P[E_i]$, 모든 i와 j에 대하여 $E_i E_j = \Phi$

배반집단

용어 정리 📖 확률의 기본 법칙

① 확률은 0과 1 사이의 값이다.
   - 어떤 사건이 일어날 확률은 절대 0보다 작을 수 없고, 1보다 클 수 없다.
② 전체가 일어날 확률은 1이다.
   - 가능한 모든 경우(표본공간) 중 어떤 경우든 반드시 하나는 일어나기 때문에 전체 확률은 1이다.
③ 상호 배반 사건들의 확률은 서로 더할 수 있다.
   - 만약 사건들이 서로 동시에 일어날 수 없는 경우(배반 사건)라면, 그 중 하나가 일어날 확률은 각 사건 확률을 더한 것과 같다.

2) 표본공간

- **표본공간**이란 실험에서 발생할 수 있는 모든 결과의 집합: S 또는 Ω(omega)
- 주사위를 던지는 실험에서의 표본공간 S={1, 2, 3, 4, 5, 6}
- **사상**이란 표본공간 내에 정의된 실험 결과의 부분 집합
- 주사위를 던지는 실험에서의 사상은 E={1}, E={1, 2, 3}

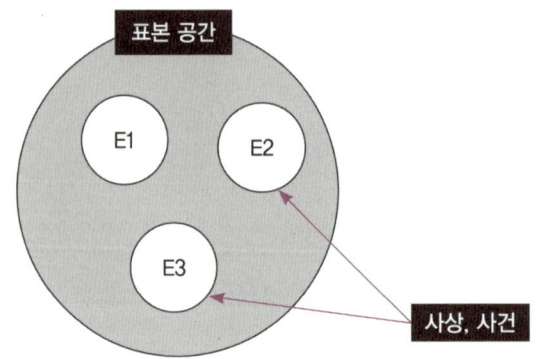

3) 확률 기초 이론

① 합집합: E1, E2 적어도 한쪽이 일어나는 사건 E1∪E2로 표시
② 교집합: E1, E2 동시에 일어나는 사건 E1E2 또는 E1∩E2로 표시
③ 여집합: 사건 E에 속하지 않는 모든 원소 E^C, $\overline{E}$

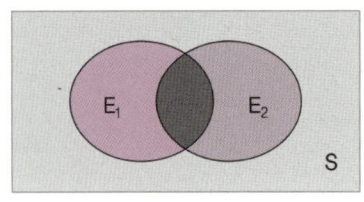

합집합 및 교집합 사건

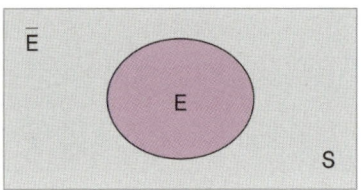

여집합

④ 조건부 확률(Conditional probability)
- 다른 어떤 사상이 발생하였다는 조건 하에서 특정 사상이 발생할 확률

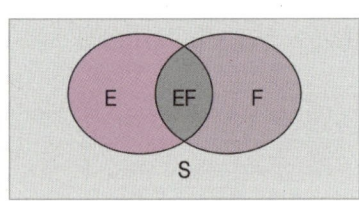

P[E|F] = P[E∩F]/P[F], P[F]〉0

기출유형 개념잡기

16 E사와 F사는 전자업체로서 주식시장에 상장되어 있다.

- F사의 주가가 상승할 확률: P(F)=0.5
- E사와 F사이 주가가 동시에 상승할 확률: P(E∩F)=0.4

이때, F사의 주가가 상승하였을 때 E사의 주가도 상승할 조건부 확률 P(E|F)를 구하라.

정답 0.8

해설 조건부 확률 공식: $P(E|F) = \dfrac{P(E \cap F)}{P(F)}$, 값을 대입하면 $\dfrac{0.4}{0.5} = 0.8$

확대경 두 사건의 독립성과 종속성에서 교집합 확률

① 독립 사건(Independent Events)
- 정의: 한 사건의 발생 여부가 다른 사건의 발생에 아무런 영향을 미치지 않는 경우
- 교집합 확률: P(A∩B)=P(A)·P(B)

② 종속 사건(Dependent Events)
- 정의: 한 사건의 발생 여부가 다른 사건의 발생에 영향을 미치는 경우
- 교집합 확률: P(A∩B)=P(A)·P(B|A) 또는 P(A∩B)=P(B)·P(A|B)

예제1 데이터(주)에서는 직원들에게 교양을 함양할 기회를 주기 위하여 독서반과 생활경제반을 개설하려고 한다. 직원들의 40%는 독서반을, 50%는 생활경제반을 신청하였다.
독서반을 신청한 사람들 가운데서 30%는 생활경제반을 신청하였다.

ⓐ 한 직원을 무작위로 추출할 때 두 반 모두에 신청하였을 확률을 구하라
ⓑ 무작위로 추출된 생활경제반 신청자가 독서반에도 신청하였을 확률을 구하라
ⓒ 무작위로 추출된 한 직원이 적어도 한 반에 신청하였을 확률을 구하라
ⓓ 독서반에 신청한 사상(A)과 생활경제반에 신청한 사상(B)은 통계적으로 독립적인가

풀이 [정답]

ⓐ 0.12　　　　　　　　　　ⓑ 0.24
ⓒ 0.78　　　　　　　　　　ⓓ 사상 A,B는 서로 독립이 아니다.

[해설]

ⓐ $P(A) = 0.4, P(B) = 0.5, P(B|A) = 0.3$
$P(A \cap B) = P(B|A)P(A) = 0.3(0.4) = 0.12$

ⓑ $P(A|B) = \dfrac{P(A \cap B)}{P(B)} = \dfrac{0.12}{0.5} = 0.24$

ⓒ $P(A \cup B) = P(A) + P(B) - P(A \cap B) = 0.4 + 0.5 - 0.12 = 0.78$

ⓓ $P(A \cap B) = 0.12, P(A)P(B) = 0.2$,
$0.12 \neq 0.2$ 이므로 독립이 아니다.

예제2 불량품 20개와 양호품 80개로 구성된 로트에서 2개의 제품을 단순랜덤추출할 때, 2개 모두 불량품일 확률을 구하여라.

풀이 [정답]

$$\frac{19}{495}$$

[해설]

첫 번째 꺼낼 제품이 불량품일 사건을 A, 두 번째 꺼낸 제품이 불량품일 사건을 B라 하면 구하는 확률은
$P(A \cap B) = P(B|A)P(A) = \frac{19}{99} \times \frac{20}{100} = \frac{19}{495}$

⑤ 교집합 확률의 곱의 법칙
- 한국항공사의 여객기는 정해진 일정에 따라 각 공항을 운항한다.
- 한 공항에서 연착할 확률은 P(F)=0.3이다.
- 이때, 해당 공항에서 연착했을 경우 다음 기착지에서도 연착할 조건부 확률은 P(E | F)=0.4이다.
- 따라서, 여객기가 연속적으로 두 번 지연 도착할 확률은 다음과 같다.

풀이 [정답]
0.12

[해설]
- P(E∩F) = P(E | F) · P(F) = 0.4 × 0.3 = 0.12

4 베이즈 정리 [출제유형] 베이즈 정리의 개념

- 베이지안 귀납적 추론(Bayesian Inference)은 **사전 확률(prior probability)과 새로운 증거(데이터, likelihood)를 결합**하여 **사후 확률(posterior probability)을 추정**함으로써, 데이터로부터 일반화된 결론을 도출하는 강력한 방법이다.
- 이는 불확실한 환경에서의 의사결정과 예측 문제를 해결하는 데 매우 유용하며, 의학·경제·머신러닝·통계학 등 다양한 분야에서 널리 활용된다.

1) P[F|E]를 알고 있으면 P[E|F]를 구할 수 없을까?

- 전자제품은 여러 주요 부품으로 구성되어 있으며, **각 부품이 불량일 확률**과 **해당 부품이 불량일 때 제품 전체가 고장 날 확률**은 알려져 있다고 하자.
- 그렇다면 실제로 제품이 고장이 발생했을 때, 수리 기사는 **어떤 부품이 불량일 가능성**이 가장 높은지를 어떻게 판단할 수 있을까?
- 즉, **제품이 고장이 났다는 조건에서 부품별 불량 가능성**을 구하는 것이 바로 문제의 핵심이다.

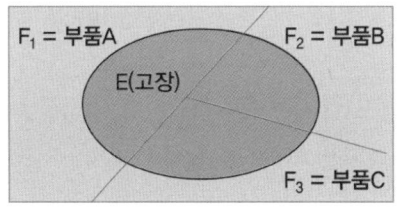

2) 총계 확률 정리(Law of Total Probability)

- 사건 F_1, F_2, F_3가 서로 상호 배타적이고, 이들의 합집합이 전체 표본공간을 구성한다고 하자.
- 이때 어떤 사건 E의 확률은 다음과 같이 계산된다.

P(E)=P(E∩F1)+P(E∩F2)+P(E∩F3)

- 사건 E가 발생할 전체 확률은, F_1, F_2, F_3 각각과 동시에 일어날 확률을 모두 합한 값이다.

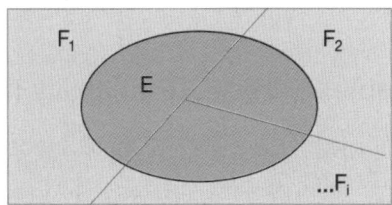

3) 베이즈 정리

- 사건 $F_1, F_2, \ldots, F_n$이 서로 상호 배타적이고, 이들의 합집합이 전체 표본공간 S를 구성한다고 하자.
- 이때 사건 E가 일어난 경우, 특정 사건 F_1이 원인일 확률은 다음과 같이 계산된다.

$$P(F_1 \mid E) = \frac{P(E \mid F_1) \times P(F_1)}{\sum_{i=1}^{n} P(E \mid F_i) \times P(F_i)}$$

- 사후 확률: 사건 E가 일어난 후, 원인이 F_1일 확률
- 사전 확률: 사건 F_1이 일어날 확률
- 가능도(Likelihood): F_1이 일어났을 때 사건 E가 일어날 확률

예제3 다음 보기를 참고하여, 'A' 질병으로 진단받은 사람 중 실제로 'A' 질병을 앓는 사람의 확률을 구하시오.

> - 전체 인구 중 'A' 질병을 앓는 사람: 10%→P(A)=0.1
> - 전체 인구 중 'A' 질병으로 진단받은 사람: 20%→P(B)=0.2
> - 'A' 질병을 앓는 사람이 'A' 질병으로 진단받을 확률: 90% →P(B | A)=0.9

① 1/9　　　　　　　　　② 2/9
③ 9/20　　　　　　　　　④ 9/10

풀이 [정답] ③

[해설]

- 구하고자 하는 것은 베이즈 정리 $P(A|B) = \dfrac{P(B|A) \times P(A)}{P(B)}$
- 대입하면, $P(A|B) = \dfrac{0.9 \times 0.1}{0.2} = \dfrac{9}{20}$

5 확률변수와 확률분포

1) 확률변수(Random Variable)와 확률분포(Probability Distribution)

- **확률변수(Random Variable)란**, 표본공간(Sample Space)에 속하는 원소(실험 결과)를 입력값(정의역)으로 하고, 그 결과에 대응하는 실숫값을 출력값(치역)으로 하는 함수이다.
- **확률분포(Probability Distribution)란**, 확률변수가 가질 수 있는 값들에 대응하는 확률을 나타낸 것이다.

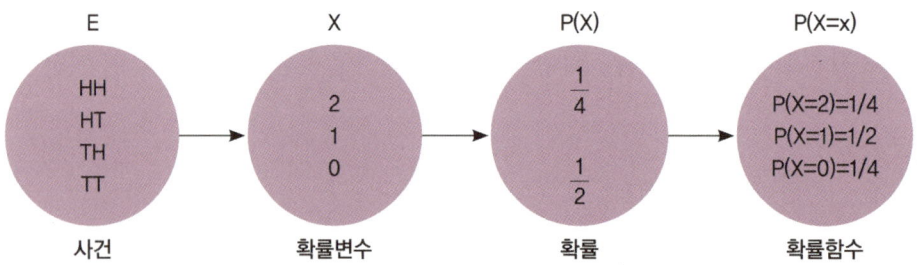

동전 2번 던지기의 사건, 확률변수, 확률, 확률함수의 관계

(1) 이산형 확률변수(Discrete Random Variable)

- 사건의 확률이 서로 떨어져 있는 점들의 **확률의 합**으로 **표현**될 수 있는 확률변수.
- 이산형 확률변수는 확률이 0보다 큰 특정한 점들에 대해 정의된다.
- 각 이산적인 값에서 확률을 나타내는 함수를 **확률질량함수(PMF, Probability Mass Function)**라고 한다.

(2) 연속형 확률변수(Continuous Random Variable)
- 사건의 확률이 그 구간 위에서 정의된 함수의 면적(적분)으로 표현되는 확률변수.
- 이때 사용되는 함수 f(x)를 확률밀도함수(PDF, Probability Density Function)라 한다.
- 연속형 확률변수는 한 점에서의 확률은 0이며, 확률은 구간에 대해 계산된다.

6 확률분포의 유형

1) 이산확률분포 〔출제유형〕 이산확률분포의 특징
- 확률변수가 **정숫값**을 가지는 경우 적용되는 분포.
- 대표적인 분포: 베르누이 분포, 이항분포, 포아송 분포, 초기하분포, 기하 분포, 음이항 분포
- 이산확률분포가 여러 종류로 나뉘는 이유는, **확률변수가 나타내는 값**(성공 횟수, 실패 횟수 등), **시행 조건**(독립·종속, 복원·비복원), 모집단 특성, 그리고 근사 상황 등이 서로 다르기 때문이다.

(1) 이산확률분포의 종류와 특징
① 베르누이 분포(Bernoulli Distribution)
  - 한 번의 시행에서 성공(1) 또는 실패(0) 두 가지 결과만 발생하는 경우
  - 성공 확률이 p, 실패 확률이 $1-p$
  - 평균: $E[X]=p$
  - 분산: $Var(X)=p(1-p)$

② 이항분포(Binomial Distribution)
  - **독립적인 베르누이 시행**을 n번 반복할 때 적용, 성공 횟수를 확률변수로 정의
  - 평균: $E[X]=np$
  - 분산: $Var(X)=np(1-p)$

③ 기하분포(Geometric Distribution)
  - 베르누이 시행을 독립적으로 반복할 때, 첫 성공이 나오기까지 걸린 시행 횟수

④ 음이항분포(Negative Binomial Distribution)
  - 베르누이 시행에서, k번째 성공이 나올 때까지의 시행 횟수

⑤ 포아송분포(Poisson Distribution)
  - 단위 시간·공간에서 발생하는 사건의 횟수

⑥ 초기하분포(Hypergeometric Distribution)
  - 유한 모집단에서 비복원추출일 때 적용. (즉, **시행들이 서로 종속적**)
  - 모집단이 충분히 크면 이항분포로 근사 가능.

2) 연속확률분포 〔출제유형〕 연속형 확률분포의 특징

- 확률변수가 소수점 값을 포함한 실수의 값을 가질 때 적용되는 확률분포.
- 대표적인 분포: 정규분포, 표준정규분포, 지수분포, t-분포, F-분포, 카이제곱(χ^2) 분포

(1) 연속확률분포의 종류와 특징

① **정규분포(Normal Distribution)**
- 연속확률분포 중 가장 전형적이고 많이 사용되는 분포.
- 독일 수학자 가우스(Gauss)가 고안하여 가우스 분포라고도 불린다.
- 평균(μ)을 중심으로 대칭적인 종 모양 곡선
- 모양과 위치는 평균(μ)과 표준편차(σ)에 의해 결정됨
- 통계적 추정 및 가설검정 이론의 기본이 되는 분포

② **표준정규분포(Standard Normal Distribution, Z-분포)**
- 서로 다른 정규분포를 비교하거나 확률 계산을 단순화하기 위해 표준화 과정이 필요하다.
- 표준화:

> - $Z = \dfrac{X - \mu}{\sigma}$ → 평균을 0, 표준편차를 1로 변환한 분포

- 표준정규분포에서 구간별 확률

> - $P(-1 \leq Z \leq 1) \approx 0.6827$
> - $P(-2 \leq Z \leq 2) \approx 0.9545$
> - $P(-3 \leq Z \leq 3) \approx 0.9973$

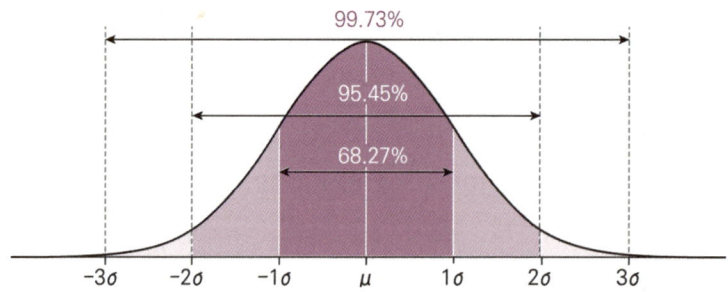

③ **t-분포(Student's t-Distribution)**
- 모집단이 정규분포를 따르지만, 모표준편차(σ)를 알 수 없고 표본 크기(n)가 30 이하인 경우, 표본평균의 분포는 **t-분포**를 따른다.

- 평균이 μ인 정규모집단에서 크기 n의 표본을 무작위로 추출했을 때, 표본평균을 $\bar{x}$, 표본 표준편차 s라 하면 다음과 같은 통계량 t는 자유도 (n−1)인 t-분포를 따른다.
- 단일 분포가 아니라, 자유도(df, degree of freedom)에 따라 분포 모양이 달라진다.
- 자유도는 보통 v 또는 df로 표기하며, n−1 (표본 크기에서 1을 뺀 값)이다.
- 표본 크기가 충분히 커지면, **t-분포는 표준정규분포(N(0,1))에 수렴**한다.

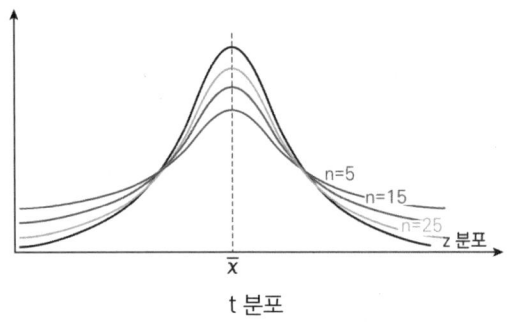

t 분포

④ F분포(F-Distribution)
- 자유도($v1, v2$)에 의해 결정되는 분포.
- 정의: $F = \dfrac{V_1/v_1}{V_2/v_1}$, 두 개의 독립적인 카이제곱 분포 변수를 각각 자유도로 나눈 비율
- 두 모분산의 비교에 사용
- 분산분석(ANOVA), 회귀분석 등에서 널리 활용

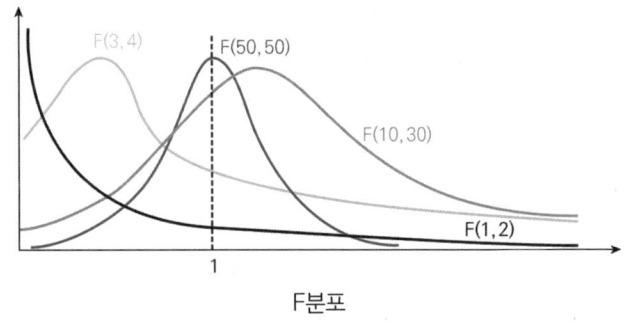

F분포

⑤ 카이제곱(χ^2) 분포(Chi-Square Distribution)
- χ^2분포는 자유도에 따라 분포의 모양이 달라진다.
- 표본 크기가 커질수록(자유도가 커질수록) χ^2 분포는 정규분포에 근접하는 성질을 갖는다.
- χ^2분포는 원래 정규분포를 따르는 모집단을 전제로 한 **모수적 추론**에 자주 사용된다.
- 모분산 추정 및 검정에 사용

- χ^2분포는 모집단 분포에 대한 엄격한 가정 없이도 활용할 수 있어, 대표적인 **비모수 검정 도구**로 사용할 수 있다.

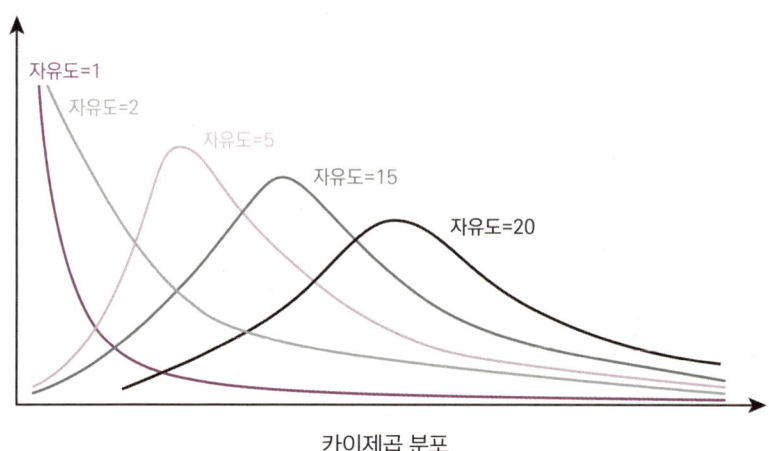

카이제곱 분포

3) 확률변수의 기댓값(평균)과 분산 〈출제유형〉 확률변수의 기댓값

- 이산확률변수 X가 가질 수 있는 값이 $x_1, x_2, x_3, \ldots, x_n$이고 각각의 값을 가진 확률이 $p_1, p_2, \ldots, p_n$인 확률분포가 다음 표와 같다고 하자.

X	x_1	x_2	....	x_n	합계
P(X=x)	p_1	p_2	...	p_n	1

- 이 확률변수의 평균 또는 기댓값은 $E(X) = \mu$, 분산 $V(X) = \sigma^2$, 표준편차

$$E(X) = \mu = \sum_{i=1}^{n} x_i p_i$$
$$V(X) = \sigma^2 = \sum_{i=1}^{n} (x_i - \mu)^2 p_i = E(X^2) - E(X)^2$$

- X가 확률밀도함수 f(x)를 갖는 연속형 확률변수 기댓값

$$E(X) = \int x f(x) dx$$ 와 같이 정의된다.

기출유형 개념잡기

17 다음 중 확률질량함수의 확률변수 x의 기댓값은? [27회 출제]

x	1	2	3
f(x)	1/6	3/6	2/6

① 13/6
② 4/6
③ 2
④ 1

정답 ①

해설 • 이산확률변수의 기댓값은 다음과 같이 계산한다.
- $E[X] = \sum x f(x)$
- 대입하면, $E[X] = 1 \cdot \frac{1}{6} + 2 \cdot \frac{3}{6} + 3 \cdot \frac{2}{6} = \frac{13}{6}$

7 ▶ 표본분포(Sampling Distribution)

- 표본분포란, 모집단으로부터 크기 n의 확률표본을 무수히 반복하여 추출했을 때 얻어지는 **표본 통계량의 확률분포**를 말한다.

1) 표본추출과 추정

- 표본을 추출하는 목적: 표본 통계량(sample statistic)을 이용하여 미지의 모집단 모수(parameter)를 추정하는 것.

2) 표본평균의 변동성

- 크기 n의 표본을 모집단에서 추출하여 표본평균 $\bar{x}$를 구하면, 그 값이 모평균 μ와 정확히 일치할 확률은 매우 낮다.
- 동일한 모집단에서 같은 크기의 표본을 여러 번 뽑으면, 표본평균들은 매번 서로 다른 값을 가진다.
- 이는 표본에 포함되는 구성 요소가 매번 달라지기 때문이다.

3) 표본분포의 필요성

- 하나의 표본평균만 가지고 모평균을 추정한다면, **추정 오차 위험**이 크다.
- 따라서 여러 표본평균의 분포적 성질을 이해하고 활용해야 하며, 이때 필요한 개념이 표본분포(Sampling Distribution)이다.

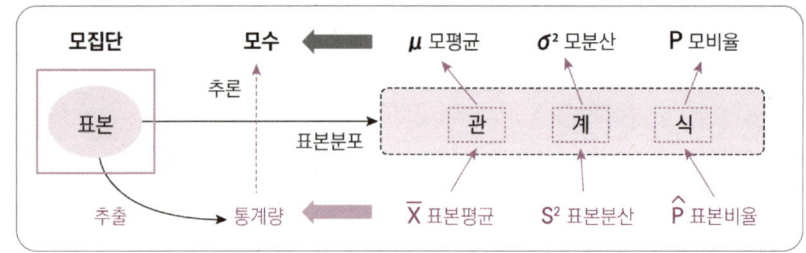

확대경 오차(Error)의 개념 / 출제유형 오차의 개념

- 오차에는 크게 표본 오차(Sampling Error)와 비표본 오차(Non-sampling Error)가 있다.
① 표본 오차
  - 모집단의 일부인 표본으로부터 모집단 전체의 특성을 추론할 때 불가피하게 발생하는 오차.
  - 표본추출에서 불가피하게 발생, 표본 크기와 반비례
② 비표본 오차
  - 표본 오차 이외에, 조사 과정 전반에서 발생할 수 있는 모든 오차(응답자 오류 등).
  - 조사 과정 전반에서 발생, 표본 크기와 무관하거나 커질 수 있음

1) 표본평균의 표본분포(복원추출)

- 모집단으로부터 크기 n의 확률표본을 여러 번 추출하여 각 표본의 평균을 계산하면, 이 표본평균 $\bar{x}$는 확률변수로서 서로 다른 값을 가질 수 있다.
- 표본평균이 항상 모평균 μ와 일치하는 것은 아니지만, 표본을 반복적으로 추출하면 표본평균의 기댓값은 모평균과 일치하므로 모평균의 불편추정량(unbiased estimator)으로 사용된다.
- 이렇게 얻어진 표본평균들의 분포를 표본평균의 표본분포(Sampling Distribution of the Sample Mean)라고 한다.
- 주사위를 모집단으로 가정하고, 표본 크기 n=2인 모든 가능한 표본을 복원추출한 뒤 각 표본의 평균을 구하면, 이로부터 표본평균의 표본분포를 얻을 수 있다.

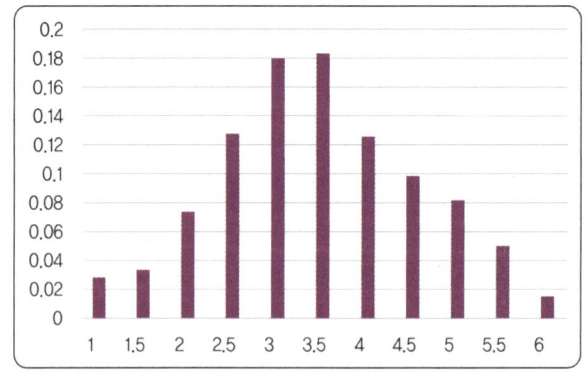

표본평균 확률분포의 막대그래프

2) 중심극한정리(Central Limit Theorem, CLT) 출제유형 중심극한정리의 개념

(1) 모집단이 정규분포를 따를 때
- 확률변수 X가 정규분포를 따르는 모집단에서 크기 n의 모든 가능한 확률표본을 추출하여 평균을 계산하면, **표본평균의 분포는 표본 크기와 무관하게 항상 정규분포**를 따른다.

(2) 모집단이 정규분포를 따르지 않을 때
- 표본 크기가 작을 경우, 평균의 표본분포는 모집단 분포의 형태에 크게 의존한다.
- 표본 크기 n이 충분히 크면, 모집단의 분포 형태와 관계없이 표본평균의 분포는 정규분포에 근접한다.

(3) 중심극한정리
- 모집단의 분포가 정규분포가 아니더라도, 표본 크기 n ≥ 30이면 표본평균의 분포는 다음과 같은 정규분포에 근사한다.
- $\overline{X} \sim N\left(\mu, \dfrac{\sigma^2}{n}\right)$
- 즉, 표본평균의 기댓값은 모평균과 같고 ($E[\overline{X}] = \mu$)
- 표본평균의 분산은 모집단 분산을 표본 크기로 나눈 값이다. ($Var(\overline{X}) = \dfrac{\sigma^2}{n}$)

> **확대경**
> - 중심극한정리는 모집단이 정규분포일 필요가 없다.
> - 중심극한정리는 표본평균의 분포에 관한 정리이지, 모집단 분포 자체에 관한 것이 아니다.

8 추정과 가설검정 출제유형 추정의 유형의 구분

- 실제 비즈니스나 연구 상황에서는 **모집단 전체에 대한 정보를 직접 알 수 없는 경우**가 대부분이다.
- 따라서 모집단에서 추출한 **표본(statistics)에** 근거하여 모집단의 **특성(모수, parameter)**을 추정하는 과정을 거친다.
- 이러한 접근을 통계적 추정(statistical estimation)이라 하며, 이는 귀납적 추론(inductive reasoning)의 한 형태이다.

1) 추정의 유형

(1) 점 추정(Point Estimation)
- 모수의 값을 하나의 수치(점)로 추정하는 방법.
- 예 표본평균 $\overline{X}$을 모평균 μ의 점추정량으로 사용

(2) 구간 추정(Interval Estimation)
- 모수가 포함될 것으로 기대되는 범위를 확률적으로 제시하는 방법
- 예 "모평균 μ는 95% 신뢰수준에서 [a, b] 구간에 존재한다."

> **용어 정리** 추정량(Estimator)의 정의
> - 추정량은 모집단의 모수(parameter)를 알 수 없을 때, 표본 자료로부터 계산되는 통계량(statistic)을 말한다.
> - 즉, 모수를 대신해서 그 값을 "추정하는 공식 또는 함수"이다.

> **확대경** 좋은 추정량의 조건 **출제유형** 불편성의 개념
> ① 불편성(Unbiasedness)
>   - 추정량의 기댓값이 실제 모수와 일치해야 한다.
>   - "추정량의 기댓값" = 추정량을 여러 번 반복했을 때 장기적으로 평균이 수렴하는 값을 의미
> ② 효율성(Efficiency)
>   - 동일한 모수를 추정하는 여러 불편추정량 중, 분산이 가장 작은 추정량이 더 효율적이다.
> ③ 충족성(Sufficiency)
>   - 추정량이 표본자료에 내재된 정보를 최대한 활용하여, 모수 추정에 필요한 모든 정보를 포함해야 한다.
> ④ 일관성(Consistency)
>   - 표본 크기가 커질수록 표본오차가 작아져 추정량이 모수에 가까워진다.

> **기출유형 개념잡기**
>
> **18** 모집단에서 표본을 추출하여, 모수를 범위가 아닌 하나의 특정 값으로 직접 추정하는 방법을 무엇이라 하는가? [34회 출제]
> ① 구간 추정　　　　　　　② 추정치
> ③ 점 추정　　　　　　　　④ 신뢰구간
>
> 정답 ③
> 해설 점 추정(Point Estimation): 모집단의 모수를 하나의 값으로 추정하는 방법

> **확대경** 신뢰수준 95%의 의미 **출제유형** 신뢰수준의 해석
> - 신뢰수준 95%란, 모집단에서 동일한 방법으로 크기가 같은 표본을 반복 추출하여 신뢰구간을 계산할 경우, 그 구간 중 약 95%가 실제 모수를 포함하게 됨을 의미한다.
> - 이는 "주어진 하나의 신뢰구간이 모수를 포함할 확률이 0.95이다"라는 뜻이 아니다.
> - 신뢰구간은 이미 특정한 수치 구간으로 계산되었고, 모수 역시 특정한 값이므로 그 포함 여부는 "확률"이 아니라 "사실(fact)"의 문제이다.
> - 따라서 신뢰수준 95%는 절차(procedure)에 대한 빈도적 해석이다.

2) 신뢰구간의 설정 [출제유형] 모평균의 신뢰구간

- 신뢰구간을 설정할 때 가장 중요한 문제는 오차한계(Margin of Error)를 얼마로 정할 것인가이다.
- **오차한계**란 점 추정치에서 신뢰구간의 **상·하한까지의 거리(± 값)**를 의미한다.
- 신뢰구간 추정의 목적은 **신뢰수준은 높게 유지하면서, 신뢰구간의 길이는 가능한 짧게** 하는 것이다.

(1) 신뢰수준(Confidence Level)

- 오차율 α: 신뢰구간이 실제 모수를 포함하지 않을 확률
- 신뢰수준: $(1-\alpha)$
- 신뢰구간 설정 시, 오차한계(Margin of Error)는 추정량의 **표본분포의 표준오차(Standard Error)**를 이용한다.
- 신뢰구간 밖으로 벗어날 **확률은 양쪽 끝에 나누어 α/2씩** 분배하는 것이 일반적이다.

(2) 신뢰구간(Confidence Interval, CI)

- 모평균 μ에 대한 $(1-\alpha)100\%$ 신뢰구간은 다음과 같다.

$$P(\overline{X} - Z_{\alpha/2}\frac{\sigma}{\sqrt{n}} \leq \mu \leq \overline{X} + Z_{\alpha/2}\frac{\sigma}{\sqrt{n}}) = 1-\alpha$$

- $\overline{X}$: 표본평균
- σ: 모집단 표준편차
- n: 표본 크기
- $\frac{\sigma}{\sqrt{n}}$: 표준오차
- $Z_{\alpha/2}$: 표준정규분포에서 누적확률 $1-\alpha/2$에 대응하는 값

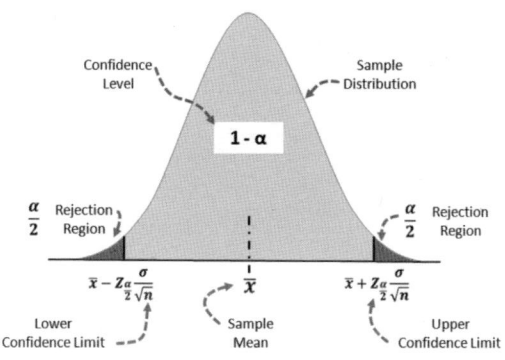

모평균의 신뢰구간(Confidence Interval)

3) 가설검정(Hypothesis Testing) 〔출제유형〕 귀무가설과 대립가설의 정의

(1) 가설(Hypothesis)의 정의
- 가설은 모집단의 모수(parameter)에 대한 **잠정적인 주장이나 가정**으로, 검정을 통해 그 진위를 판단하기 위해 설정한다.
- 가설은 **과학적 연구의 출발점**이자, 통계적 검정을 위한 기준이 된다.

(2) 가설의 종류

구분	설명
귀무가설 (Null Hypothesis, H_0)	• 모집단의 특성에 대해 옳다고 제안하는 기존의 주장 • 과거의 경험, 지식, 연구 결과 등 현재까지 인정되어 온 사실을 바탕으로 한다. • "차이가 없다(No difference)", "효과가 없다(No effect)"라는 형태로 표현된다.
대립가설 (Alternative Hypothesis, H_1)	• 귀무가설의 주장이 옳지 않음을 제안하는 가설. • 귀무가설이 기각되면 채택되는 가설. • 연구자가 지지하고자 하는 가설로, "차이가 있다", "효과가 있다"라는 형태로 표현된다. • 방향성에 따라 양측검정과 단측검정으로 구분된다.

(3) 가설검정(Hypothesis Testing) 〔출제유형〕 가설검정의 정의

- **가설검정이란,** 모집단에 대한 가설을 세운 뒤 표본으로부터 얻은 정보를 바탕으로 그 가설을 채택할지 기각할지를 결정하는 통계적 분석 방법이다.
- 즉, 표본자료를 이용하여 모집단 모수에 대한 두 가지 상호 배타적인 가설(H_0, H_1) 중 어느 것을 선택할지 판단하는 과정이다.
- **추정(estimation)**이 표본으로부터 모집단 모수의 값을 추정하는 과정이라면, **가설검정은** 미지의 모수에 대한 가정의 타당성을 검증하는 과정이다.

(4) 가설 설정 방법

① 기본 구조
- 우리가 관심을 갖는 모수를 θ라 하고, 이 모수가 특정한 값 300이라고 가정할 때 가설의 형태는 다음과 같다.

② 단측검정 vs 양측검정

좌측검정	우측검정	양측검정
귀무가설: $\theta \geq 300$ 대립가설: $\theta < 300$	귀무가설: $\theta \leq 300$ 대립가설: $\theta > 300$	귀무가설: $\theta = 300$ 대립가설: $\theta \neq 300$

③ 유의 사항
- 귀무가설(H_0)은 반드시 등호(=, ≥, ≤)를 포함해야 한다.
- 대립가설(H_1)은 등호를 포함할 수 없으며, 방향(>, <, ≠)만 가진다.
- 단측검정에서는 기각영역의 위치가 대립가설의 부등호 방향과 일치한다.
- 양측검정에서는 유의수준 α가 양쪽 꼬리에 α/2씩 분할된다.

(5) 가설 검정 절차 **출제유형** 통계적 유의성의 의미

① 가설 설정
- 귀무가설(H_0): 기존 주장을 유지(예 효과 없음, 차이 없음)
- 대립가설(H_1): 새로운 주장(예 효과 있음, 차이 있음)

② 유의수준(α) 결정
- 귀무가설이 참인데 기각할 확률(일반적으로 0.05 또는 0.01 사용)

③ 검정통계량 산출
- 표본으로부터 Z, t, χ^2, F 등의 검정통계량을 계산

④ 판단
- 검정통계량이 기각역(rejection region)에 속하면 H_0 기각
- 기각역에 속하지 않으면 H_0 채택(즉, 기각하지 않음)
- 표본에서 얻어진 검정통계량 값 이상으로 극단적인 값이 나올 확률을 p-value라 한다.
- p-value ≤ α → 귀무가설 기각
- p-value > α → 귀무가설 채택(즉, 기각하지 않음)

⑤ 해석
- **채택 시**: 표본 결과가 **모수와 통계적으로** 유의한 차이를 보이지 않는다. (Not Significant)
- **기각 시**: 표본 결과가 **모수와 통계적으로** 유의한 차이를 보인다. (Significant)

> **기출유형 개념잡기**
>
> **19** 표본에 담긴 정보를 이용하여, 모집단에 대한 가설의 옳고 그름을 통계적인 방법으로 판정하는 과정을 무엇이라 하는가? [34회 출제]
> ① 점추정 ② 구간추정
> ③ 가설검정 ④ 연구가설
>
> 정답 ③
>
> 해설 가설검정(Hypothesis Testing): 표본에서 얻은 정보를 바탕으로, 설정된 가설의 타당성을 통계적으로 판정하는 과정

예제4 A통신회사은 모든 일반 고객들의 장거리 전화 청구액의 월평균은 17,790원이고 표준편차는 800원이라고 주장한다. 이러한 주장이 맞는지 밝히기 위하여 고객 100명 가정을 무작위로 추출하여 지난달의 평균 청구액을 조사한 결과 18,000원이었다.

ⓐ 신뢰수준 95%로 월평균 청구액 모평균에 대한 95% 신뢰구간을 설정하라
ⓑ 유의수준 5%로 A통신회사의 주장이 맞는지 검정하라
ⓒ 신뢰구간 추정의 결과로 가설을 검정하라

풀이 [정답]

ⓐ $17,843.2 \leq \mu \leq 18,156.8$
ⓑ 정답 A 통신회사의 주장은 맞지 않다.
ⓒ $\mu_0 = 17,790$이 신뢰구간 17,843.2와 18,156.8을 벗어나므로 귀무가설 H_0를 기각한다.

[해설]

ⓐ $= 18,000 - 1.96 \frac{800}{\sqrt{100}} \leq \mu \leq 18,000 + 1.96 \frac{800}{\sqrt{100}}$

ⓑ 정답 A 통신회사의 주장은 맞지 않다.

① 가설의 설정

$H_0 : \mu = 17,790$
$H_1 : \mu \neq 17,790$

② 유의수준의 결정

$\alpha = 0.05$

③ 유의수준 $\alpha=0.05$에 해당하는 임계치 및 기각영역의 결정

$Z_{\frac{\alpha}{2}} = Z_{0.025} = 1.96, -Z_{\frac{\alpha}{2}} = -Z_{0.025} = -1.96$

채택영역 : $-1.96 \leq Z \leq 1.96$
기각영역 : $1.96 < Z$ 또는 $-1.96 > Z$

④ 검정통계량의 계산

$Z = \frac{\bar{x} - \mu_0}{\sigma/\sqrt{n}} = \frac{18,000 - 17,790}{800/\sqrt{100}} = 2.63$

p값$=2P(Z>2.63)=0.0086$

⑤ 의사결정

$Z = 2.63 > Z_{\frac{\alpha}{2}} = 1.96$이므로 귀무가설 H_0를 기각한다.

ⓒ $\mu_0 = 17,790$이 신뢰구간 17,843.2와 18,156.8을 벗어나므로 귀무가설 H_0를 기각한다.

4) 가설 검정의 오류(Errors in Hypothesis Testing) 출제유형 검정의 오류 정의

(1) 개요
- 가설검정은 제한된 표본정보를 바탕으로 모수에 대해 결론을 내리는 과정이므로, 항상 옳은 결론을 내릴 수는 없다.
- 이에 따라 잘못된 의사결정이 발생할 수 있으며, 이를 **제 I 종 오류(Type I Error)**와 **제 II 종 오류(Type II Error)**로 구분한다.

(2) 오류의 유형

통계적 결정 \ 실제 상황	H_0가 사실	H_0가 허위
H_0 채택	옳은 결정 (신뢰수준) = $1-\alpha$	제 II 종 오류 확률 = β
H_0 기각	제 I 종 오류 확률 = α	옳은 결정 검정력 = $1-\beta$

① 제 I 종 오류(Type I Error)
- 정의: 실제로 귀무가설(H_0)이 참인데도 기각하는 오류
- 발생확률: α(유의수준, 위험수준)
- 해석: "차이가 없음에도 불구하고, 있다고 잘못 결론 내리는 경우"

② 제 II 종 오류(Type II Error)
- 정의: 실제로 귀무가설(H_0)이 거짓인데도 기각하지 못하는 오류
- 발생확률: β
- 해석: "차이가 있음에도 불구하고, 없다고 잘못 결론 내리는 경우"

③ 검정력(Power of a Test)
- 정의: 실제로 H_0가 거짓일 때, 올바르게 H_0를 기각할 확률
- 수식: 검정력 = $1-\beta$
- 해석: 검정력이 높을수록, 실제 효과가 있을 때 이를 발견할 가능성이 크다.

④ α와 β의 관계
- 표본 크기가 일정할 경우, α를 줄이면 β가 증가하고, β를 줄이면 α가 증가하는 **상충(trade-off) 관계**가 존재한다.
- 따라서 두 오류를 동시에 줄이는 방법은 표본의 크기를 충분히 크게 하는 것이다.
- 실제 의사결정에서는 보통 제 I 종 오류(α)를 더 중시하므로, α를 통제하는 방향으로 검정이 설계된다.

9 모수(Parametric Tests)와 비모수(Non-Parametric Tests) 검정

출제유형 모수와 비모수 검정 차이

1) 모수 검정(Parametric Tests)

- 관측값이 **특정한 확률분포**(예 정규분포, 이항분포 등)를 따른다고 가정한 뒤, 그 분포의 **모수(평균, 분산 등)에 대한 가설**을 검정하는 방법
- 표본수가 **충분히 크면**(일반적으로 $n \geq 30$), 중심극한정리에 따라 **정규분포 가정을 근거로** 모수 검정을 적용할 수 있다.
- 표본수가 적거나 분포가 불확실할 경우에는 **정규성 검정(Normality Test)을** 실시하여 분포 형태를 확인해야 한다.

(1) 정규성 검정의 주요 방법

- 통계 분석에서 정규성은 회귀분석 등 다양한 기법의 기본 가정이 되므로, 데이터를 활용하기 전 **정규성 여부를 확인하는 과정**이 필요하다.
- 정규성 검정에는 시각적 방법과 통계적 방법이 있다.

① Q-Q Plot
- 대각선 참조선에 데이터 점들이 잘 배열되면 정규성 만족.
- 한쪽으로 치우치면 정규성 위배.

② Shapiro-Wilk Test
- 귀무가설: 데이터는 정규분포를 따른다.
- p-value > 0.05 → 정규성 가정 채택.

③ Kolmogorov-Smirnov Test
- 표본분포를 표준정규분포와 비교하여 적합도 검정.
- Shapiro-Wilk과 동일하게 p-value > 0.05면 정규성 가정

④ Anderson-Darling Test
- 데이터가 특정 분포를 얼마나 잘 따르는지 측정.
- 통계량이 작을수록 분포 적합도가 높음.

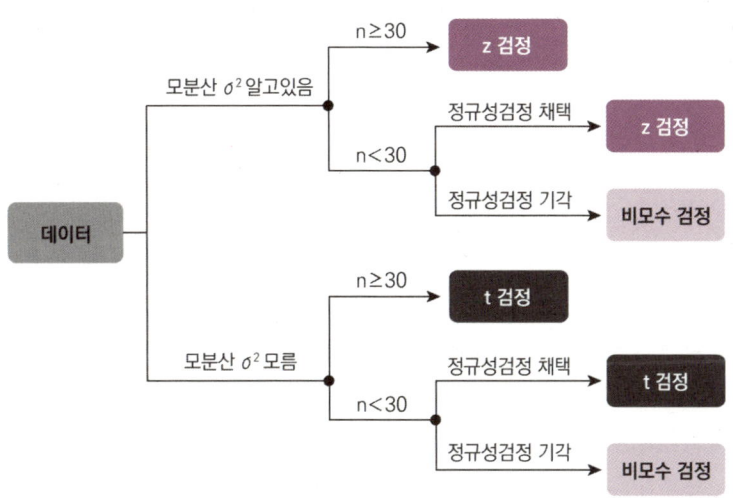

통계적 가설검정 의사결정 트리

> **기출유형 개념잡기**
>
> **20** 잔차의 정규성 검토에 대한 설명 중 옳지 않은 것은?
> ① Q-Q Plot은 정규성 검토 방법이 될 수 있으나 절대적인 기준은 아니다.
> ② 잔차의 히스토그램이나 점도표를 통해 정규성 문제를 검토할 수 있다.
> ③ 샤피로-윌크 검정, 앤더슨-달링 검정은 정규성 검토 방법이다.
> ④ 정규성을 만족하지 못할 때 상관계수가 가장 큰 값을 제거한다.
>
> 정답 ④
>
> 해설 • ④는 잘못된 설명이다. 정규성을 만족하지 못할 때 개별 변수의 상관계수와는 직접적인 관련이 없으며, 변수를 제거하는 방식으로 문제를 해결하지 않는다.
> • 올바른 접근은 변수 변환(로그 변환, 제곱근 변환 등), 표본 크기 확대, 또는 비모수적 방법 적용 등을 고려하는 것이다.

2) 비모수 검정(Non-Parametric Tests)

- 관측값이 **특정한 분포를 따른다고 가정할 수 없을 때** 사용하는 검정 방법
- **자료의 순위(rank), 부호(sign)** 등과 같은 비모수적 정보에 기초하여 검정을 수행
- 예시: 윌콕슨 부호순위 검정(Wilcoxon signed-rank test), 카이제곱 검정(χ^2-test), 맨-휘트니 검정(Mann-Whitney U test)

(1) 비모수 검정의 장·단점

① 장점
- 데이터가 순서·부호 등 상대적 크기만 주어진 경우에도 적용 가능
- 통계적 의미가 직관적이고 이해하기 쉬움

- 이상치(outlier)의 영향을 크게 받지 않음
- 표본수가 적어도 적용 가능

② 단점
- 통계량 계산 과정이 단순하지만, 반복적 작업이 많음
- 분포를 가정하는 **모수 검정에 비해 효율(검정력)이 낮을 수 있음**
- 정밀한 추론보다는 상대적 비교나 순위 중심의 해석에 한정될 수 있음

(2) 비모수 검정의 주요 종류 〔출제유형〕 모수검정에 대응하는 비모수 검정 연계

① 단일 집단의 중위수 검정
- **부호 검정(Sign Test)**: 기준값보다 큰지·작은지 부호만 활용
- **윌콕슨 부호순위 검정**: 부호와 순위까지 고려하여 부호 검정보다 검정력이 높다.

② 짝지은(대응) 집단 비교
- **부호 검정**: 처치 전후 차이의 부호 개수만 고려
- **윌콕슨 부호순위 검정**: Paired t-test의 비모수 대안

③ 독립된 두 집단 비교
- **윌콕슨 순위합 검정**: 두 집단 전체 순위를 합해 비교. **독립 t-test의 비모수 대안**
- **맨-휘트니 U 검정**: 두 집단의 모든 쌍 비교. **독립 t-test의 비모수 대안**

02 기초 통계분석

학습목표
회귀분석의 기본 개념을 이해하고, 최적 회귀방정식의 변수 선택 방법을 학습한다.

출제경향 및 중요도
① 회귀분석의 가정 조건 ★★★
② 회귀분석의 잔차분석 및 시각적 해석 ★
③ 회귀분석 결과 해석 ★★★
④ 단계적 변수 선택 방법의 정의 ★
⑤ 다중공선성의 개념 및 해결 방안 ★

1 기술 통계(Descriptive Statistics)

- 기술통계란 자료를 요약·정리하여 전체적인 특성을 파악하는 기초 통계를 의미한다.
- 데이터 분석에 앞서 주요 통계량을 산출함으로써 자료의 분포와 특성을 개괄적으로 이해할 수 있으며, 이는 이후 심화 분석을 위한 기초적 통찰력을 제공한다.

1) head( ) 함수

```
> data(iris)
> head(iris)
  Sepal.Length Sepal.Width Petal.Length Petal.Width Species
1          5.1         3.5          1.4         0.2  setosa
2          4.9         3.0          1.4         0.2  setosa
3          4.7         3.2          1.3         0.2  setosa
4          4.6         3.1          1.5         0.2  setosa
5          5.0         3.6          1.4         0.2  setosa
6          5.4         3.9          1.7         0.4  setosa
```

- head() 함수는 데이터의 앞부분(기본 6행)을 출력하여, 데이터가 정상적으로 불러와졌는지 확인할 때 유용하다.
- 원하는 행 개수를 지정하려면 head(iris, n)처럼 n에 숫자를 입력한다.
- tail() 함수는 데이터의 뒷부분(기본 6행)을 확인할 수 있으며, 필요에 따라 head()와 tail()을 함께 사용하면 데이터의 앞·뒤 구조를 모두 살펴볼 수 있다.

2) summary() 함수 출제유형 summary() 함수의 해석

```
> summary(iris)
  Sepal.Length    Sepal.Width     Petal.Length    Petal.Width          Species
 Min.   :4.300   Min.   :2.000   Min.   :1.000   Min.   :0.100   setosa    :50
 1st Qu.:5.100   1st Qu.:2.800   1st Qu.:1.600   1st Qu.:0.300   versicolor:50
 Median :5.800   Median :3.000   Median :4.350   Median :1.300   virginica :50
 Mean   :5.843   Mean   :3.057   Mean   :3.758   Mean   :1.199
 3rd Qu.:6.400   3rd Qu.:3.300   3rd Qu.:5.100   3rd Qu.:1.800
 Max.   :7.900   Max.   :4.400   Max.   :6.900   Max.   :2.500
```

- summary() 함수는 데이터의 각 컬럼에 대한 기초 통계량을 요약하여 보여준다.
- 데이터의 특정 컬럼을 선택하려면 **"데이터$컬럼명"** 형식으로 지정한다.

(1) 수치형(Numeric) 데이터

- 최솟값(min), 1사분위수(1st Qu.), 중앙값(median), 평균(mean), 3사분위수(3rd Qu.), 최댓값(max)을 출력한다.

(2) 범주형(Factor) 데이터

- 빈도수(Frequency)를 기준으로 각 수준(level)에 속한 데이터 개수를 출력한다.
- 예 Species 변수는 setosa, versicolor, virginica 각각 50개로 표시된다.

3) 중심경향치 함수

```
> mean(iris$Sepal.Length)
[1] 5.843333
> median(iris$Sepal.Length)
[1] 5.8
```

- mean(x): 데이터 평균값을 계산한다.
- median(x): 데이터의 중앙값을 구한다.

4) 산포도(Measure of Dispersion)함수

```
> sd(iris$Sepal.Length)
[1] 0.8280661
> var(iris$Sepal.Length)
[1] 0.6856935
```

- var(x): 데이터의 분산(Variance)을 계산한다.
- sd(x): 데이터의 표준편차(Standard Deviation)를 계산한다.

5) quantile( ) 함수 출제유형 quantile( ) 함수의 해석

```
> quantile(iris$Sepal.Length)
  0%   25%   50%   75%  100%
  4.3  5.1   5.8   6.4   7.9
```

- 0%(최솟값, Min)=4.3
  → 모든 꽃받침 길이 중 가장 작은 값은 4.3이다.
- 25%(제1사분위수, Q1)=5.1
  → 전체 데이터 중 25%는 5.1 이하, 나머지 75%는 5.1 이상이다.
- 50%(중앙값, Median)=5.8
  → 전체 데이터의 중앙값은 5.8이며, 전체 관측치 중 50%가 5.8 이하, 나머지 50%가 5.8 이상에 위치한다.
- 75%(제3사분위수, Q3)=6.4
  → 전체 데이터 중 75%는 6.4 이하, 상위 25%는 6.4 이상이다.
- 100%(최댓값, Max)=7.9
  → 모든 꽃받침 길이 중 가장 큰 값은 7.9이다.

6) summary() 함수와 분포의 비대칭성 해석 〔출제유형〕 평균과 중앙값 크기에 따른 분포의 비대칭 해석

```
>summary(Animals)
      body              brain
 Min.   :   0.02    Min.   :   0.40
 1st Qu.:   3.10    1st Qu.:  22.23
 Median :  53.83    Median : 137.00
 Mean   :4278.44    Mean   : 574.52
 3rd Qu.: 479.00    3rd Qu.: 420.00
 Max.   :87000.00   Max.   :5712.00
```

- summary() 결과에서 평균과 중앙값의 상대적 크기를 비교하여 분포의 왜도를 추정할 수 있다.
- 평균 > 중앙값 → 우측 비대칭 분포(Positive Skewness), 오른쪽 꼬리가 긴 분포
- 평균 < 중앙값 → 좌측 비대칭 분포(Negative Skewness), 왼쪽 꼬리가 긴 분포
- 따라서 **body** 변수는 우측 비대칭 분포(Positive Skewness, 오른쪽 꼬리가 긴 분포)를 가진다고 볼 수 있다.

2 회귀분석(Regression Analysis)

1) 회귀분석 개념

- 독립변수가 종속변수에 미치는 영향력을 분석하거나, 독립변수에 따라 종속변수의 변화를 예측하기 위해서 사용하는 통계 기법이다.
- 독립변수는 종속변수에 영향을 주는 변수로 설명변수라고도 하며, 종속변수는 독립변수에 영향을 받는 변수로 반응변수라고도 한다.
- 갈톤은 키의 유전 연구에서 자녀의 키가 부모 평균 키 쪽으로 수렴하는 경향을 발견하였고, 이를 '회귀(regression)'라 명명하였다.

2) 회귀분석의 목적

- 회귀분석으로 변수 간에 미치는 영향을 분석하는 목적은 다음과 같다.
  (1) 종속변수와 독립변수들 사이에 존재하는 함수관계를 추정한다.
  (2) 독립변수들이 종속변수에 미치는 효과를 검정한다.
  (3) 추정된 회귀함수를 이용하여 종속변수의 미래의 값을 예측하는데 있다.

3) 회귀분석과 상관분석의 차이점

- 상관분석은 둘 이상의 변수들이 어느 정도 상관성을 가지는지 분석하는 것이 주목적이다.

- 회귀분석은 둘 이상의 변수 간에 미치는 영향 관계를 통한 예측을 목표로 한다.

4) 회귀분석을 사용하는 경우

- 회귀분석은 종속변수와 독립변수 간의 관계를 모형화하여 독립변수가 변화할 때 종속변수가 어떻게 변하는지를 분석한다.
- 종속변수는 일반적으로 등간척도나 비율척도의 연속형 자료여야 하며, 독립변수는 연속형뿐 아니라 범주형도 가능하다.
- 독립변수가 범주형 변수인 경우에는 가변수(더미변수)로 변환하여 회귀분석에 포함한다.
- 종속변수가 범주형(특히 이분형, 즉 두 가지 범주)인 경우에는 일반 선형회귀가 아닌 로지스틱 회귀분석(Logistic Regression)을 적용한다.

5) 최소제곱법 〔출제유형〕 최소제곱법의 의미

- 실제 데이터를 측정하다 보면 독립변수에 따라 종속변수의 변화하는 정도가 다르게 나타나는 경우가 있는데, 이러한 개별 측정치 간에 차이가 발생한다.
- 표본으로부터 도출된 회귀식을 $\hat{Y} = \hat{\beta_0} + \hat{\beta_1} X_i$, 미지의 모회귀식을 $Y_i = \beta_0 + \beta_1 X_i$일 때 표본에서의 $\hat{\beta}$를 모수 β에 가장 가깝게 추정한 회귀식을 도출하는 것이 가장 이상적 회귀식이다.
- $\hat{Y} = \hat{\beta_0} + \hat{\beta_1} X_i$에서 회귀식과 측정치의 간의 차이인 잔차($\hat{\epsilon_i}$)가 필연적으로 발생한다. 그러므로 추정회귀모형은 $\hat{Y} = \hat{\beta_0} + \hat{\beta_1} X_i + \hat{\epsilon_i}$, 잔차($\hat{\epsilon_i}$)의 제곱합이 최소가 되는 회귀식을 구한다.
- $\hat{Y} = \hat{\beta_0} + \hat{\beta_1} X_i$의 직선 주위로 잔차가 (+)와 (-)로 분포하며, 단순 합은 0이 되지만, 최소제곱법에서는 잔차의 제곱합(Σei^2)을 최소화하여 회귀식을 구한다.
- 이와 같이 잔차 제곱합을 최소화하여 구한 회귀계수의 추정치를 최소제곱추정량(Least Squares Estimator, LSE)이라고 한다.

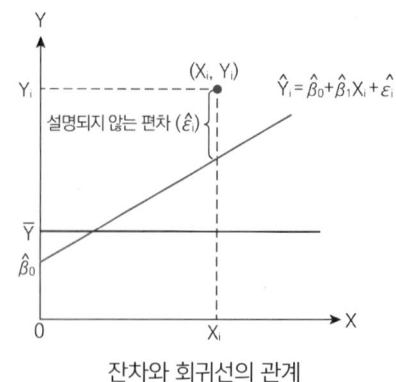

잔차와 회귀선의 관계

6) 단순회귀모형(Simple Linear Regression Model)

$Y_i = \beta_o + \beta_1 X_i + \epsilon_i, \ i = 1, 2, 3, ..., n$
- Y_i : i번째 관측치에서의 종속변수(반응변수) 값
- X_i : i번째 관측치에서의 독립변수(설명변수) 값
- β_o : 회귀식의 절편(intercept), 즉 X=0일 때 Y의 예상값
- β_1 : 회귀식의 기울기(slope), 즉 X가 한 단위 증가할 때 Y의 평균 변화량
- ϵ_i : 오차항(error term), 실제 관측값과 회귀식이 예측하는 값의 차이

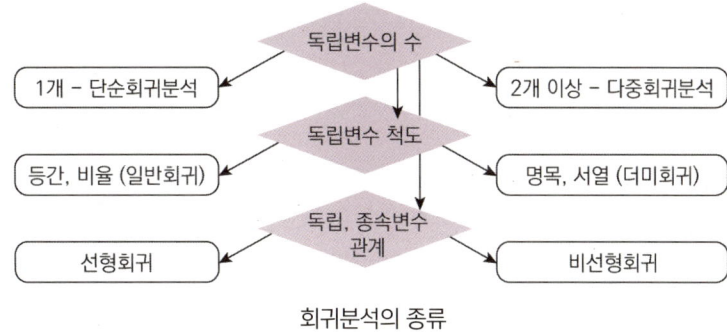

회귀분석의 종류

용어 정리 📖 다중회귀분석과 다항회귀분석의 차이점
① 다중 회귀(Multivariate Linear Regression)
  - 설명변수(독립변수)가 k개이며 반응변수(종속)와의 관계가 선형(1차함수) 관계
② 다항회귀(Polynomial Regression)
  - 독립변수의 차수를 높이는 형태
  - 데이터에 각 특성의 제곱을 추가해주어서 특성이 추가된 비선형 데이터를 선형 회귀 모델로 훈련시키는 방법
  $y = \beta_0 + \beta_1 x + \beta_2 x^2$

7) 회귀모형에 대한 기본 가정 〈출제유형〉 회귀분석의 가정 조건

(1) 선형성(Linearity)
- 독립변수와 종속변수 사이의 관계는 선형(직선적)이어야 한다.

(2) 독립성(Independence)
- 오차항은 서로 독립적이어야 하며, 독립변수와도 관련이 없어야 한다.

(3) 등분산성(Homoscedasticity)
- 오차항의 분산은 독립변수 값과 관계없이 일정해야 한다.

(4) 비상관성(No autocorrelation)
- 오차항들 간에는 자기상관(autocorrelation)이 없어야 한다.

(5) 정규성(Normality)
- 오차항은 평균 0, 분산 일정한 정규분포를 따라야 한다.

> **용어 정리**
> 잔차(residual)는 표본(sample)으로 추정한 회귀식과 실제 관측값의 차이를 말한다.

> **기출유형 개념잡기**
>
> **21** 회귀분석 모형 평가 방법 중 적절하지 않은 것은? [34회 출제]
> ① 모형이 통계적으로 유의미한가?
> ② 모형이 데이터를 잘 적합하고 있는가?
> ③ 설명계수가 유의미한가?
> ④ 선형성, 독립성, 등분산성, 비상관성, 정상성을 만족하는가?
>
> **정답** ③
> **해설** 회귀분석 모형의 유의미성 평가는 회귀계수(regression coefficient)의 유의성 여부를 검정하는 것이 맞다. "설명계수"라는 용어는 통계학적으로 적절하지 않으며, 올바른 표현은 "회귀계수"이다.

8) 회귀분석 모형에서 확인해야 할 사항 출제유형 회귀분석의 해석

구분	확인 사항
모형이 통계적으로 유의미한가?	• F 통계량을 확인한다. • 유의수준 5%에서 F 통계량의 p-값이 0.05보다 작으면, 추정된 회귀식은 통계적으로 유의하다고 판단한다.
회귀계수가 유의미한가?	• 각 회귀계수의 t 통계량과 p-값을 확인한다. • 신뢰구간이 0을 포함하지 않는지도 함께 검토한다.
모형의 설명력은 충분한가?	• 결정계수(R^2)를 확인한다. 결정계수는 0~1의 값을 가지며, 값이 클수록 회귀식의 설명력이 높음을 의미한다.
모형이 데이터를 잘 적합하는가?	• 잔차 그래프 및 회귀 진단 절차를 통해 적합성을 검토한다.
모형의 기본 가정을 만족하는가?	• 선형성: 독립변수의 변화에 따라 종속변수가 일정한 크기로 변화해야 한다. • 독립성: 잔차와 독립변수의 값 사이에 관련성이 없어야 한다. • 등분산성: 모든 독립변수 값에서 오차의 분산이 일정해야 한다. • 비상관성: 잔차들끼리 자기상관이 없어야 한다. • 정상성: 잔차항이 정규분포를 형성해야 한다.

9) 회귀분석의 모형 가정을 확인하는 방법 출제유형 회귀분석의 오차항의 가정 조건

- 회귀모형은 기본적으로 **오차항**에 대해 **정규성, 등분산성, 독립성**의 세 가지 가정을 전제로 한다.
- 이 가정들이 충족되어야 회귀분석 결과를 신뢰할 수 있으며, 추정된 회귀계수의 통계적 검정도 타당해진다.
- **잔차(residual)는** 오차항의 관찰값으로 볼 수 있으므로, **잔차 분석(Residual Analysis)을** 통해 **오차항 가정의 성립 여부를 확인**할 수 있다.
- 따라서 잔차의 분포, 분산 패턴, 자기상관 등을 검토하는 것이 필수적이다.

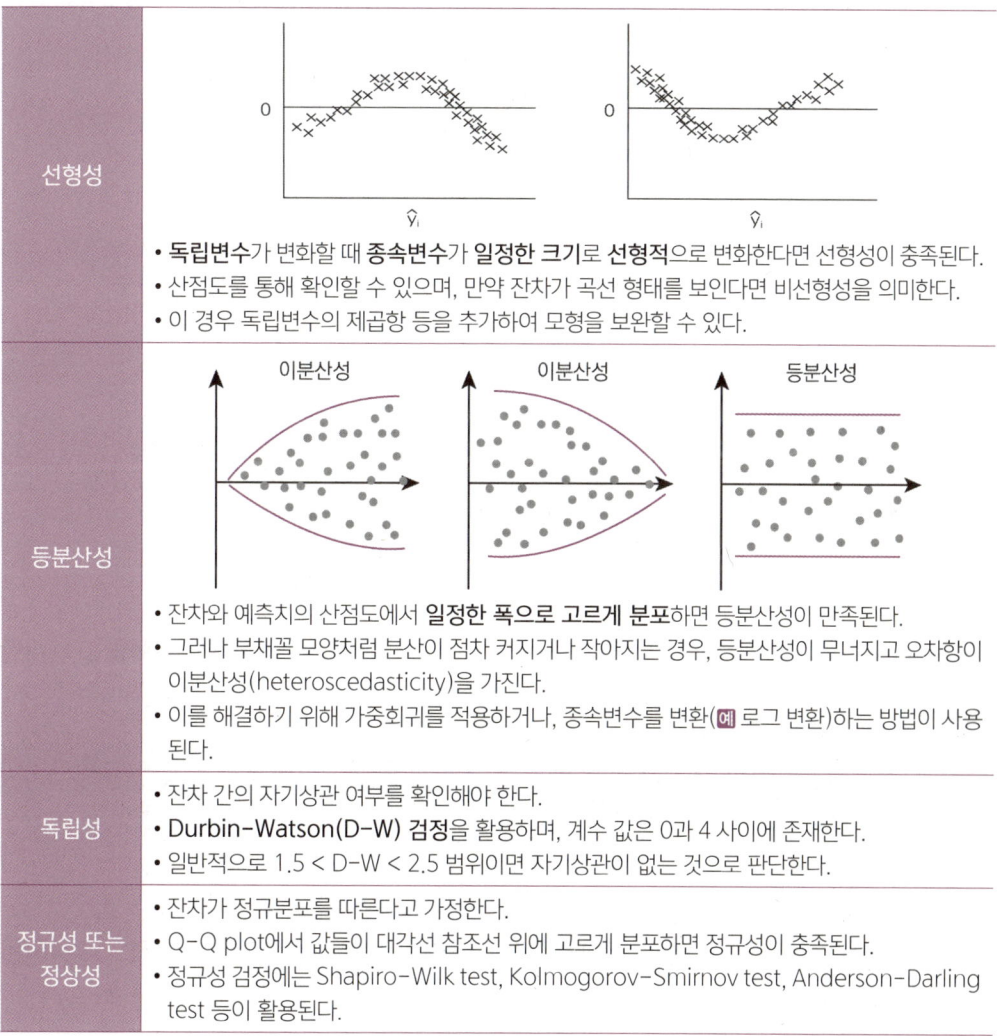

선형성	• **독립변수**가 변화할 때 **종속변수**가 **일정한 크기**로 **선형적**으로 변화한다면 선형성이 충족된다. • 산점도를 통해 확인할 수 있으며, 만약 잔차가 곡선 형태를 보인다면 비선형성을 의미한다. • 이 경우 독립변수의 제곱항 등을 추가하여 모형을 보완할 수 있다.
등분산성	• 잔차와 예측치의 산점도에서 **일정한 폭으로 고르게 분포**하면 등분산성이 만족된다. • 그러나 부채꼴 모양처럼 분산이 점차 커지거나 작아지는 경우, 등분산성이 무너지고 오차항이 이분산성(heteroscedasticity)을 가진다. • 이를 해결하기 위해 가중회귀를 적용하거나, 종속변수를 변환(예 로그 변환)하는 방법이 사용된다.
독립성	• 잔차 간의 자기상관 여부를 확인해야 한다. • **Durbin-Watson(D-W) 검정**을 활용하며, 계수 값은 0과 4 사이에 존재한다. • 일반적으로 1.5 < D-W < 2.5 범위이면 자기상관이 없는 것으로 판단한다.
정규성 또는 정상성	• 잔차가 정규분포를 따른다고 가정한다. • Q-Q plot에서 값들이 대각선 참조선 위에 고르게 분포하면 정규성이 충족된다. • 정규성 검정에는 Shapiro-Wilk test, Kolmogorov-Smirnov test, Anderson-Darling test 등이 활용된다.

10) 다중회귀분석 결과 해석

```
> out<-lm(rating~.,data=attitude)
> summary(out)

Call:
lm(formula = rating ~ ., data = attitude)

Residuals:
     Min      1Q  Median      3Q     Max
-10.9418 -4.3555  0.3158  5.5425 11.5990

Coefficients:
            Estimate Std. Error t value Pr(>|t|)
(Intercept) 10.78708   11.58926   0.931 0.361634
complaints   0.61319    0.16098   3.809 0.000903 ***
privileges  -0.07305    0.13572  -0.538 0.595594
learning     0.32033    0.16852   1.901 0.069925 .
raises       0.08173    0.22148   0.369 0.715480
critical     0.03838    0.14700   0.261 0.796334
advance     -0.21706    0.17821  -1.218 0.235577
---
Signif. codes:  0 '***' 0.001 '**' 0.01 '*' 0.05 '.' 0.1 ' ' 1

Residual standard error: 7.068 on 23 degrees of freedom
Multiple R-squared:  0.7326,    Adjusted R-squared:  0.6628
F-statistic:  10.5 on 6 and 23 DF,  p-value: 1.24e-05
```

(1) Residuals(잔차)

- 출력된 Min, 1Q, Median, 3Q, Max는 잔차(관측값 – 예측값)의 기초 통계량을 의미한다.
- 이를 통해 잔차가 대체로 대칭적으로 분포하는지 확인할 수 있다.

(2) Estimate(비표준화 회귀계수)

- Estimate는 독립변수가 **한 단위 증가**할 때 종속변수에 미치는 **평균적인 변화량**을 의미한다.

(3) Std. Error(표준오차)

- 추정된 회귀계수의 표준편차로, 계수의 불확실성을 나타낸다.

(4) t value

- 회귀계수가 0이라는 귀무가설($H_0: \beta=0$)을 검정하기 위한 값이다.
- **t값의 절대값이 클수록** 해당 **독립변수가 종속변수에 미치는 영향이 통계적으로 유의할 가능성이 크다.**

(5) 유의확률(p-value)

- 각 독립변수의 유의확률을 보고, 유의수준(예 0.05)과 비교하여 해당 변수가 통계적으로 유의한지를 판단한다.

(6) 수정된 결정계수(Adjusted R²)

- 독립변수를 추가할수록 설명력이 실제로 증가하지 않더라도 R² 값은 항상 커지게 된다.
- 이러한 한계를 보완하기 위해 수정된 결정계수(Adjusted R²)를 사용한다.
- 이는 독립변수의 수와 표본 크기를 고려하여 R² 값을 조정한 지표이다.

(7) F-statistic(모형 전체 유의성 검정)

- 회귀모형 전체가 통계적으로 유의한지를 검정하는 값이다.
- p-value가 유의수준(예 0.05)보다 작으면, 회귀모형은 통계적으로 유의하다고 볼 수 있으며, 종속변수를 잘 설명한다고 해석할 수 있다.

11) R 단순회귀분석의 결과 해석 · 출제유형 R 회귀분석의 해석

```
> m<-lm(weight~Time,data=chick)
> summary(m)
Call:
lm(formula = weight ~ Time, data = chick)
Residuals:
     Min      1Q  Median      3Q     Max
-14.3202 -11.3081  -0.3444  11.1162  17.5346
Coefficients:
            Estimate Std. Error t value Pr(>|t|)
(Intercept)  24.4654     6.7279   3.636  0.00456 **
Time          7.9879     0.5236  15.255 2.97e-08 ***
---
Signif. codes:  0 '***' 0.001 '**' 0.01 '*' 0.05 '.' 0.1 ' ' 1
Residual standard error: 12.29 on 10 degrees of freedom
Multiple R-squared:  0.9588, Adjusted R-squared:  0.9547
F-statistic: 232.7 on 1 and 10 DF,  p-value: 2.974e-08
```

(1) 회귀식

- weight = 24.4654 + 7.9879 × Time
- 절편(Intercept) = 24.4654
  - → 시간(Time)=0일 때 닭의 예상 체중은 약 24.47g.
- 기울기(Time) = 7.9879
  - → 시간(Time)이 1일 증가할 때마다 닭의 체중은 평균적으로 약 7.99g 증가한다.

(2) 회귀계수의 유의성 검정

- Time 계수 p-value = 2.97e-08 < 0.001 → 매우 유의함.
- 따라서 시간은 닭의 체중 변화에 통계적으로 유의미한 영향을 준다.

(3) 회귀모형 유의성 검정

- p-value = 2.974e-08은 0.05보다 매우 작으므로, 유의수준 5%에서 회귀모형은 통계적으로 유의하다.

(4) 모형의 설명력

- 결정계수 R^2 = 0.9588 → 닭의 체중 변화를 약 95.9% 설명한다.

12) 회귀모형 진단 플롯(Residual Diagnostic Plots) 잔차분석의 해석

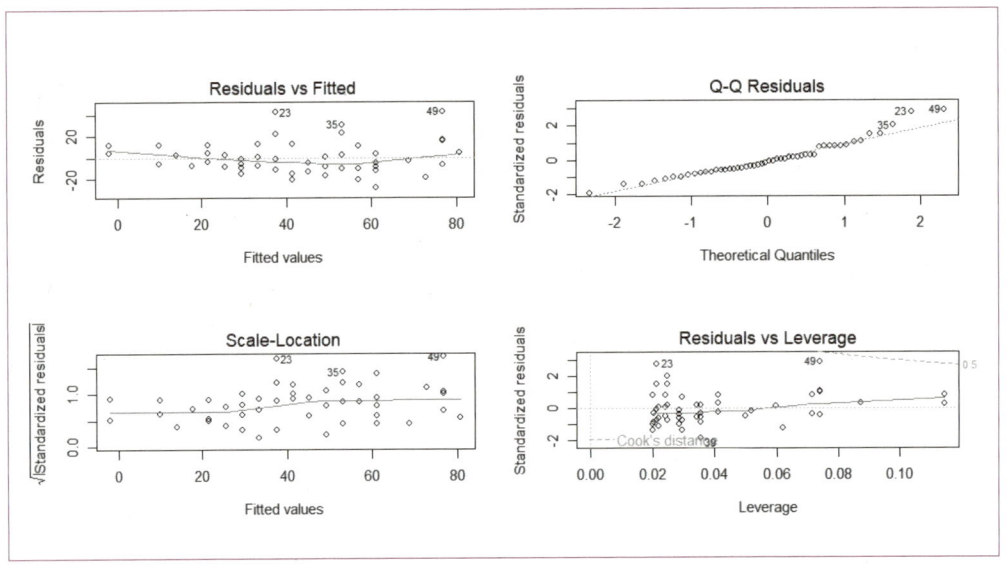

(1) Residuals vs Fitted(왼쪽 위)

- 선형성(Linearity) 확인
- 잔차가 특정 곡선 형태로 나타나지 않고, 0을 중심으로 무작위로 퍼져 있다면 선형성이 충족된 것이다. 반대로 곡선 패턴이 보이면 **비선형 관계 가능성을 의미**한다.
- 등분산성(Homoscedasticity) 확인

- 잔차의 분포가 fitted value 전 구간에서 비슷한 폭(variance)을 가진다면 등분산성을 만족한다.
- 만약 fitted 값이 커질수록 **잔차의 퍼짐이 넓어지거나 좁아지면 이분산성(Heteroscedasticity)의심한다.**

(2) Normal Q-Q(오른쪽 위)
- 점들이 대각선에 근접하여 배열될수록 잔차가 정규분포를 따른다는 가정이 충족됨을 의미한다.
- 특히 오른쪽 상단에서 점들이 대각선에서 벗어나는 모습이 관찰된다. 이는 잔차의 분포가 완전한 정규성을 따르지 않을 가능성을 시사한다.

(3) Scale-Location(왼쪽 아래)
- 빨간 기준선이 수평을 이루고, 점들이 전 구간에 걸쳐 고르게 분포한다면 잔차의 분산이 일정함을 의미하며, 이는 등분산성(Homoscedasticity) 가정이 충족됨을 나타낸다.
- 일부 구간에서 잔차의 퍼짐이 다소 확대되는 경향이 확인된다. 이는 등분산성이 완벽히 충족되지 않고, 부분적으로 이분산성(Heteroscedasticity)이 존재할 가능성을 시사한다.

(4) Residuals vs Leverage(오른쪽 아래)
- 대부분의 점들이 중앙에 모여 있으며, Cook's distance 기준선을 벗어나는 점이 없어야 한다. 이는 개별 관측치가 모형에 과도한 영향을 미치지 않음을 의미한다.
- 특정 관측치(예 23, 35, 49번)가 상대적으로 높은 레버리지(leverage)를 가지거나 Cook's distance에 근접한 위치에 나타나고 있다. **이러한 관측치는 모형 추정에 큰 영향을 줄 수 있는 이상치(outlier) 또는 영향점(influential point)으로 해석될 가능성이 있다.**

13) R 다항 회귀분석 〔출제유형〕 R 다항 회귀분석의 해석

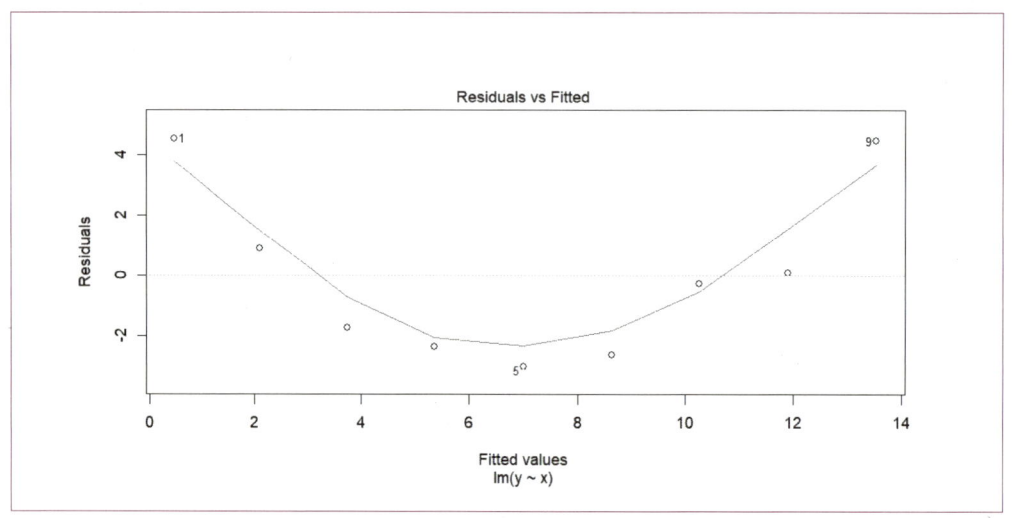

(1) 잔차 분석 해석

- 단순회귀모형 적합 시 잔차도가 뚜렷한 곡선 패턴을 나타내며, 이는 오차항이 "평균 0, 분산 일정"이라는 가정을 위배함을 의미한다.
- 주어진 데이터는 단순히 직선적(linear) 관계라기보다 곡선적인(비선형적) 패턴을 보인다.
- 이러한 **곡선 패턴은 모형에 이차항(x^2)을 추가**해야 함을 시사한다.

> **기출유형 개념잡기**
>
> **22** 회귀분석의 잔차분석 결과 'U' 곡선 패턴이 나타날 때 해결방안은 무엇인가?
> ① x^2항을 모형에 추가
> ② 변수 통합
> ③ 능형 회귀(Ridge Regression)
> ④ 변수 제거
>
> 정답 ①
>
> 해설
> - 잔차 분석의 형태가 'U'자 곡선을 보인다는 것은, 선형회귀모형이 자료의 비선형적 관계를 제대로 설명하지 못한다는 의미이다.
> - 이 경우, 설명변수의 이차항(x^2)을 추가하여 다항회귀모형(Polynomial Regression) 으로 분석하면 비선형성을 반영할 수 있다.
> - 따라서, 올바른 해결방안은 ①x^2항을 모형에 추가한다.

14) 다중공선성(Multicollinearity) 출제유형 다중공선성의 해석 및 해결방안

(1) 개요
- **다중공선성이란** 회귀모형의 일부 독립변수가 다른 독립변수와 강하게 상관되어 있을 때 발생한다.
- 다중공선성이 존재하면 회귀계수의 분산이 증가하여 추정값이 불안정해지고, 해석 또한 어려워지므로 문제가 된다.
- 다중공선성 여부는 분산팽창계수(Variance Inflation Factor, VIF)를 통해 판정한다.
- 일반적으로 VIF ≥ 10이면 다중공선성이 심각하다고 본다.
- 모형 전체의 결정계수(R^2)는 높으나 개별 독립변수의 t-검정 결과가 유의하지 않은 경우, 다중공선성을 의심해야 한다.

(2) 해결 방안
- 중요하지 않은 변수일 경우 해당 변수를 제거한다.
- 능형 회귀(Ridge Regression), 주성분 회귀(Principal Component Regression) 등 편의 추정법을 활용한다.
- 자료 부족이 원인일 경우 표본을 확대하거나 추가 자료를 수집하여 보완한다.

3 회귀분석 모형의 적합도 검정과 분산분석표 출제유형 분산분석표의 해석

1) 회귀분석의 분산분석표 목적

(1) 모형의 적합성 제시
- 적합성 검정은 추정된 회귀식 $\hat{Y} = \hat{\beta}_0 + \hat{\beta}_1 X_i$이 표본의 실제 관측값을 얼마나 잘 설명하는지를 확인하는 과정이다.
- 모형이 통계적으로 유의하다면, 해당 회귀식은 표본 자료를 일반화하는 데 의미가 있다.

(2) 회귀선의 설명력(R^2)
- 결정계수(R^2)는 회귀모형이 종속변수 변동을 얼마나 설명하는지를 나타낸다.
- R^2값은 0~1 범위에 있으며, 값이 1에 가까울수록 설명력이 높다.
- 단, R^2값이 높다고 항상 좋은 모형은 아니다. 독립변수의 수가 많아질수록 R^2값은 자연스럽게 증가하므로, 변수 추가 효과를 반영한 수정된 결정계수(Adjusted)를 함께 고려하는 것이 바람직하다.

$$R^2 = \frac{SSR}{SST} = 1 - \frac{SSE}{SST}$$

- SSR: 회귀 제곱합(설명된 변동)
- SSE: 오차 제곱합(설명되지 않은 변동)
- SST: 총 제곱합(전체 변동)

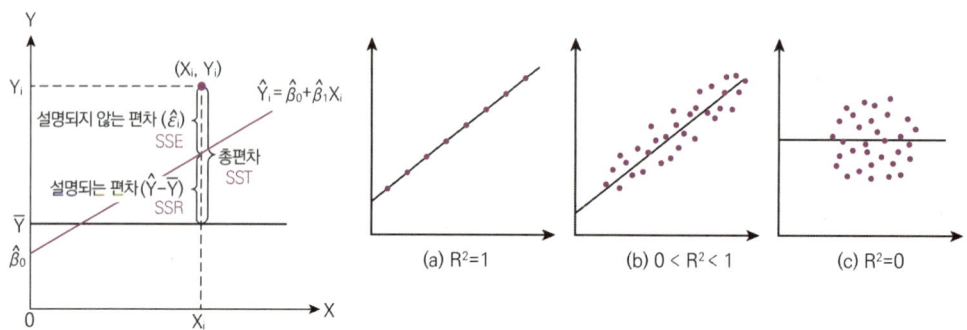

결정계수(R^2)에 따른 회귀모형 적합도 비교

(3) 분산분석의 활용

- 회귀분석에서 분산분석(ANOVA)을 사용하는 이유는 총변동(SST)을 회귀변동(SSR)과 오차변동(SSE)으로 분해할 수 있기 때문이다.
- 이를 통해 모형이 자료를 설명하는 비율(SSR)과 설명하지 못하는 비율(SSE)을 수치로 확인할 수 있다.
- 분산비율(F값)을 구하는 공식은 다음과 같다.

$$MSR = \frac{SSR}{1},\ MSE = \frac{SSE}{n-2},\ F = \frac{MSR}{MSE}$$

- F 값이 F 분포표의 임계값보다 크면, 모형은 통계적으로 유의하다고 판단한다.
- 양측 검정 시:
- 귀무가설(H_0): 회귀계수 = 0(설명력이 없다)
- 대립가설(H_1): 회귀계수 ≠ 0(설명력이 있다)

(4) 회귀분석의 분산분석표 예시(ANOVA Table)

변동(Source)	제곱합(SS)	자유도(df)	평균제곱(MS)	F 비
회귀(Regression)	SSR	1	MSR = SSR/1	MSR/MSE
오차(Error)	SSE	n-2	MSE = SSE/(n-2)	
전체(Total)	SST	n-1		

4 더미변수(Dummy Variable)를 이용한 회귀분석 〔출제유형〕 더미변수의 역할

1) 개요

- 가변수(더미변수)를 이용한 회귀분석은 **명목척도나 범주형 척도**의 자료를 독립변수로 포함하기 위해 **0과 1의 값으로 변환한 변수**를 회귀모형에 투입하는 방법이다.
- 이를 통해 연속형 변수뿐만 아니라 범주형 변수도 함께 고려하여 분석의 폭을 넓힐 수 있다.

2) 가변수(더미변수)의 정의

- 가변수(dummy variable)란 명목변수의 각 범주를 존재 여부에 따라 0과 1로 변환한 변수이다.
- 범주 수가 k−1개의 가변수를 생성하여 모형에 포함한다.
- 마지막 범주는 기준 범주(reference category)로 설정한다.

기출유형 개념잡기

23 회귀분석 설명 중 가장 적절하지 못한 것은? [34회 출제]

① 독립변수와 종속변수의 인과관계가 중요하다.
② 성별과 같이 두 집단으로 분류된 명목형 자료는 회귀분석에서 독립변수로 사용할 수 없다.
③ 잔차와 독립변수의 값이 관련해 있지 않아야 한다.
④ 결정계수는 독립변수가 종속변수를 얼마만큼 설명해 주는지를 의미한다.

정답 ②
해설 범주형 독립변수도 더미변수(dummy variable)로 변환하여 회귀분석에 사용할 수 있다.

---

5 최적 회귀방정식의 선택(독립변수의 선택)

1) 개요

- 반응변수 y와 이에 영향을 미칠 수 있는 여러 설명변수 $x_1, x_2, x_3, ..., x_k$가 있다고 가정한다.
- y의 변화를 회귀방정식으로 설명하기 위해서는 **어떤 설명변수를 포함할 것인지가 중요**하다.
- 설명변수 선택에는 다음 두 가지 상반된 원칙이 존재한다.
  ① 가능한 한 많은 설명변수를 포함하여 예측력을 높인다.
  ② 불필요하게 많은 변수를 포함하면 관리와 해석이 어려워지므로, 가능한 범위 내에서 최소한의 변수만 포함한다.

- 이 두 원칙은 상충 관계(Trade-off)에 있으므로, 상황에 맞게 적절히 타협하여 변수 선택을 해야 한다.

2) 모든 가능한 조합 회귀분석(All Possible Regression)
- 모든 가능한 독립변수들의 조합을 고려하여 각각 회귀모형을 적합시킨 뒤, 적합도 지표를 비교하여 최적 모형을 선택하는 방법이다.
- 주요 적합도 기준은 다음과 같다.
- AIC(Akaike Information Criterion)
- BIC(Bayesian Information Criterion)
- 두 지표 모두 단순히 설명력(결정계수)만을 평가하지 않고, 불필요한 변수가 추가될 경우 **패널티(penalty)를** 부여하여 모형의 단순성과 해석 가능성을 높인다.
- **AIC는 상대적으로 변수 증가에 관대**하고, **BIC는 더 강한 패널티를 적용**하기 때문에 간명한 모형을 선호한다.
- 따라서 실제 분석에서는 AIC는 예측 성능에, BIC는 모형의 해석 용이성에 더 적합한 지표로 활용되는 경우가 많다.
- AIC와 BIC는 값이 **작을수록 더 적합한 모형으로 판단**한다.

3) 단계적 변수 선택(Stepwise Variable Selection) 〔출제유형〕 단계적 변수 선택법의 정의
- 회귀분석에서 최적의 독립변수 집합을 선택하기 위해 사용되는 대표적인 방법은 **전진 선택법, 후진 제거법, 단계적 방법이다.**

(1) 전진 선택법(Forward Selection)
- 시작점: 절편만 포함된 상수 모형에서 시작한다.
- 절차: 후보 변수 중에서 모형에 추가했을 때 설명력이 가장 크게 향상되는 변수를 우선적으로 포함한다.
- 조건: 추가된 변수가 통계적으로 유의할 때만 유지한다.
- 특징: 한 번 추가된 변수는 다시 제거할 수 없다.

(2) 후진 제거법(Backward Elimination)
- 시작점: 모든 독립변수를 포함한 완전 모형에서 시작한다.
- 절차: 기여도가 가장 낮거나 유의하지 않은 변수를 하나씩 제거한다.
- 종료 조건: 더 이상 제거할 변수가 없을 때 멈추고, 그때의 모형을 선택한다.
- 특징: 한 번 제거된 변수는 다시 추가할 수 없다.

(3) 단계적 방법(Stepwise Method)

- 시작점: 전진 선택법과 유사하게 변수를 하나씩 추가하면서 출발한다.
- 절차: 변수가 새롭게 추가될 때마다, 기존 변수들의 유의성도 재검토한다.
- 특징: 새로 들어온 변수 때문에 기존 변수의 중요성이 약화하면 해당 변수를 제거한다.

> **기출유형 개념잡기**
>
> **24** 다음 중 회귀분석에서 변수 선택에 대한 설명으로 가장 부적절한 것은?   [33회 출제]
> ① 전진 선택법은 중요하다고 생각되는 변수를 차례로 모형에 추가한다.
> ② 후진 제거법은 모든 설명변수를 포함한 완전 모형에서 출발하여, 종속변수 설명에 기여도가 가장 낮은 변수부터 순차적으로 제거해 나가는 방식이다.
> ③ 단계별 선택 방법에 따른 결과는 전진 선택법과 후진 제거법의 결과는 항상 일치한다.
> ④ 후진 제거법은 한 번 제거된 변수는 다시 모형에 추가될 수 없다.
>
> 정답 ③
> 해설 전진 선택법과 후진 제거법은 출발점과 변수 선택 절차가 다르기 때문에 결과가 항상 일치하지 않는다.

6 응용 회귀분석

- 다중회귀분석에서는 **독립변수 간 강한 상관관계로 인해 다중공선성(multicollinearity) 문제**가 발생할 수 있다. 이를 해결하기 위해 **능형 회귀(Ridge Regression)** 방법을 사용할 수 있으며, 이외에도 **라쏘(Lasso), 엘라스틱 넷(Elastic Net)**과 같은 기법이 널리 활용된다.
- 이러한 방법들은 공통적으로 **정규화(Regularization)를 통해 모형의 복잡성을 제어**하고, **예측 성능을** 향상 시키는 데 목적이 있다.

1) 정규화 선형회귀

(1) 정규화(Regularization)의 개념 출제유형 편향과 분산의 역할

- 좋은 회귀모형은 학습용 자료(training data)를 잘 설명할 뿐 아니라, 새로운 자료(testing data)에 대해서도 예측 성능을 유지할 수 있어야 한다.
- 예측 오차(MSE)는 크게 두 가지 원인으로 나뉜다.

> MSE = $Bias^2$ + Variance

- Bias(편향): 모형이 단순해서 실제 관계를 제대로 반영하지 못하는 경우
- Variance(분산): 모형이 너무 복잡해서 학습 데이터에 과도하게 맞추는 경우

- 최소제곱법(Ordinary Least Squares, OLS)은 평균 제곱 오차(MSE)를 최소화하는 추정량을 구하는 방식으로, 불편성(Unbiasedness)을 중시한다.
- 그러나 **최소제곱법은 변수 수가 많거나 다중공선성이 존재할 때 과대적합(overfitting)** 문제를 일으켜 새로운 자료에 대한 일반화 성능이 떨어질 수 있다.
- 따라서 새로운 데이터에도 안정적으로 적용되도록, **가중치를 제한하거나 일부를 축소하는 정규화 기법**이 필요하다.

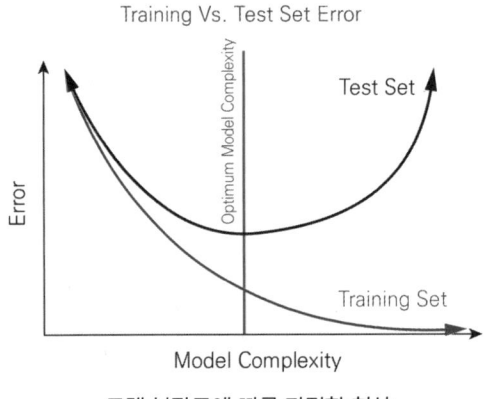

모델 복잡도에 따른 과적합 현상

- 그림에서 보듯이, 단순한 모델은 Bias(편향)가 크지만, Variance(분산)는 작다.
- 복잡한 모델은 Bias는 작아지지만, Variance가 급격히 커진다.
- **정규화 회귀는 가중치(회귀계수)에 패널티(penalty)를 주어**, 불필요하게 **복잡해지는 것을 막고 적정 수준의 복잡도를 유지**하도록 한다.

2) 정규화 선형회귀 모형 〔출제유형〕 정규화 선형회귀 기법 정의

(1) Ridge Regression(릿지 회귀, L2 정규화)

$$\text{릿지 회귀} = RSS + \lambda \sum_{j=1}^{p} \beta_j^2$$

- 릿지 회귀는 **잔차 제곱합(RSS)에 회귀계수의 제곱합(L2 norm)을 패널티로 추가한 형태**이다.
- **계수의 크기를 전체적으로 줄이는 효과**가 있으며, **다중공선성 완화에 특히 유용**하다.
- **변수 선택 효과는 없고**, 모든 변수가 모형에 포함되지만 크기가 축소된다.

(2) Lasso Regression(라쏘 회귀, L1 정규화)

$$\text{라쏘 회귀} = RSS + \lambda \sum_{j=1}^{p} |\beta_j|$$

- 라쏘 회귀는 계수의 절댓값(L1 norm)을 패널티로 추가한다.
- 최적점이 축 모서리에서 발생할 가능성이 크므로, **일부 계수가 정확히 0이 되어 변수 선택 효과를 가진다.** 따라서 불필요한 변수를 제거하고, 해석할 수 있는 모형을 만들 수 있다.

(3) Elastic Net(엘라스틱 넷)

- 엘라스틱 넷은 L1과 L2 패널티를 동시에 적용한 방법이다.
- 릿지의 안정성과 라쏘의 변수 선택 효과를 결합한 기법이다.
- 상관관계가 높은 변수 집합이 있으면, 라쏘는 하나만 선택하지만 엘라스틱 넷은 그룹 단위로 변수를 선택 및 배제할 수 있다.

03 다변량분석

학습목표
여러 현상이나 사건에 대한 측정치를 개별적으로 분석하지 않고, 동시에 한 번에 분석하는 다변량분석(Multivariate Analysis) 기법을 이해한다.

출제경향 및 중요도
① 상관계수 정의 및 유의성 검정 ★★★
② 피어슨 상관계수와 스피어만 상관계수의 차이 ★
③ 다차원척도법의 정의 ★
④ 주성분 분석의 개념 ★★★

1 상관분석(Correlation Analysis)

1) 상관분석의 의의

- 상관분석은 데이터 내의 두 변수 간 관련성을 파악하는 방법이다.
- 상관계수를 측정하는 방법에는 다음이 있다.

(1) 피어슨 상관계수(Pearson correlation coefficient)
(2) 스피어만 상관계수(Spearman rank correlation coefficient)

(3) 켄달의 순위상관계수(Kendall's tau)
- 그러나 일반적으로 "상관계수"라 하면 피어슨 상관계수를 의미한다.

2) 상관분석을 위한 기본 가정

(1) 선형성(Linearity)
- 변수 간의 관계는 직선적이어야 하며, 정(+)적 또는 부(-)적 상관 형태를 보여야 한다.

(2) 등분산성(Homoscedasticity)
- 한 변수의 값이 변할 때 다른 변수의 분산이 일정해야 한다.

(3) 이상치(Outlier) 확인
- 극단값이 존재하면 상관계수가 왜곡될 수 있으므로 제거하거나 보정해야 한다.

(4) 측정 척도
- 피어슨 상관계수는 등간척도나 비율척도에서만 적합하다.
- 서열척도(순서만 있는 자료)의 경우, 피어슨 대신 순위 상관계수(스피어만, 켄달)를 사용해야 한다.

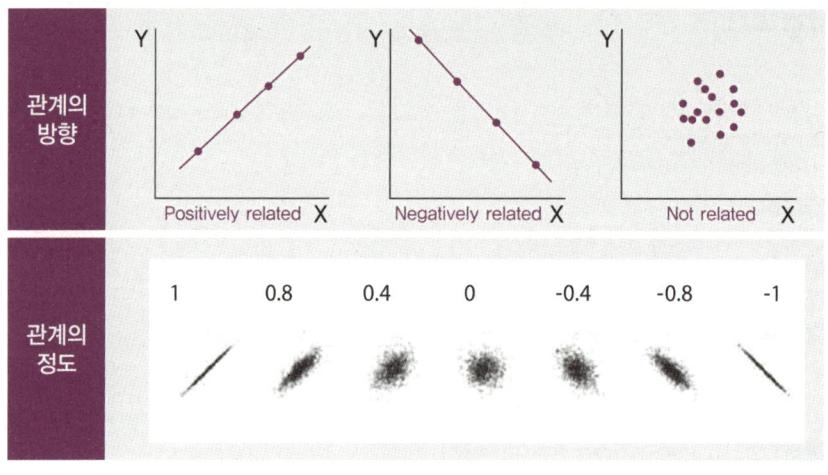

상관분석

3) 상관계수(Correlation Coefficient)

(1) 공분산(Covariance) 출제유형 공분산의 정의
- 두 변수 사이의 상관성을 나타내는 가장 기초적인 지표는 공분산(Covariance)이다.
- 두 변수 X,Y에 대해 공분산은 다음과 같이 정의한다.

$$\text{cov}(X,Y) = E[(X-\mu_X)(Y-\mu_Y)] = E(XY) - E(X)E(Y)$$

- X와 Y가 함께 증가하거나 감소하면 공분산은 양수이다.
- 한쪽은 증가하고 다른 쪽은 감소하면 공분산은 음수이다.
- 단, **공분산은 변수의 측정 단위(scale)에 영향을 받으므로**, 값 자체로 두 변수 간 관계 강도를 해석하기는 어렵다.
- 따라서 측정 단위와 관계없이 두 변수 간 선형적 관련성을 나타낼 수 있는 지표가 필요한데, 이것이 **바로 상관계수이다.**

① 공분산과 독립성의 관계 〈출제유형〉 공분산과 독립성 관계 해석
- 두 확률변수 X,Y가 서로 독립이라면, Cov(X,Y)=0이 항상 성립한다.
- 그러나 공분산이 0이라고 해서 반드시 두 변수가 독립이라고 말할 수는 없다.
- X와 Y가 비선형(곡선) 관계를 가지는 경우, 선형적인 상관성은 없어 공분산이 0이지만, 실제로는 서로 독립이 아니다.
- 공분산은 선형적 관계만을 반영한다는 점을 이해해야 한다.

(2) 피어슨 상관계수(Pearson Correlation Coefficient) 〈출제유형〉 피어슨 상관계수의 해석

- 일반적으로 "상관계수"라 하면 피어슨 상관계수를 의미한다.
- 피어슨 상관계수는 등간척도(interval scale) 또는 비율척도(ratio scale) 자료에 적합하다.
- 공분산을 두 변수의 표준편차로 나누어 표준화한 값으로 정의된다.

$$Corr(X, Y) = \frac{cov(X, Y)}{\sigma_X \sigma_Y},\ -1 \leq Corr(X, Y) \leq 1$$

- 표본 데이터에 대해서는 표본 상관계수 r로 추정한다.

$$r_{XY} = \frac{S_{XY}}{S_X S_Y}$$
(S_X, S_Y : 표본 표준편차, S_{XY} : 표본 공분산)

① 해석
- r=+1: 완전한 정(+)적 선형 관계
- r=-1: 완전한 부(-)적 선형 관계
- r=0: 선형 관계 없음(단, 비선형 관계는 존재할 수 있음)
- |r| 값이 1에 가까울수록 → 강한 상관관계
- |r| 값이 0에 가까울수록 → 약한 상관관계

② 상관계수의 유의성 검정
- 상관계수는 선형적 강도의 크기를 나타내는 지표일 뿐, **통계적 유의성 여부는 별도의 검정을 통해 판단해야 한다.**
- R에서는 cor.test() 함수를 사용하여 상관계수의 유의성을 검정할 수 있다.
- 귀무가설(H_0):상관계수 = 0(두 변수는 선형적으로 관련 없음)
- 대립가설(H_1):상관계수 ≠ 0(두 변수는 선형적으로 관련 있음)

(3) 스피어만 상관계수(Spearman's Rank Correlation Coefficient)
- 스피어만 상관계수는 다음과 같은 상황에서 사용된다.
  ① 두 연속형 변수의 분포가 **정규분포 가정을 심각하게 벗어난** 경우
  ② 두 변수가 **순위척도(ordinal scale) 자료**로 주어진 경우
- 실제 값 대신 자료의 순위(rank)를 이용하여 상관계수를 구한다.
- 값의 범위는 피어슨 상관계수와 동일하게 -1에서 1 사이이다.
- +1: 한 변수의 순위가 증가할 때, 다른 변수의 순위도 일정하게 증가(완전한 정(+) 상관)
- -1: 한 변수의 순위가 증가할 때, 다른 변수의 순위는 일정하게 감소(완전한 부(-) 상관)
- **피어슨 상관계수는 선형적 관계만 측정하는 반면, 스피어만 상관계수는 비선형적인 단조(monotonic) 관계도 포착**할 수 있다.
- **피어슨 상관계수(Pearson)는** 두 변수가 완전히 직선적으로 비례하거나 반비례할 때 ±1 값을 가진다.
- **스피어만 상관계수(Spearman)는** X가 증가할수록 Y도 계속 증가(비선형 곡선이라도) 한다면 ±1 값을 가진다.
- 데이터값 자체가 아니라 순위만 있으면 계산할 수 있으므로, 연속형·이산형·순서형 데이터 모두에 적용할 수 있다.
- 스피어만 상관계수 정의식

> 두 변수 X,Y의 I번째 관측치 순위를 x_i, y_i라 하고, 그 차이를 $d_i = x_i - y_i$라 할 때,
> $\rho = 1 - \dfrac{6\sum d_i^2}{n(n^2-1)}$, n=표본의 크기

4) 상관분석의 절차

(1) 산점도 확인
- 두 변수의 산점도를 그려 대략적인 관계(정(+)적, 부(-)적, 비선형 관계 등)를 시각적으로 확인한다.

(2) 통계량 계산 준비
- 상관계수 계산에 필요한 평균, 분산, 표준편차 등을 구한다.

(3) 상관계수 산출
- 피어슨 상관계수 또는 스피어만 상관계수 등 적절한 상관계수를 계산한다.

(4) 유의성 검정
- 모 상관계수가 0인지 여부를 검정한다. (귀무가설: $\rho=0$, 대립가설: $\rho \neq 0$)

(5) 결정계수 산출
- 상관계수를 제곱하여 결정계수를 구하고, 두 변수 간 설명력을 확인한다.

(6) 결과 해석 및 보고
- 상관계수와 결정계수를 함께 제시하고, 변수 간의 관계 방향·강도·통계적 유의성을 종합적으로 설명한다.

기출유형 개념잡기

25 상관분석에 대한 설명 중 옳은 것은? [34회 출제]
① 스피어만의 상관계수는 비선형관계를 파악하기가 어렵다.
② 피어슨의 상관계수는 -무한대에서 +무한대의 범위를 갖는다.
③ 비율척도일 때 스피어만의 상관계수를 사용한다.
④ 피어슨의 상관계수가 0일 때 서로 선형관계가 없다.

정답 ④

해설
- ① 스피어만 상관계수는 비선형적인 단조(monotonic) 관계를 파악할 수 있다.
- ② 피어슨 상관계수의 값의 범위는 -1에서 +1 사이이다.
- ③ 비율척도(또는 등간척도)일 때는 피어슨 상관계수를 사용하며, 스피어만은 순서형(서열척도) 또는 정규성이 충족되지 않을 때 적합하다.
- ④ 피어슨 상관계수가 0이면 두 변수 간에 선형 관계가 없다는 의미이다.(단, 비선형 관계는 존재할 수 있음에 유의해야 한다.)

> **기출유형 개념잡기**
>
> **26** 다음 중 공분산과 상관계수에 대한 설명 중 올바르지 않은 것은? [34회 출제]
> ① 공분산이 0이라면 두 변수 간에는 아무런 선형 관계가 없음을 의미한다.
> ② 상관분석은 두 변수의 인과관계 성립 여부를 확인할 수 없다.
> ③ 공분산은 측정 단위에 영향을 받지 않는다.
> ④ 상관계수로 변수 간의 유의성을 확인할 수 없다.
>
> 정답 ③
> 해설 공분산은 변수의 측정 단위(scale)에 영향을 받는다.

2 다차원 척도법(MDS, Multidimensional Scaling) [출제유형] 다차원 척도법의 정의 및 기능

1) 개념

- 다차원 척도법(MDS, Multidimensional Scaling)은 **개체 간의 거리(Distance) 또는 비유사성(Dissimilarity) 정보를 활용**하여, 원래의 **고차원 자료를 더 낮은 차원(보통 2차원)**으로 축소해 배치하는 기법이다.
- **차원 축소를 통해** 개체들을 평면상의 점(Spatial configuration)으로 표현함으로써, **자료의 구조를** 시각적으로 드러낼 수 있다.

2) 목적

- MDS의 목적은 복잡한 고차원 자료를 저차원 공간으로 줄여, 개체 간의 유사성·비유사성을 직관적으로 해석하는 데 있다.
- MDS는 **차원 축소(dimensionality reduction) 기법의 하나**로, 주성분 분석(PCA)과 유사하게 고차원 정보를 저차원으로 줄이는 역할을 한다.
- **차원 축소(dimensionality reduction) 과정**에서는 원래의 모든 정보를 그대로 유지할 수 없으므로 **정보 손실(information loss)이 필연적으로 발생**한다.
- 축소된 차원에서 표현되는 개체 간 거리는 원래 고차원 거리와 일부 차이가 생길 수 있으며, 이는 MDS에서 스트레스(Stress) 값으로 측정된다.
- 단, PCA는 변수의 분산을 기준으로 차원을 축소하는 반면, MDS는 개체 간 거리 또는 비유사성을 기준으로 한다는 점에서 차이가 있다.

3) 다차원 척도법(MDS)의 분류

(1) 계량적 다차원 척도법(Metric MDS)
- 구간척도 또는 비율척도 자료에 기반한다.
- n개의 개체와 p개의 특성변수에 대해, **유클리드 거리 행렬을 계산**한다.
- 개체 간의 비유사성 S는 거리 제곱 행렬의 선형함수로 주어지며, 이를 저차원 공간에서 시각적으로 표현한다.

(2) 비계량적 다차원 척도법(Nonmetric MDS)
- 순서 척도 자료에 기반한다.
- 개체 간 거리가 순위로만 주어진 경우, 단조 변환(Monotone transformation)을 통해 순서척도 데이터를 거리 개념과 일치시키고, 이를 바탕으로 MDS를 수행한다.

4) 다차원 척도법(MDS)의 평가지표

(1) 스트레스(Stress) 값
- 스트레스 값은 MDS에서 축소된 차원에서의 거리와 원래 거리(또는 비유사성) 간의 차이 정도를 나타내는 지표이다.
- 즉, 고차원 공간의 거리 구조를 저차원 공간에 얼마나 잘 반영했는지를 평가한다.

(2) 스트레스(Stress) 값의 해석
- 스트레스 값이 작을수록 원래 거리와 축소된 거리 간의 차이가 작다는 의미한다.
- 스트레스 값이 클수록 축소 과정에서 왜곡이 많이 발생했음을 의미한다.
- 스트레스 값은 차원 축소 후 정보 손실 정도를 수치로 나타내는 지표이며, 값이 작을수록 원래 데이터의 거리 구조를 잘 보존했다고 해석할 수 있다.

다차원 척도법 브랜드 포지셔닝(Perceptual Mapping)

> **기출유형 개념잡기**
>
> **27** 변수 간 거리를 측정하여 실제 값을 산출하고, 고차원 데이터를 저차원 공간에 시각화함으로써 데이터 간 유사성을 분석하는 기법은 무엇인가? [43회 출제]
> ① 다차원척도법(Multidimensional Scaling)
> ② 상관분석(Correlation Analysis)
> ③ 회귀분석(Regression Analysis)
> ④ 주성분 분석(Principal Component Analysis)
>
> 정답 ①
> 해설 다차원척도법은 개체 간의 거리(Distance) 또는 비유사성(Dissimilarity)을 활용하여 고차원 데이터를 저차원(주로 2차원) 공간에 배치하는 기법이다.

3 주성분 분석(PCA, Principal Component Analysis)

1) 주성분 분석의 개념 출제유형 주성분 분석의 개념

- 데이터에서 표본 수(n)와 변수(p)가 많아질수록 **전체 구조를 한눈에 파악**하기는 쉽지 않다.
- 표본은 평균이나 분산으로 요약할 수 있지만, **다수의 변수**는 단순 요약이 어렵다.
- Hotelling(1933)은 p개의 변수를 p보다 적은 m개의 상호 독립적인 변수(주성분, Principal Components)로 종합하는 **주성분 분석(PCA)**을 제안하였다.
- 주성분은 기존 변수들의 **선형결합(linear combination)**으로 정의된다.
- 선형 회귀분석이 종속변수와의 잔차 최소화에 초점을 둔다면, **PCA는 정보 손실을 최소화**하거나 **분산(variance)을 최대화하는 방향**으로 주성분을 추출한다.
- 주성분 분석은 **서로 상관된 변수 간의 차원을 축소**하면서도, 데이터의 **변동(variation)**을 가능한 한 많이 보존하는 기법이다.
- 즉, 복잡한 **다차원 데이터를 소수의 요약된 차원으로 줄여 핵심 패턴을 추출**하고, 데이터 구조를 단순화하는 데 유용하다.

2) 주성분의 수학적 특성과 해석

(1) 선형결합의 의미

- 주성분은 원래 변수들의 가중합(비율을 곱해 더한 값)으로 구성된다.
- 예를 들어, PC_1=0.5 × 키 + 0.4 × 몸무게 + 0.1 × 나이와 같이 **여러 변수를 조합**하여 하나의 **새로운 축(주성분)**을 형성한다.
- 이를 통해 다수의 변수를 소수의 주성분으로 요약할 수 있다.

(2) 주성분 간 독립성과 해석상의 한계 〈출제유형〉 주성분 간의 관계 해석

- 주성분은 서로 상관관계가 없는 **독립적 축**으로 구성되어, 각 주성분은 중복되지 않는 고유한 정보를 담는다.
- 그러나 주성분은 여러 변수의 조합으로 만들어진 추상적 개념이므로, **직관적으로 해석하기는** 쉽지 않다.
- 예를 들어, '키·몸무게·나이'에서 형성된 주성분은 "체격 요인" 정도로 이해할 수 있으나, 특정 원변수 하나와 직접적으로 연결해 설명하기는 어렵다.

(3) 고윳값과 고유벡터

① 고유벡터(Eigenvector)
- 어떤 행렬(변환)을 곱했을 때, 방향은 변하지 않고 크기만 변하는 벡터를 말한다.

② 고윳값(Eigenvalue)
- 고윳값은 고유벡터가 선형 변환을 거치면서 크기가 얼마나 확대되거나 축소되는지를 나타내는 비율이다
- 즉, 고유벡터는 방향을 유지하고, **고윳값은 그 크기가 얼마나 변했는지**를 알려준다.

③ PCA에서의 활용
- PCA는 데이터의 분산을 가장 **잘 설명하는 방향(고유벡터)**을 찾고, 그 방향에 따른 **분산의 크기를 고윳값**으로 나타낸다.
- 고윳값은 각 주성분이 설명하는 분산의 크기(중요도)를 의미한다.

3) 주성분 분석이 필요한 이유 〈출제유형〉 주성분 분석의 역할

- 주성분 분석은 **차원의 저주 극복, 복잡성 완화, 시각화 용이성 확보, 정보 보존**이라는 측면에서 데이터 분석에 필요한 기법이다.

(1) 차원의 저주(Curse of Dimensionality)

- 변수가 많아질수록 데이터 구조가 복잡해지고, 분석 과정에서 과대적합(overfitting)이나 계산상의 어려움이 발생한다.

(2) 복잡성 감소와 시각화 용이성

- 상관관계가 높은 변수들을 단순화함으로써 분석의 효율성을 높일 수 있다.
- 또한, 고차원 데이터를 저차원 공간에 투영함으로써 시각적으로 구조를 쉽게 파악할 수 있다.

(3) 차원 축소의 의미
- 차원 축소란 곧 변수의 수를 줄이는 과정을 의미한다.
- 핵심적인 정보만 남기고, 불필요한 변수는 제거하거나 요약하여 단순화한다.

(4) 주성분 분석(PCA)의 역할
- 주성분 분석은 모든 변수를 선형적으로 조합해, 원 데이터를 가장 잘 설명할 수 있는 새로운 변수(주성분)를 추출한다.
- 이를 통해 데이터의 핵심 구조를 단순화하면서도, 가능한 많은 정보를 보존할 수 있다.

4) 주성분 분석의 문제점
- 주성분 분석(PCA)의 주요 문제점 중 하나는 **측정 단위에 따라 분산이 크게 달라**진다는 점이다.
- 변수의 단위가 서로 다를 경우, 결과 해석에 왜곡이 발생할 수 있다.

(1) 표준화하는 경우
- 변수들의 측정 단위가 서로 다른 경우에는 반드시 표준화가 필요하다.
- 이때는 **상관행렬(correlation matrix)**을 기반으로 주성분을 도출한다.
- 표준화를 통해 각 변수의 단위를 제거하여, 변수 간 상대적 중요도를 공정하게 반영할 수 있다.

(2) 표준화하지 않는 경우
- 변수들의 측정 단위가 동일한 경우에는 굳이 표준화할 필요가 없다.
- 이때는 공분산행렬(covariance matrix)을 사용하여 주성분을 도출한다.
- 표준화하지 않으면 원래 단위를 그대로 유지하기 때문에, 자료의 고유한 특성(모집단 특성)을 반영할 수 있다는 장점이 있다.

5) 주성분 분석의 결정 기준 〔출제유형〕 주성분 수의 결정 기준
- 주성분 분석(PCA)은 다수의 변수를 소수의 주성분으로 축약하여 데이터의 차원을 줄이는 기법이다.
- 핵심은 **주성분을 몇 개까지 선택할 것인가를 결정**하는 것이다. 이를 위해 다음과 같은 기준이 활용된다.

(1) 성분들이 설명하는 분산의 비율
- 각 주성분이 설명하는 분산의 크기를 비율로 나타낸다.

- 누적 분산 비율(cumulative variance ratio)을 확인하여, 전체 데이터의 변동 중 몇 %를 설명하는지 판단한다.
- 일반적으로 주성분들이 설명하는 **총 분산 비율이 70~90% 수준이 되도록 주성분의 개수를 선택**한다.

(2) 고윳값(Eigenvalue)
- 각 주성분의 중요도를 나타내는 값으로, **고윳값이 클수록 더 많은 분산을 설명**한다.
- Kaiser 기준에 따르면, **고윳값이 1보다 큰 주성분만 선택**한다.

(3) 스크리 도표(Scree Plot)
- 고윳값을 크기 순으로 나열한 그래프이다.
- 그래프에서 **고윳값이 급격히 감소**하다가 일정하게 **완만해지는 지점을 팔꿈치(elbow) 지점**이라고 하며, 이 지점까지의 주성분만 선택하는 것이 적절하다.
- 이후의 주성분은 추가적인 정보 제공량이 미미하므로 분석에서 제외한다.

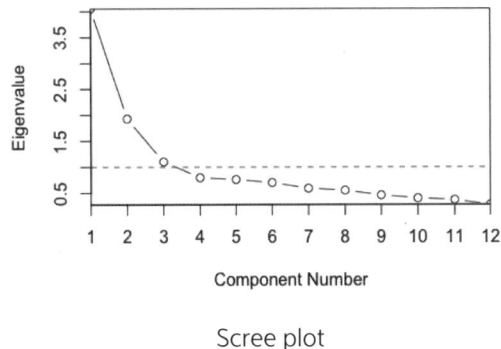

Scree plot

6) 주성분 분석의 해석

```
> head(USArrests,3)
        Murder  Assault  UrbanPop  Rape
Alabama  13.2    236       58      21.2
Alaska   10.0    263       48      44.5
Arizona   8.1    294       80      31.0
> fit<-prcomp(USArrests,scale=TRUE)
> summary(fit)
Importance of components:
                          PC1     PC2     PC3      PC4
Standard deviation      1.5749  0.9949  0.59713  0.41645
Proportion of Variance  0.6201  0.2474  0.08914  0.04336
Cumulative Proportion   0.6201  0.8675  0.95664  1.00000
```

(1) USArrests 데이터
- 미국 50개 주의 범죄 통계 데이터
- 변수: Murder(살인), Assault(폭행), UrbanPop(도시 인구 비율), Rape(강간)
- 각 변수의 측정 단위와 값의 크기가 서로 다르다.

(2) prcomp() 함수
- R에서 주성분 분석(PCA)을 수행하는 함수

(3) scale = TRUE 옵션
- 변수를 표준화(Standardization)하는 역할
- 각 변수의 평균을 0, 표준편차를 1로 맞춘 뒤 PCA 수행

(4) Standard deviation(표준편차)
- 각 주성분(PC: Principal Component)의 표준편차
- 값이 클수록 그 주성분이 데이터 변동을 많이 담고 있다.

(5) Proportion of Variance(설명 분산 비율)
- 각 주성분이 데이터의 총 분산 중 얼마나 설명하는지 비율로 나타낸다.
- PC1: 62.0% 설명
- PC2: 24.7% 설명

(6) Cumulative Proportion(누적 설명 분산)
- 주성분을 차례대로 포함했을 때, 총 분산을 얼마나 설명하는지 누적 비율.
- 몇 개의 주성분을 사용할지 결정할 때 활용
- 전체 데이터 변동의 **대부분은 PC1과 PC2가 합쳐서 약 87%를 설명**한다.
- 따라서 실제 분석이나 시각화에서는 PC1과 PC2만 사용해도 충분히 원데이터 구조를 반영할 수 있다.
- PC3와 PC4는 설명력이 낮아, 보조적 해석에만 쓰인다.

7) 주성분의 적재량(Loadings) [출제유형] 주성분 분석의 적재량 의미
- 적재량(loadings)은 원래 변수들이 각 주성분에 기여하는 정도를 나타내는 값이다.
- 수학적으로는 주성분을 형성하는 선형결합의 계수이며, 고유벡터(eigenvector)의 원소에 해당한다.

```
Rotation (n x k) = (4 x 4):
                PC1        PC2         PC3         PC4
Murder    -0.5358995 -0.4181809  0.3412327  0.64922780
Assault   -0.5831836 -0.1879856  0.2681484 -0.74340748
UrbanPop  -0.2781909  0.8728062  0.3780158  0.13387773
Rape      -0.5434321  0.1673186 -0.8177779  0.08902432
```

(1) PC1(62% 설명력)

- Murder(-0.54), Assault(-0.58), Rape(-0.54)가 모두 큰 음의 값
- UrbanPop(-0.28)도 음의 방향이지만 기여도는 상대적으로 낮음
- 따라서 PC1은 주로 폭력 범죄(살인, 폭행, 강간)를 강하게 반영하는 요인으로 해석할 수 있음

(2) PC2(25% 설명력)

- UrbanPop의 적재량은 0.87(큰 양수)로, 도시 인구 비율을 가장 강하게 반영하는 주성분임을 알 수 있다.
- 반면, Murder(-0.42)와 Assault(-0.19)는 음의 방향으로 기여도가 상대적으로 낮다.
- 따라서 PC2는 도시화 수준을 대표하는 요인으로 해석할 수 있다.

기출유형 개념잡기

28 주성분 분석(PCA)의 내용 중 가장 적절하지 않은 것은? [34회 출제]

① 회귀분석의 다중공선성 문제 해결을 위해 사용한다.
② 서로 상관성이 높은 변수를 선형 결합하여 변수를 축소, 해석상 구조적 문제 해결을 위해 사용한다.
③ 고차원의 데이터를 저차원으로 축소하여 이상치 탐색에 사용할 수 있다.
④ 주성분 분석은 목표변수를 고려하여 목표변수를 잘 예측하거나 분류할 수 있는 선형결합을 찾는 데 목적이 있다.

정답 ④

해설 PCA의 목적은 목표변수 예측이나 분류가 아니라, 데이터의 분산을 가장 잘 설명하는 새로운 축(주성분)을 찾는 것이다.

> **기출유형 개념잡기**
>
> **29** 주성분 분석에서 주성분 개수를 선택할 때 고려하지 않아도 되는 것은? [33회 출제]
> ① 공분산 행렬을 사용하는 경우, 고윳값이 1보다 큰 주성분의 수를 사용한다.
> ② 누적 기여율이 70~90%가 되도록 주성분의 개수를 선택한다.
> ③ 개별 고윳값의 분해 가능 여부를 고려하여 선택한다.
> ④ 각각의 주성분은 상관관계가 있는 기존 변수들의 선형결합으로 이루어진다.
>
> 정답 ③
> 해설 주성분 개수 결정 시 "개별 고윳값의 분해 가능 여부"는 고려하지 않는다.

04 시계열 예측

학습목표
시계열 분석을 위한 정상성과 시계열 모형 식별 및 분해 시계열을 이해한다.

출제경향 및 중요도
① 정상성 개념 ★★
② 비정상 시계열 전환 방법 ★
③ 시계열 모형 식별 ★★
④ 분해 시계열 ★★★

1 시계열 예측의 개요

1) 시계열 자료의 정의

- 시계열 자료(Time-series Data)란 시간의 흐름에 따라 일정 간격으로 관측된 데이터를 의미한다.

2) 시계열 분석의 필요성

- 시계열 분석은 과거 데이터를 바탕으로 패턴(추세, 계절성, 순환, 불규칙 변동)을 파악하고, 이를 활용하여 미래값을 예측하는 데 목적이 있다.
- 단순한 기술통계를 넘어, 시간적 의존성(autocorrelation)을 고려한다는 점에서 일반적인 회귀분석과 구별된다.

2 ▶ 정상성(Stationarity) [출제유형] 정상성의 정의

- 정상성(Stationarity)이란 시계열 자료의 수준과 분산에 **체계적인 변화가 없고**, 일정한 **주기적 변동도 나타나지 않는 상태를 의미**한다. 즉, 미래의 확률적 특성이 과거와 동일하게 유지된다고 가정할 수 있는 성질이다.

1) 정상성의 3가지 조건

- 정상 시계열은 다음 세 가지 조건을 모두 만족해야 한다.
  (1) 평균 불변성: 평균값이 시간 t에 관계없이 일정하다.
  (2) 분산 불변성: 분산값이 시간 t에 관계없이 일정하다.
  (3) 공분산 불변성: 공분산이 시간 t 자체에는 의존하지 않고, 오직 두 시점 간의 시차, lag에만 의존한다.
- 위 조건 중 하나라도 만족하지 못하면 비정상 시계열(Non-stationary series)이라고 한다.
- 실제로 대부분의 시계열 자료는 추세나 계절성이 포함된 비정상 시계열에 해당한다.
- 따라서 분석을 위해서는 차분(differencing), 로그 변환 등의 방법을 통해 정상성을 확보하는 과정이 필요하다.

3 ▶ 정상성을 위한 시계열 변환 방법 [출제유형] 정상성을 위한 시계열 변환 방법

- 비정상 시계열 자료는 정상성(Stationarity)을 만족하도록 변환한 후 분석을 수행해야 한다. 이를 위해 다음과 같은 방법들이 사용된다.

1) 이상점(Outlier) 및 개입(Intervention) 처리

- 시계열 그림을 통해 이상점이나 개입 여부를 먼저 확인한다.
- 이상점: 일반적으로 해당 값을 제거하거나 대체한다.

2) 차분(Differencing)

- 시계열의 평균이 일정하지 않을 경우, 차분(differencing)을 수행한다.
- 차분은 현재 시점 값에서 바로 이전 시점 값을 빼는 방식이다.
- 1차 차분으로 정상성이 확보되지 않으면 2차 차분을 고려할 수 있다.

3) 계절 차분(Seasonal Differencing)
- 계절성이 존재하는 경우, 주기(lag)에 해당하는 값과의 차이를 계산한다.
- 예 월별 데이터의 경우 12시점 전 값과의 차이를 취함 → 12차 계절 차분

4) 분산 안정화 변환(Variance Stabilizing Transformation)
- 시계열의 분산이 일정하지 않은 경우, 데이터에 변환을 가한다.
- 대표적인 방법은 자연로그 변환(log transformation)이며, 필요에 따라 제곱근(sqrt) 또는 Box-Cox 변환을 적용하기도 한다.

4 시계열 분석 방법

- 시계열 자료를 분석하는 대표적인 기법에는 시계열 요소 분해법, 평활법, 회귀분석법, ARIMA 모형법 등이 있다.

1) 시계열 요소 분해법
- 시계열 자료는 일반적으로 **추세(Trend)**, **계절(Seasonality)**, **순환(Cycle)**, **불규칙(Irregularity)**의 네 가지 요인으로 구성된다.
- 시계열 요소 분해법은 이러한 요인들을 구분하여 자료의 구조를 시각적으로 분석하는 방법이다.

2) 평활법(Smoothing Method) 출제유형 이동 평균법과 지수 평활법의 정의
- 평활법은 시계열 자료의 불규칙한 변동을 제거하여 체계적인 흐름(추세)을 파악하는 기법이다.
- 작은 잡음을 제거하고 곡선을 부드럽게 하여, 자료의 패턴을 명확히 드러낸다.

(1) 이동 평균법(Moving Average)
- 일정 기간의 자료를 평균하여 이동시킴으로써 추세를 파악하는 방법이다.
- 계절 변동과 불규칙 변동을 제거하고, **추세와 순환 변동**을 중심으로 분석할 수 있다.
- 자료 수가 많고 비교적 안정적인 패턴을 보일 때 효과적이다.

(2) 지수 평활법(Exponential Smoothing)
- 전체 자료를 고려하되, **최근 자료**에 더 **큰 가중치**를 부여하여 평균을 계산한다.
- 새로운 정보에 민감하게 반응할 수 있어 단기 예측에 유리하다.

3) ARIMA 모형법

- 시계열 모형은 정상성 여부에 따라 다음과 같이 구분된다.

(1) 정상 시계열 모형

- AR(자기회귀, Autoregressive)
- MA(이동평균, Moving Average)
- ARMA(자기회귀 · 이동평균 혼합 모형)
  → 이들 모형은 정상성을 만족하는 시계열을 대상으로 한다.

(2) 비정상 시계열 분석 모형

- ARIMA(자기회귀누적이동평균, Autoregressive Integrated Moving Average)
  → 비정상 시계열을 **차분(differencing)**하여 정상성을 확보한 뒤 ARMA 모형을 적용**하는 방식**이다.
- ARIMA 모형 분석 절차는 식별 → 추정 → 진단의 세 단계로 이루어진다.

5 시계열 모형 〔출제유형〕 AR, MA, ARIMA 모형 식별 차이점

1) 자기회귀모형(AR, AutoRegressive)

- 자기회귀모형(AR)은 **시계열 자료가 과거 자신의 값에 의해 설명되는 구조**를 가지며, 이러한 특성 때문에 Autoregressive라는 이름이 붙여졌다.
- 즉, **현재 시점의 값이 일정 시점(p) 이전의 값들에 의해 설명**될 수 있으며, 이를 AR(p) 모형이라고 한다.

(1) AR(p) 모형의 일반식

$$Y_t = c + \phi_1 Y_{t-1} + \phi_2 Y_{t-2} + \ldots \phi_p Y_{t-p} + a_t$$

- Y_t: 현재 시점의 시계열 값
- $Y_{t-1}, Y_{t-2} \cdots, Y_{t-p}$: 과거 p시점 전의 값
- ϕ_i: 과거 값이 현재에 미치는 영향(계수, 파라미터)
- c: 상수항(절편)
- a_t: 백색잡음(평균 0, 분산 일정, 독립적 분포를 가지는 오차항)

(2) AR(1) 모형

- 가장 단순한 형태는 AR(1) 모형이다.
- 현 시점의 값이 1시점 전 값과 백색잡음의 가중합으로 설명된다.

- AR 모형은 "현재 값이 과거 몇 시점까지 영향을 받는가"를 설명한다.
- 과거 1시점만 영향을 받으면 AR(1), 과거 2시점까지 영향을 받으면 AR(2)모형이라 한다.

(3) 모형 식별 방법

- AR 모형 여부를 판별하기 위해 **자기상관함수(ACF)와 부분자기상관함수(PACF)를 활용**한다.
- **ACF**: 지수적으로 감소하거나 진동하면서 서서히 감소한다.
- **PACF**: 특정 시차(p)까지 유의하다가, p 이후부터 급격히 감소하여 절단(cut-off)된 형태이다.
- 이러한 패턴이 나타날 경우, 해당 시계열은 AR(p) 모형으로 식별된다.

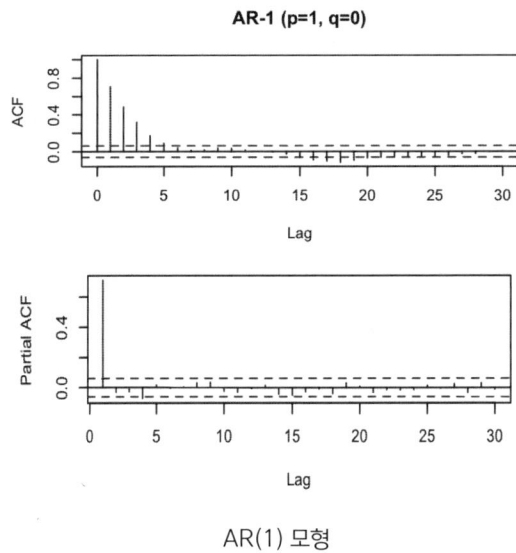

AR(1) 모형

2) 이동평균모형(MA, Moving Average)

- 이동평균모형은 **현 시점의 자료를 유한개의 백색 잡음(오차항)의 선형 결합으로 표현하는 모형**이다.
- 이 때문에 항상 정상성을 만족하므로, 별도의 **정상성 가정이 필요하지 않다**.

(1) MA(q) 모형의 일반식

$$Y_t = a_t + \theta_1 a_{t-1} + \theta_2 a_{t-2} + \dots + \theta_p a_{t-p}$$

- Y_t: 현재 시점의 시계열 값
- a_t: 백색잡음(평균 0, 분산 일정, 독립적 분포를 가지는 오차항)
- θ_i: i시차 전 백색잡음이 현재 값에 미치는 영향

(2) MA(1) 모형

- 가장 단순한 형태인 MA(1) 모형은 현 시점의 백색 잡음과 바로 전 시점의 백색 잡음의 선형 결합으로 구성된다.

(3) 모형 식별 방법

- 자기회귀모형(AR)과 반대로, 이동평균모형은 다음과 같은 식별 특성을 가진다.
- 자기상관함수(ACF): 시차 p + 1 이후 급격히 0이 되어 절단(cut-off)되는 형태이다.
- 부분자기상관함수(PACF): 시차가 증가할수록 점진적으로 감소한다.
- ACF와 PACF의 패턴을 통해 해당 시계열이 MA(p) 모형인지를 식별할 수 있다.

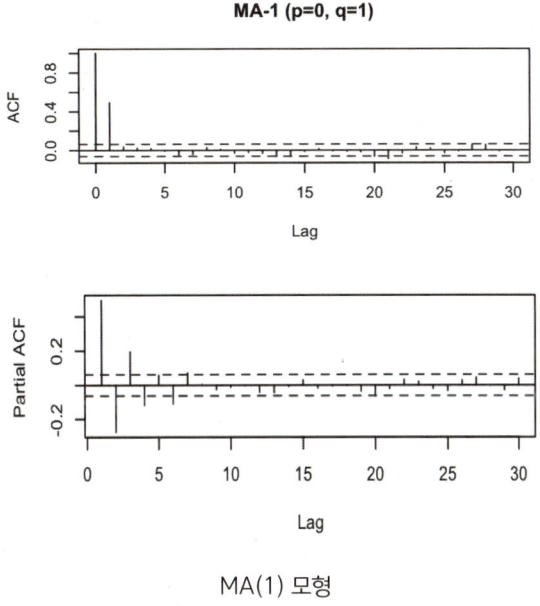

MA(1) 모형

> **용어 정리** 백색잡음(White Noise) / **출제유형** 백색잡음의 특징
> - 백색잡음은 시계열 분석에서, 분석 모형이 잘 적합 되었을 때 남는 잔차(residuals)가 가지는 확률적 특성을 말한다.
> - 즉, 모형이 설명하지 못하는 부분이 완전히 무작위적이고 독립적인 확률변수로 나타날 때, 이를 백색잡음이라고 한다.

3) ARMA모형(자기회귀이동평균 모형)

- 시계열 자료가 AR 모형(자기회귀)과 MA 모형(이동평균)의 특성을 동시에 가지는 경우가 많다.
- 이때 단순히 AR 모형이나 MA 모형만으로 설명하려고 하면 차수(p, q)가 커져 추정해야 할 모수의 수가 늘어나고, 추정의 효율성이 떨어질 수 있다.

- 따라서 AR 모형과 MA 모형을 결합하여 구성한 일반화된 모형을 **ARMA(p, q) 모형**이라 한다.

(1) 자기상관함수와 부분자기상관함수를 통한 모형 식별

```
> Nile.diff1<-diff(Nile,differences = 1)
> Nile.diff2<-diff(Nile,differences = 2)
> acf(Nile.diff2,lag.max = 20)
> acf(Nile.diff2,lag.max=20,plot=FALSE)

Autocorrelations of series 'Nile.diff2', by lag
    0      1      2      3      4      5      6      7      8      9     10     11
1.000 -0.626  0.100  0.067 -0.072  0.017  0.074 -0.192  0.245 -0.079 -0.153  0.183
   12     13     14     15     16     17     18     19     20
-0.106  0.062  0.010 -0.096  0.134 -0.134  0.091 -0.030  0.003
> pacf(Nile.diff2,lag.max = 20)
> pacf(Nile.diff2,lag.max=20,plot=FALSE)

Partial autocorrelations of series 'Nile.diff2', by lag
    1      2      3      4      5      6      7      8      9     10     11     12
-0.626 -0.481 -0.302 -0.265 -0.273 -0.112 -0.353 -0.213  0.038 -0.120 -0.117 -0.197
```

① ACF(자기상관함수) 결과
- Lag=1: -0.626으로 강한 음의 상관을 보임
- Lag=2 이후: 대부분 ±0.2 내외로 작고, 빠르게 소멸
- **MA(1) 모형의 특징과 유사**

② PACF(부분자기상관함수) 결과
- Lag=1~8: 신뢰구간을 벗어난 음의 값들이 나타남
- Lag=9 이후: 값이 작아지며 급격히 감소
- **AR(8) 모형의 특징과 유사**

③ 최종 모형 선택
- Nile 데이터(2차 차분)는 AR(8), MA(1), 또는 ARMA 혼합 모형의 후보로 고려할 수 있다.
- 그러나 ACF와 PACF 해석만으로 확정할 수 없으므로, 추정과 진단을 거쳐 최적 모형을 선택해야 한다.

4) ARIMA 모형(자기회귀누적이동평균 모형) 〔출제유형〕 ARIMA p,d,q의 의미

- 실제 많은 시계열 자료는 **비정상성**을 띠므로, 이를 **정상화하기** 위해 **차분(differencing) 변환**을 적용한다.
- 이렇게 정상화된 자료에 ARMA 모형을 적용하는 형태를 **ARIMA(p, d, q)** 모형이라 한다.

(1) ARIMA(p, d, q)의 의미
- p: AR(자기회귀) 차수
- d: 차분(differencing) 횟수
- q: MA(이동평균) 차수

(2) 특수한 형태
- p=0 → IMA(d, q)모형
- q=0 → ARI(p, d)모형
- d=0 → ARMA(p, q)모형

6 분해 시계열

1) 분해 시계열 정의 〔출제유형〕 분해시계열의 요인 정의

- 분해 시계열은 시계열 자료에 영향을 주는 여러 요인을 각각 분리하여 분석하는 방법이다.
- 이를 통해 시계열을 구성하는 주요 패턴을 파악하고, 예측 모형을 더 정교하게 설정할 수 있다.
- 일반적 분해식

$$Y_t = f(T_t, S_t, C_t, I_t)$$

T_t: 추세 요인(Trend factor)
S_t: 계절 요인(Seasonal factor)
C_t: 순환 요인(Cyclical factor)
I_t: 불규칙 요인(Irregular factor)
f: 미지의 함수(가법모형 또는 승법모형으로 설정 가능)

(1) 추세 요인(Trend factor)
- 시계열 자료가 장기적으로 증가하거나 감소하는 전반적 흐름을 의미한다.
- 선형적 추세뿐만 아니라 이차식, 지수적 형태 등 다양한 패턴으로 나타날 수 있다.

(2) 계절 요인(Seasonal factor)
- 계절·분기·월별 등 **고정된 주기에 따라 반복적으로 나타나는 변동** 요인이다.
- 예 여름철 전력 사용량 증가, 연말 소비 증가

(3) 순환 요인(Cyclical factor)
- 일정한 경제적·사회적·자연적 원인에 의해 장기적인 주기를 가지고 변동하는 요인이다.
- 경기 순환, 장기 기후 변화 등이 이에 해당한다.
- 계절 요인과 달리, 그 **주기가 일정하지 않을 수 있음에 주의**해야 한다.

(4) 불규칙 요인(Irregular factor)
- **추세, 계절, 순환 요인으로 설명되지 않는** 우발적·예측 불가능한 요인을 말한다.
- 회귀분석에서의 오차항(error term)과 유사한 개념으로, 자연재해, 사고, 돌발 이벤트 등이 포함된다.

2) 분해 시계열의 시각화 해석

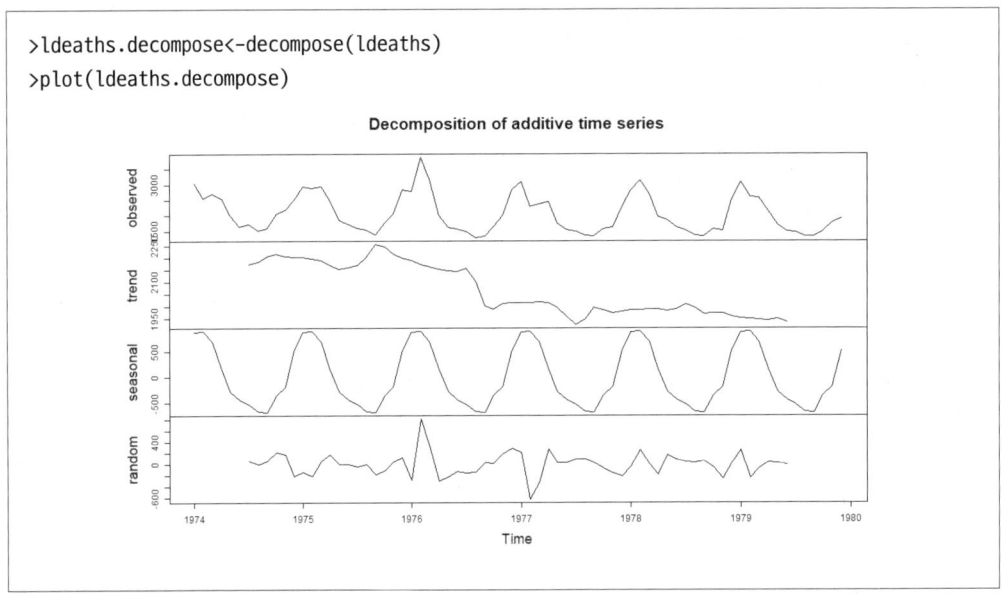

(1) Observed(관측값, 최상단 그래프)
- 실제 시계열 데이터의 모습.
- 전체적으로 주기적인 파동과 점진적 변화가 동시에 나타남

(2) Trend(추세 요인, 두 번째 그래프)

- 장기적인 증가·감소 경향을 보여줌.
- 관측 데이터에서 불규칙성과 계절성을 제거하고 남은 전반적 흐름.
- 그림에서는 1975년 이후 완만히 감소하는 추세가 나타남.

(3) Seasonal(계절 요인, 세 번째 그래프)

- 일정한 주기를 가진 반복적인 패턴.
- 연도별로 거의 동일한 주기와 진폭을 보임.

(4) Random(불규칙 요인, 최하단 그래프)

- 추세와 계절 요인으로 설명되지 않는 우발적 변동.
- 특정 시점(1976년경)에 급격한 이상치가 나타남.
- 이는 자연재해, 정책 변화, 돌발 이벤트 등 설명 불가능한 외부 충격에 해당.

기출유형 개념잡기

30 다음 중 시계열 분석에 대한 설명으로 가장 적절하지 않은 것은? [38회 출제]

① 지수평활법은 전체 시계열 자료를 활용하되, 최근 관측치에 더 큰 가중치를 부여하는 방법이다.
② 자기회귀모형은 자기상관함수가 점차적으로 감소하고, 부분자기상관함수는 특정 시점에서 절단되는 특징을 가진다.
③ 계절성을 지닌 비정상 시계열은 계절차분을 통해 정상 시계열로 변환할 수 있다.
④ 이동 평균법은 시계열 자료에서 불규칙 변동을 제거하여 계절변동과 추세변동, 순환변동만 갖는 시계열로 변환하는 방법이다.

정답 ④

해설 이동 평균법은 시계열 자료에서 계절 변동과 불규칙 변동을 제거하여, 추세 변동과 순환 변동만 남기는 방법이다.

기출유형 개념잡기

31 정상성에 대한 설명 중 적절하지 않은 것은? [34회 출제]

① 공분산은 시간 t에 의존하지 않고, 오직 시차에만 의존한다.
② 정상성이란 시계열의 수준과 분산에 체계적인 변화가 없고, 엄밀하게 주기적 변동이 없음을 의미한다.
③ 분산은 시간 t와 관계없이 일정하다.
④ 지수평활법은 최근 시계열에 평균을 구해 미래를 예측하는 방법이다.

정답 ④

기출유형 개념잡기

32 다음 중 시계열 데이터에 대한 설명으로 올바르지 않은 것은?

① 시계열 데이터의 모델링은 다른 분석 모형과 마찬가지로 탐색 목적과 예측 목적으로 나눌 수 있다.
② 짧은 기간의 주기적인 패턴을 계절 변동이라 한다.
③ 잡음(noise)은 무작위적인 변동이지만, 일반적으로 그 원인은 알려져 있다.
④ 시계열 분석의 주요 목적은 외부 인자와 관련된 계절적 패턴이나 추세와 같은 요소를 설명할 수 있는 모형을 결정하는 것이다.

정답 ③
해설 잡음(noise)은 무작위적이고 원인을 알 수 없는 변동을 의미한다.

8장 정형 데이터 마이닝

01 데이터 마이닝

학습목표
데이터 마이닝의 프로세스와 주요 기능을 이해한다.

출제경향 및 중요도
① 데이터 마이닝 정의 ★
② 데이터 마이닝 기능 분류 ★
③ 지도 학습(Supervised)과 비지도 학습(Unsupervised)의 특징 ★
④ 데이터 마이닝 추진 5단계 ★

1 데이터 마이닝 개요

1) 정의
- 데이터 마이닝(Data Mining)이란 데이터베이스(Database), 데이터웨어하우스(Data Warehouse), 데이터 마트(Data Mart) 등 **데이터 저장소에 축적된 방대한 데이터로부터 의사결정에 유용한 정보를 발견하는 일련의 과정**을 의미한다.

2) 활용 분야
- **데이터베이스 마케팅(Database Marketing)**: 데이터 분석을 통해 획득한 정보를 활용하여 마케팅 전략을 수립
- **신용평가(Credit Scoring)**: 신용 거래 시 대출 한도 및 신용 등급을 평가
- **생물정보학(Bioinformatics)**: 지놈(Genome) 프로젝트 등으로부터 얻은 유전자 정보를 분석하여 가치 있는 정보 추출
- **텍스트 마이닝(Text Mining)**: 전자우편, 신문 기사 등 디지털화된 문서에서 유용한 정보를 발견
- **부정행위 적발(Fraud Detection)**: 금융·거래 데이터에서 사기 행위를 탐지할 수 있는 패턴 식별

2 데이터 마이닝 6가지 기능 〔출제유형〕 데이터마이닝 분류와 기술 기능의 정의

1) 분류(Classification)
- 분류는 새롭게 나타난 현상을 검토하여 **기존에 정의된 집합에 배정**하는 것을 의미한다.
- 사람들은 현상을 이해하기 위해 사실들을 분류하고, 범주화하고, 등급으로 나누는 활동을 지속적으로 수행한다.
- 예 생물을 문·종·속으로 나누거나, 물질을 요소별로 구분하거나, 사람을 인종별로 나누는 것.
- 대표 기법: 의사결정나무(Decision Tree), 메모리 기반 추론(Memory-based Reasoning)

2) 추정(Estimation)
- 추정은 **연속형 변수의 값을 예측**하는 데 사용된다.
- 분류가 '예/아니오'처럼 결과를 이산적으로 구분한다면, 추정은 '수입, 수준, 신용카드 잔고'처럼 **연속된 변수의 값**을 예측한다.
- 즉, 주어진 입력 데이터를 사용하여 알려지지 않은 결과값을 추정한다.
- 대표 기법: **신경망 모형(Neural Network Model)**.

3) 예측(Prediction)
- 예측은 **미래의 양상이나 값을 추정**하는 점에서 분류·추정과 유사하다.
- 입력 데이터의 특성에 따라 **장바구니 분석(Market Basket Analysis), 의사결정나무, 신경망** 등이 활용된다.

4) 연관분석(Association Analysis)
- 연관분석은 '같이 팔리는 물건'처럼 **아이템 간의 연관성**을 발견하는 기법이다.
- 대표적 기법: 장바구니 분석(Market Basket Analysis)

5) 군집(Clustering)
- 군집은 분류와 달리, **사전 정의된 기준 없이 데이터 간의 유사성**에 따라 그룹화하고, 이질성에 따라 세분화하는 방법이다.
- 주로 데이터 마이닝의 사전 단계나 모델링 준비 단계로 활용된다.

6) 기술(Description)
- 데이터가 가지고 있는 의미를 단순히 설명하는 것도 데이터 이해에 중요하다.
- 훌륭한 기술은 데이터가 암시하는 바를 해석하고, 설명에 대한 답을 제공할 수 있다.

3 ▶ 데이터 마이닝 분석 유형

1) 정의

- 데이터 분석 모형이란, 주어진 데이터를 체계적으로 분석하기 위해 설정된 **수학적·통계적· 알고리즘적 틀**을 의미한다.
- 즉, 데이터를 통해 **의사결정에 유용한 패턴, 관계, 예측 결과**를 도출하기 위해 **구축된 분석의 구조와 방법론**이다.

구분	모형화 유형	내용	적용 기법
활용목적	기술적 모형화	• 주어진 데이터를 설명할 수 있는 **패턴**을 발견하는 것이 목적	연관규칙(Association Rule), 군집분석(Clustering)
	예측 모형화	• 주어진 데이터에 근거하여 **모형을 만들고**, 이를 활용해 새로운 입력 자료의 결과를 예측하는 것이 목적	분류(Classification), 예측(Prediction)
목표변수 유무	비지도 학습	• 목표변수(Target)가 없음. 입력 변수 중심으로 데이터 간의 **연관성·유사성**을 분석	연관규칙, 군집분석
	지도 학습	• 목표변수(Target)가 정해져 있으며, 입력 변수와 목표변수 간의 관계를 학습	의사결정나무(Decision Tree), 인공신경망(ANN), 로지스틱 회귀분석

> **기출유형 개념잡기**
>
> **33** 다음 중 목표변수가 범주형인 경우 예측 모형의 주목적으로 가장 적절한 것은? [13회 출제]
> ① 연관분석　　　　　　　　② 분류
> ③ 시뮬레이션　　　　　　　④ 최적화
>
> **정답** ②
> **해설** • 분류(Classification)는 목표변수(Target Variable)가 범주형일 때 적용되는 대표적인 예측 모형 기법이다.
> • 새로운 데이터를 입력하면 해당 데이터가 어느 범주(Class)에 속하는지 분류한다.

4 ▶ 데이터마이닝 추진 단계

1) 개요

- 데이터마이닝 추진 5단계는 **분석 목적을 명확**히 한 뒤 **데이터를 정제·가공**하고, **적절한 기법**을 적용하여 **결과를 검증**한 후 실무에 활용하는 데 필요한 절차이다.

2) 데이터 마이닝 세부 추진 5 단계 출제유형 데이터 마이닝의 프로세스 순서 및 가공의 정의

(1) 목적 정의(Goal Definition)
- 데이터 마이닝 도입 목적을 명확히 설정하는 단계
- 분석 목표, 활용 영역, 기대 성과를 구체화

(2) 데이터 준비(Data Preparation)
- 필요한 데이터를 수집하고 정제하여 품질을 확보
- 결측치 처리, 오류 수정, 데이터 보강 등 수행

(3) 데이터 가공(Data Processing)
- **분석 목적에 맞게 데이터를 변환하고 구조화**
- **목적 변수 정의, 포맷 변환, 분석 환경 구축**

(4) 데이터 마이닝 기법 적용(Modeling)
- 정의된 목적에 따라 적합한 알고리즘을 선택·적용
- 분류, 군집, 연관분석 등 기법을 활용하여 모델 개발

(5) 검증(Evaluation & Deployment)
- 결과 모델의 타당성과 신뢰성을 평가
- 테스트 마케팅, 과거 데이터 활용 검증
- 자동화 및 실무 적용 방안 마련

기출유형 개념잡기

34 데이터 마이닝 수행 단계의 순서로 적절한 것은? [35회 출제]

(가) 목적 정의
(나) 데이터 준비
(다) 데이터 가공
(라) 데이터 마이닝 기법 적용
(마) 검증

① 가-나-다-라-마 ② 가-다-나-라-마
③ 가-나-라-다-마 ④ 가-나-다-마-라

정답 ①

해설 데이터 마이닝 수행 단계는 목적 정의 → 데이터 준비 → 데이터 가공 → 기법 적용 → 검증 순으로 진행되므로 정답은 ①이다.

02 모형 평가

> **학습목표**
> 혼동행렬(Confusion Matrix)을 활용한 분류 모형의 다양한 평가지표를 이해한다.

> **출제경향 및 중요도**
> ① 혼동 행렬(Confusion Matrix)를 활용한 평가지표 ★★★
> ② 교차검증(Cross Validation) 개념 ★★★
> ③ ROC 곡선(ROC Curve)의 개념 ★★
> ④ 이익도표(Gain Chart)와 향상도 곡선(Lift Curve) 정의 ★

1 모형 평가의 필요성

- **분류 분석 모형의 평가**는, 구축된 모형이 단순 기준 모형보다 우수한 성능을 보이는지 확인하고, 여러 대안 모형 가운데 가장 뛰어난 **예측 및 분류 성과를 가진 모형을 식별**하는 과정이다.
- 분석에는 다양한 알고리즘과 방법론이 활용되며, 동일한 기법이라도 설정 방식에 따라 결과가 달라질 수 있다.
- 따라서 데이터 마이닝의 목적과 데이터 특성에 가장 적합한 모형을 선택하기 위해서는 **명확한 성과 평가 기준**이 필요하다.

2 모형 평가 기준 〔출제유형〕 모형 평가 기준

1) 일반화 가능성

- 동일한 모집단 내의 **다른 데이터에 적용했을 때도 안정적인 결과를 제공**하는지, 즉 데이터를 확장해 적용할 수 있는지를 평가한다.

2) 효율성

- 분류 분석 모형이 얼마나 효과적으로 구축되었는지를 평가하며, 필요한 **입력 변수가 적을수록** 효율성이 높다고 본다.

3) 예측 및 분류 정확성

- 모형의 예측과 분류가 실제 문제 상황에서도 **얼마나 정확한지를 평가**한다. 안정적이고 효율적인 구조라 하더라도 정확성이 떨어진다면 해당 모형은 의미를 잃게 된다.

3 교차검증(Cross Validation)

- 모델 구축은 보유한 샘플 데이터를 활용하여 충분한 정확도로 일반화할 수 있어야 한다.
- 이를 위해 데이터를 **훈련(training)·검증(validation)·테스트(test) 데이터셋**으로 분리하여 모형의 성과를 평가한다.
- 교차검증은 특정 데이터에만 높은 성능을 보이는 **과대적합(Overfitting) 문제를 방지**하고, 잘못된 가설을 채택할 가능성(제2종 오류)을 줄이는 데 기여한다.
- 대표적인 방법으로는 홀드아웃(Hold-out) 검증, K-겹 교차검증(K-fold Cross Validation), 붓스트랩(Bootstrap) 방식 등이 있다.

1) 교차검증의 데이터 구분 〔출제유형〕 검증 데이터의 정의

(1) 학습 데이터(Training Data)
- **훈련 데이터라고도 하며**, 분류기나 예측 모형을 학습시키는 데 사용된다.
- 데이터 마이닝 과정에서 **모델을 학습·구축하는 데 필요한 핵심 데이터**이다.

(2) 검증 데이터(Validation Data)
- 구축된 모형의 **과대적합 또는 과소적합을 조정**하는 데 활용된다.
- 분류기의 **하이퍼파라미터를 최적화**하기 위한 데이터이다.

(3) 평가 데이터(Test Data)
- 모형 구축 과정에는 사용되지 않는 **외부 데이터**를 의미한다.
- 학습이 완료된 후 **모델의 최종 성능을 검증**하는 데 활용된다.

2) 교차검증 기법의 유형 〔출제유형〕 교차검증 기법의 정의

(1) 홀드아웃(Hold-out) 검증
- 주어진 원천 데이터를 무작위로 두 부분으로 분리하여 교차검증을 수행하는 방법이다.
- 하나는 **모형 학습 및 구축을 위한 훈련 데이터**, 다른 하나는 **성과 평가를 위한 검증 데이터**로 사용된다.
- 일반적으로 전체 데이터의 **약 70%는 훈련용, 나머지 30%는 검증용**으로 활용한다.
- **검증 데이터는** 모형 학습 과정에 영향을 주지 않으며, **오직 성과 측정을 위해서만 사용**된다.

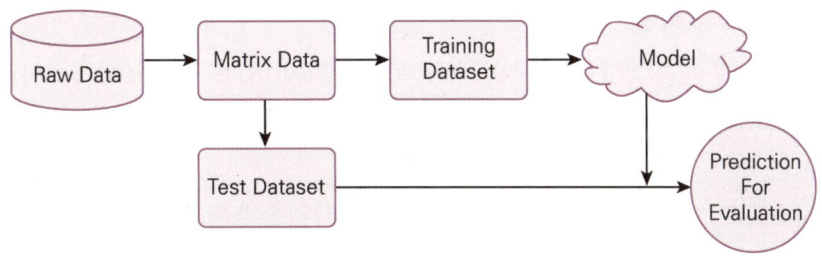

홀드아웃 검증

(2) K-겹 교차검증(K-fold Cross Validation)
- 교차검증은 동일한 데이터를 반복적으로 학습·검증에 사용하여 성과를 측정하고, 그 결과를 평균하여 모형의 성능을 평가하는 방법이다.
- K-겹 교차검증은 전체 데이터를 크기가 동일한 K개의 하위 집합(subset)으로 분할한 뒤, 각 반복에서 **1개의 집합을 검증용 데이터, 나머지 K-1개의 집합을 훈련용 데이터로** 사용한다.
- 이 과정을 **K번 반복**하여 각 결과를 얻고, **평균값을 최종 평가지표로** 활용한다.
- 일반적으로 10-겹 교차검증(10-fold Cross Validation)이 가장 많이 사용된다.

① **장점**
- 단순 홀드아웃 검증보다 분할에 따른 편향이 줄어들어 더 신뢰성 있는 성능 평가가 가능하다.
- 다양한 데이터 크기와 알고리즘에 적용할 수 있으며, 특히 데이터가 적을 때 효과적이다.

② **단점**
- K 번 반복 학습·검증을 수행해야 하므로, 연산량이 많고 시간이 오래 걸린다.
- 데이터셋이 불균형할 경우, 분할 시 클래스 비율이 고르게 유지되지 않으면 평가가 왜곡될 수 있다.

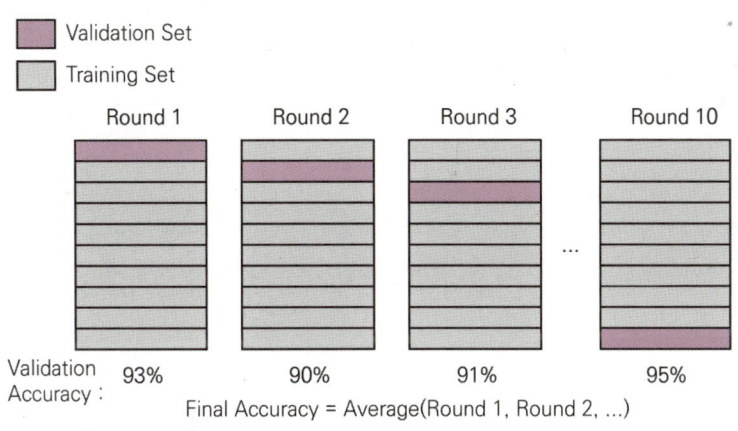

k-fold 교차검증

3) 붓스트랩(Bootstrap)

- 붓스트랩은 주어진 자료에서 **단순 랜덤 복원추출(Simple Random Sampling with Replacement)** 방법을 사용하여, 원 표본과 동일한 크기의 표본을 여러 개 생성하는 기법이다.
- 반복적으로 평가를 수행한다는 점에서 **K-겹 교차검증과 유사하지만, 매번 훈련용 데이터를 복원추출로 재구성**한다는 차이가 있다.
- 특히 **전체 데이터의 크기가 충분하지 않을 때** 모형 성능을 평가하는 데 적합하다.
- 원본 데이터 크기가 n일 때, **복원추출로 n개의 데이터를 추출**하는 경우 특정 데이터가 **학습 데이터에 포함될 확률은 약 63.2%**이다.
- 한 데이터 포인트가 한 번의 추출에서 선택되지 않을 확률은 $1 - 1/n$, 이를 n번 반복하면 선택되지 않을 확률은 $(1 - 1/n)^n$이 된다.
- n이 매우 커질수록 $(1 - 1/n)^n \to e^{-1} \approx 0.368$에 수렴한다.
- 따라서 **원본 데이터의 약 36.8%**는 학습 데이터에 포함되지 않으며, 이 데이터는 **평가용 데이터로 사용**된다.

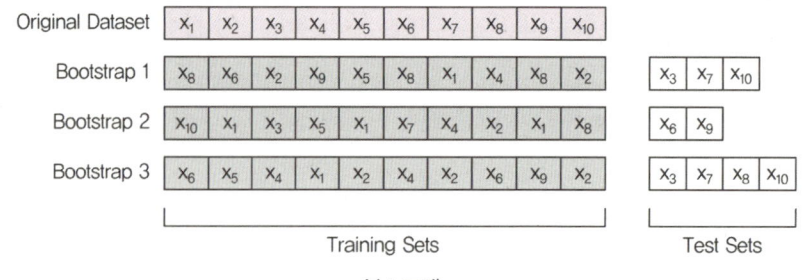

붓스트랩

기출유형 개념잡기

35 다음 중 과대적합(Overfitting) 방지 방법이 아닌 것은? [34회 출제]

① 홀드아웃(Hold-out)
② K-겹 교차검증(K-fold Cross Validation)
③ 붓스트랩(Bootstrap)
④ 의사결정나무(Decision Tree)

정답 ④

해설 홀드아웃, K-겹 교차검증, 붓스트랩은 모두 교차검증 기법으로, 데이터를 여러 번 분할하여 학습과 검증을 반복함으로써 특정 데이터셋에 치우친 과대적합을 방지하는 방법이다.

4 분류 모형 평가 지표

1) 오분류표(혼동 행렬, Confusion Matrix)

- 오분류표는 **목표변수의 실제 범주와 모형이 예측한 범주 간의 관계**를 교차표 형식으로 정리한 행렬이다.
- 이를 통해 모형의 분류 성능을 직관적으로 확인할 수 있으며, 정확도(Accuracy), 정밀도(Precision), 재현율(Recall) 등 다양한 평가지표를 산출하는 기반이 된다.

(1) 오분류표 작성 방법

구분	분류	설명
예측값이 정확할 때	TP(True Positive)	실제값과 예측치 모두 True인 빈도
	TN(True Negative)	실제값과 예측치 모두 False 빈도
예측값이 틀릴 때	FP(False Positive)	실제값은 False이나 True로 예측한 빈도
	FN(False Negative)	실제값은 True이나 False로 예측한 빈도

(2) 오분류표

		예측값	
		Positive	Negative
실제값	Positive	TP	FN
	Negative	FP	TN

> **용어 정리**
> - 혼동 행렬(Confusion Matrix)의 각 셀은 True · False와 Positive · Negative의 조합으로 표현된다.
> - 여기서 True · False는 예측이 실제값과 일치하는지를 의미한다.
> - Positive · Negative는 모형이 예측한 결과 범주를 의미한다.

(3) 오분류표를 활용한 평가지표 출제유형 혼동 행렬을 활용한 평가지표의 정의

- 혼동 행렬(Confusion Matrix)을 기반으로 다양한 성능 지표를 산출할 수 있다. 주요 지표는 다음과 같다.

평가지표	계산식	설명
정확도 (Accuracy)	$\dfrac{TP+TN}{TP+TN+FP+FN}$	• 전체 데이터 중에서 실제 분류 범주를 정확하게 예측한 비율
오분류율 (Error Rate)	$\dfrac{FP+FN}{TP+TN+FP+FN}$	• 실제 분류 범주를 잘못 예측한 비율 • 1−Accuracy
민감도 (Sensitivity)= Recall(재현율)	$\dfrac{TP}{TP+FN}$	• 실제 Positive 사례 중에서 모델이 올바르게 Positive로 예측한 비율 • 데이터의 불균형 문제가 있는 경우 성능 평가에 중요한 지표로 사용된다.
특이도 (specificity)	$\dfrac{TN}{TN+FP}$	• 실제 Negative 사례 중에서 모델이 올바르게 Negative로 예측한 비율 • 데이터의 범주 불균형 문제가 있는 경우, 민감도(Sensitivity)와 함께 평가지표로 사용
FP Rate	$\dfrac{FP}{TN+FP}$	• 실제 Negative(거짓) 범주 중에서 모델이 잘못하여 Positive(참)으로 예측한 비율 • FP Rate = 1−Specificity
정밀도 (Precision)	$\dfrac{TP}{TP+FP}$	• Positive으로 예측한 사례 중에서 실제로 Positive인 비율
F1	$2 \times \dfrac{Precision \times Recall}{Precision + Recall}$	• 정밀도와 민감도(재현율)를 하나로 합한 성능 평가지표 • 0~1 사이의 값을 가지며, 1에 가까울수록 성능이 우수함 • 정밀도와 재현율 모두가 높을 때 F1-score도 커지며, 두 지표 간의 조화평균(Harmonic Mean)으로 계산된다. • 데이터의 불균형 문제가 있는 경우, Accuracy보다 더 신뢰성 있는 평가지표로 사용된다.
F_β	$\dfrac{(1+\beta^2) \times Precision \times Recall}{\beta^2 \times Precision + Recall}$	• 정밀도(Precision)와 재현율(Recall) 사이의 균형을 조절하기 위해 β 가중치를 부여한 지표 • $\beta > 1$: 재현율(Recall)에 더 높은 가중치를 부여 • $\beta < 1$: 정밀도(Precision)에 더 높은 가중치를 부여
카파 통계량	$K = \dfrac{\Pr(\alpha) - \Pr(e)}{1 - \Pr(e)}$	• 두 관찰자(또는 모델과 실제값)가 범주형 데이터를 분류할 때, 단순한 우연적 일치 가능성을 보정한 후 일치도를 측정하는 방법 • 1에 가까울수록 모델의 예측값과 실제값이 높은 수준으로 일치

기출유형 개념잡기

36 실제값이 TRUE인 관측치 중 예측치가 적중한 정도를 나타내며, 모형의 완전성(Completeness)을 평가하는 지표는?

① 정밀도(Precision) ② 재현율(Recall)
③ 오분류율(Error Rate) ④ 특이도(Specificity)

정답 ②

해설 재현율(Recall, 민감도, Sensitivity)은 실제 Positive(참)인 사례 중에서 모델이 올바르게 Positive로 예측한 비율을 의미한다.

기출유형 개념잡기

37 다음 혼동 행렬(Confusion Matrix)이 주어졌을 때, 재현율(Recall, 민감도)을 계산하시오.

[34회 출제]

		예측값	
		Positive	Negative
실제값	Positive	200	300
	Negative	300	200

① 0.15 ② 0.30
③ 0.40 ④ 0.55

정답 ③

해설 • 재현율=TP/(TP+FN), TP=200, FN=300
• Recall=200/500=0.40

2) ROC curve 〔출제유형〕 ROC 커브의 정의 및 해석

(1) 정의

- ROC 커브는 다양한 임곗값에서 x축은 1−특이도(FPR), y축은 민감도(TPR)로 표시해 이진 분류기의 성능을 시각화한 곡선이다.

(2) 좌표축과 지표

- x축: FPR(위양성률, False Positive Rate)=1−Specificity
- y축: TPR(민감도/재현율, True Positive Rate/Recall)

(3) 점들의 의미(임계값 변화)

- ROC 곡선의 각 점은 분류 점수의 임계값(threshold) 하나에 대응한다.
- (0, 0): 극도로 높은 임계값→ 모든 샘플을 Negative로 예측(TPR=0, FPR=0)
- (1, 1): 극도로 낮은 임계값→ 모든 샘플을 Positive로 예측(TPR=1, FPR=1)
- 이상적 모형: (0, 1)에 가까울수록 좋음 → TPR(민감도)=1, FPR(1−특이도)=0

(4) AUC(Area Under the ROC Curve)
- 모형의 성과는 보통 ROC 곡선 아래 면적(AUC, Area Under the ROC Curve)으로 비교하며, AUC가 클수록 전반적 분리 능력이 우수하다.
- AUC는 0~1 범위이며, 0.5는 무작위 수준, 1.0은 완벽한 분류를 뜻하고, 0.5 미만은 예측 방향이 반대임을 의미한다.

(5) 불균형 클래스와 ROC
- ROC는 클래스 비율 변화에 상대적으로 둔감하다.
- Positive가 매우 희소한 문제라면, Precision-Recall 곡선(PR 곡선)과 F1 · F_β 지표를 함께 확인하는 것이 더 효과적이다.

(6) AUC 수준별 ROC 커브

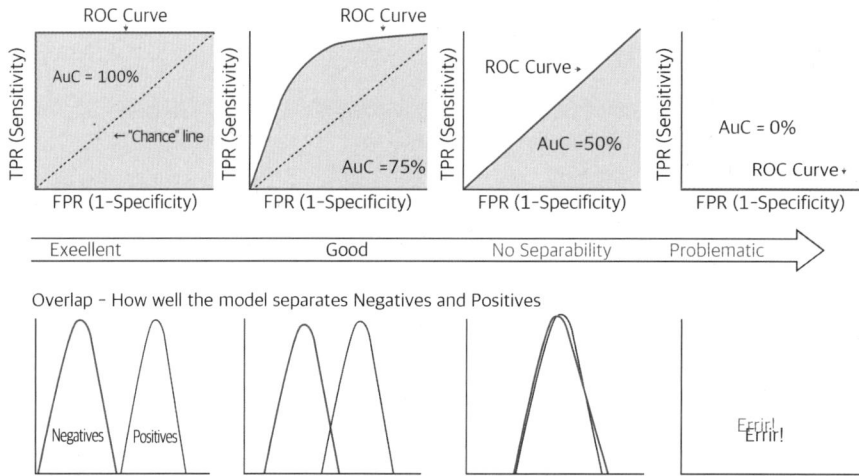

① AUC = 100%
- ROC가 좌상단을 지나감(점선 위쪽 최대)

② AUC = 75%
- 대체로 잘 구분하지만, 일부 겹침 존재

③ AUC = 50%
- 두 분포가 완전히 겹침, 분리 능력 없음

④ AUC = 0%
- 항상 한쪽만 예측하는 퇴화한 모델
- 사실상 사용할 수 없는 상태

> **용어 정리**
>
> 임곗값은 "확률을 최종 판단(양성/음성)으로 바꾸는 경계선"이라서 꼭 필요하다.
> ROC 곡선 위에서 민감도(TPR)를 높이면서 위양성률(FPR)은 낮추는 최적의 균형점을 선택해, 실제 운영에 사용할 임곗값을 결정해야 한다.

> **기출유형 개념잡기**
>
> **38** ROC(Receiver Operating Characteristic) 곡선에서 이상적(완벽) 분류 모형의 좌표값은? (단, 형식: (X값, Y값)) [34회 출제]
> ① (0,0)   ② (0,1)
> ③ (1,0)   ④ (1,1)
>
> 정답 ②
> 해설 • ROC의 X축은 위양성률(FPR=1−특이도), Y축은 참 양성률(TPR=민감도)이다.
> • 완전한 분류기는 FPR=0, TPR=1이므로 좌표는 (0, 1)이며, 이때 AUC=1 이다.

3) 이익도표(Gain Chart) 〔출제유형〕 이익도표의 정의

(1) 정의

- **이익(Gain)**: 예측 점수로 상위 등급(예 상위 10%, 20% …)을 차례로 모았을 때 목표 범주(양성)가 얼마나 누적 포착되는지의 비율.
- **이익도표**: 각 등급에서 계산한 누적 이익을 연결한 선 그래프.

(2) 이익도표 vs ROC

- **이익도표**: 모집단 비율 대비 **양성 포착률**을 직접 보여주어 캠페인·타깃 선정에 직관적이다.
- **ROC**: 임곗값 전 구간의 TPR-FPR trade-off를 요약한다.

(3) 이익도표의 해석

- 곡선이 기준선(대각선)보다 위에 있을수록 같은 모집단 비율로 더 많은 양성을 포착한다는 의미이다.
- 표시선처럼 상위 20% → 누적 이익 60% 지점을 한눈에 확인할 수 있다.
- 분류 모델이 상위 몇 %만 대상으로 해도 전체 양성을 얼마를 잡아낼 수 있는지를 누적으로 보여주는 그래프가 이익도표의 역할이다.

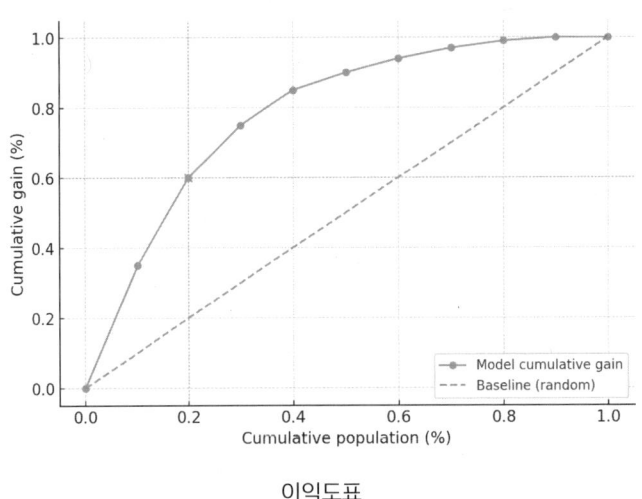

이익도표

4) 향상도 곡선(Lift Curve) 출제유형 향상도 곡선의 정의

(1) 정의
- **랜덤 모델과 비교**해 각 등급(예 상위 10%, 20% …)에서 모델이 얼마나 더 많은 양성(타깃)을 찾아내는지를 보여주는 그래프이다.
- x축은 누적 모집단 비율, y축은 향상도(Lift)이며, 기준선은 1(=무작위 수준)로 표시된다.
- **향상도 곡선**은 무작위 대비 몇 배 더 잘 잡는지를 등급별·누적으로 보여주며, 초반에 높고 이후 1로 수렴하는 모양일수록 좋은 모델

(2) 이익도표와의 관계
- **이익도표(Gain Chart)**가 "상위 x%로 누적해서 전체 양성의 몇 %를 잡았는가"를 보여준다면, **향상도 곡선**은 같은 지점을 무작위 대비 몇 배 더 효율적인가(배수)로 보여준다.
- 상위 20%에서 누적 이익 60% ⇒ 누적 향상도 = 60% / 20% = 3.

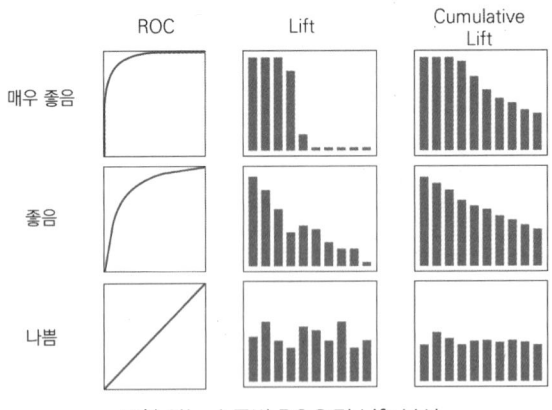

모형 성능 수준별 ROC 및 Lift 분석

03 분류분석

학습목표
다양한 분류 알고리즘의 특징을 이해한다.

출제경향 및 중요도
① 로지스틱 회귀모형 및 회귀계수의 해석 ★★★
② 인공신경망의 역전파 알고리즘·활성 함수의 정의 ★★
③ 의사결정나무의 불순도 측정 지표 ★★
④ 앙상블 모형: 배깅, 부스팅, 스태킹, 랜덤 포레스트의 정의 ★★★

1 분류분석

1) 정의

- 반응변수가 범주형(예/아니오, 등급 등)일 때 새로운 관측치를 어느 범주로 분류할지를 예측하는 모형화 기법.
- 반응변수가 연속형이면 목적은 값의 예측(=회귀)이며, 분류와 구분된다.
- 분류분석은 **범주형 목표를 예측해 의사결정을 돕는 기법**으로, 데이터·목적·해석 필요성에 따라 **로지스틱·트리·앙상블·SVM·신경망 등을 선택**하고, ROC-AUC·F1 등 지표와 교차검증으로 일반화 성능을 검증한다.

2 로지스틱 회귀(Logistic Regression)

1) 정의 〔출제유형〕 로지스틱 회귀의 정의

- 로지스틱 회귀는 **독립변수의 선형 결합**으로 사건 **발생 가능성(종속변수: 0/1)을** 확률로 예측하는 모델이다.
- **예측값은 항상 0~1 사이의 확률로 출력**되며, 임곗값(threshold)을 정해 그 기준으로 범주(양성/음성)를 할당한다.
- 예 성공·실패, 흡연·비흡연, 생존·사망 등 **두 범주로 분류**하고자 할 때, **독립변수와의 관계**를 통해 **사건 발생확률을** 예측하고 **분류에** 활용한다.

2) 로지스틱 회귀와 잔차 특성

- 로지스틱 회귀는 모델의 예측값이 확률(0~1 범위)로 출력되며, 종속변수가 이항분포(0 또는 1) 이기 때문에 **잔차의 정규성, 등분산성**을 만족할 수 없고, 가정하지 않는다.

3) 선형회귀와의 차이 🗨️출제유형 로지스틱 회귀와 선형회귀의 차이

(1) 출력의 범위
- 예측값이 확률이므로 항상 [0, 1]에 제한된다. (선형회귀는 제약 없음)

(2) 오차 분포
- 이항(베르누이) 분포를 따른다. (선형회귀의 정규오차 가정과 다름)

4) 오즈(odds)와 로짓(logit) 변환 🗨️출제유형 로짓변환의 정의 및 역할

(1) 오즈(odds)
- 오즈란 확률 p가 주어졌을 때 사건이 발생할 확률이 사건이 발생하지 않을 확률의 몇 배인지에 대한 개념이다.

$$오즈(odds) = \frac{사건이\ 발생할\ 확률}{사건이\ 발생하지\ 않을\ 확률} = \frac{p}{1-p}$$

- 예 흡연자의 폐암 발생확률이 p=0.8이면 오즈는 0.8/0.2=4.
  → 발생이 비발생보다 4배 더 가능성이 크다.

(2) 로짓(logit) 변환
- 로짓변환(logit transformation)은 **확률 p를 로그 오즈(log odds)로 변환하는 함수**로, 로지스틱 회귀에서 **확률값을 선형적으로** 모델링할 수 있도록 하는 핵심 변환이다.

$$\log\left(\frac{p}{1-p}\right) = \beta_0 + \beta_1 x_1 + \ldots + \beta_k x_k$$

(3) 오즈(odds)와 로짓(logit) 변환이 필요한 이유
- 확률 p는 0과 1 사이의 값만 가지므로, 단순 선형 모델로 직접적으로 다루기 어렵다.
- 반면, 오즈란 사건이 발생할 확률과 발생하지 않을 확률의 비율로, odds=p/1-p와 같이 항상 0 이상의 값을 갖게 된다.
- 오즈를 로그 변환하면 log(p/1-p), 이 값은 이제 0과 1 사이에 국한되지 않고 음의 무한대부터 양의 무한대까지 모든 실수값을 가질 수 있어, 선형회귀처럼 독립변수들과 더 쉽게 연결할 수 있다.
- 이렇게 로그 오즈를 사용하는 덕분에, 로지스틱 회귀의 예측식은 **독립변수의 선형 결합**으로 간단하게 표현될 수 있다.

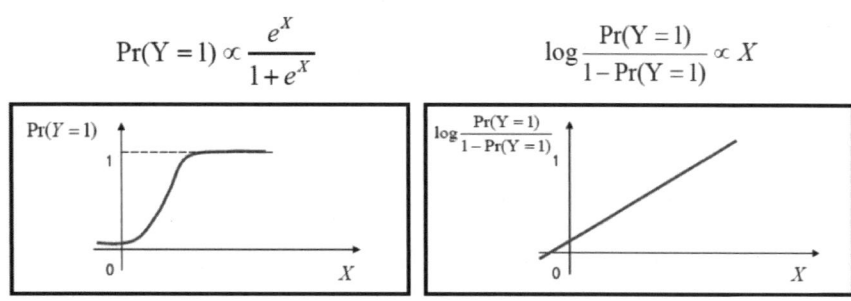

로지스틱 함수와 Logit 함수 비교

5) 로지스틱 회귀모형

(1) 모형식

① 로짓변환 $\quad \log\left(\dfrac{p(x)}{1-p(x)}\right) = \beta_0 + \beta_1 x_1$

② 양변 지수화 $\quad \dfrac{p(x)}{1-p(x)} = e^{\beta_0 + \beta_1 x}$

③ p(x)에 대한 정리 $\quad p(x) = \dfrac{1}{1+e^{-(\beta_0 + \beta_1 x)}} = \dfrac{e^{\beta_0 + \beta_1 x}}{1+e^{\beta_0 + \beta_1 x}}$

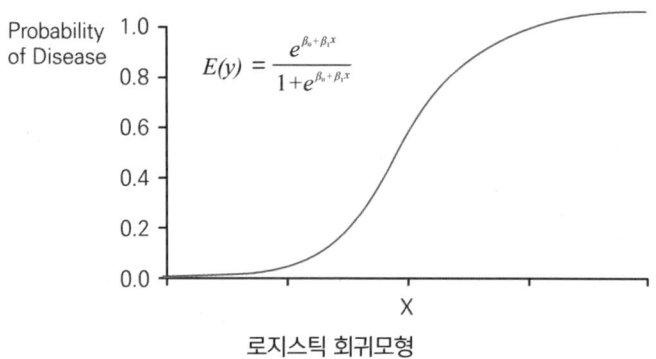

로지스틱 회귀모형

(2) 로지스틱 회귀모형의 해석 [출제유형] 로지스틱 회귀 모형의 해석

- **곡선형태**: $\beta_1 > 0$ 증가하는 **S 곡선**, $\beta_1 < 0$ 이면 감소하는 **역 S 곡선**이다.
- **분류 기준(임계값)**: 예측 확률 p(x)가 0.5보다 크면 Y=1, 작으면 Y=0으로 분류한다.

6) 로지스틱 회귀계수의 해석

(1) 기본 전개

$$\log\left(\frac{p(x)}{1-p(x)}\right) = \beta_0 + \beta_1 x_1 \Rightarrow \frac{p}{1-p} = e^{\beta_0 + \beta_1 x} = e^{\beta_0} e^{\beta_1 x}$$

(2) 회귀계수의 해석 〔출제유형〕 로지스틱 회귀계수의 해석

- x가 1단위 증가할 때 오즈의 변화

$$\frac{odds(x+1)}{odds(x)} = \frac{e^{\beta_0 + \beta_1(x+1)}}{e^{\beta_0 + \beta_1 x}} = e^{\beta_1}$$

- 즉 오즈가 e^{β_1}배가 된다. 이 값을 오즈비(OR)라고 한다.

7) 선형회귀 vs 로지스틱 회귀 비교 〔출제유형〕 로지스틱 회귀와 선형회귀의 차이

구분	선형회귀(OLS)	로지스틱 회귀(Logistic)
종속변수	연속형	이산형
예측값 범위	$(-\infty, \infty)$	확률[0,1]
추정(학습) 방법	최소제곱법(OLS)	최대우도법(MLE)
모형 검정	t-검정(계수), F-검정(모형)	카이제곱 근사
오차 분포 가정	정규오차, 등분산, 독립	베르누이 분포

기출유형 개념잡기

39 로지스틱 회귀모형의 모형 유의성을 검정하는 방법으로 가장 적절한 것은? [30회 출제]

① 카이제곱 검정　　　　② F-검정
③ t-검정　　　　　　　④ 최소제곱법

정답 ①
해설 로지스틱 회귀의 모형 유의성은 보통 우도비(LRT), Wald, Score(LM) 검정과 같이 카이제곱(점근) 분포를 이용해 평가한다.

8) R 로지스틱 회귀분석 해석 (출제유형) R 로지스틱 회귀계수의 해석

```
> glm.vs<-glm(vs~mpg+am,data=mtcars,family = "binomial")
> summary(glm.vs)
Call:
glm(formula = vs ~ mpg + am, family = "binomial", data = mtcars)
Coefficients:
            Estimate Std. Error z value Pr(>|z|)
(Intercept) -12.7051     4.6252  -2.747  0.00602 **
mpg           0.6809     0.2524   2.698  0.00697 **
am           -3.0073     1.5995  -1.880  0.06009 .
---
Signif. codes:  0 '***' 0.001 '**' 0.01 '*' 0.05 '.' 0.1 ' ' 1
(Dispersion parameter for binomial family taken to be 1)

    Null deviance: 43.860  on 31  degrees of freedom
Residual deviance: 20.646  on 29  degrees of freedom
AIC: 26.646
Number of Fisher Scoring iterations: 6
```

- vs(종속): 엔진 형태(0=V형, 1=직렬)
- mpg(연비), am(변속기:0=자동, 1=수동)
- family="binomial": 반응변수가 이항(0/1, 성공/실패)일 때 쓰는 이항분포를 의미
- mpg(계수 = 0.6809, p=0.00697) 해석
  → mpg가 1 증가하면, 다른 조건이 같을 때 vs=1의 오즈가 $e^{0.6809} \approx$ 1.98배(약 98% 증가)
- am(계수 = -3.0073, p=0.06009)
  → 같은 mpg에서 수동(1)은 자동(0) 대비 vs=1의 오즈가 $e^{-3.0073} \approx$ 0.05배(약 95% 감소)
- 일반 선형회귀처럼 '평균이 β만큼 증가'로 해석하는 것이 아니라, 로지스틱 회귀의 로그 오즈(로짓) 척도로 효과이다.
- 따라서 계수는 지수화 e^{β}하여 오즈비(odds ratio)로 해석해야 한다.

3 인공신경망(Artificial Neural Network)

1) 정의

- 인공신경망은 **동물의 신경계**에서 영감을 얻어 만든 분류·예측용 머신러닝 모델이다.
- 입력 특징이 **시냅스에 해당하는 가중치를 거쳐** 뉴런에 전달되고, 뉴런은 **가중합** $z = w^T x + b$을 **활성함수 f로** 변환해 출력 y=f(z)를 만든다.
- 많은 데이터로 학습하며 손실함수 최소화를 목표로 가중치·편향을 반복적으로 조정한다.

- 가중치가 부여된 입력→ 가중합→ 활성함수 → 출력, 이 과정을 데이터를 통해 **오차가 최소가** 되도록 학습하는 모델

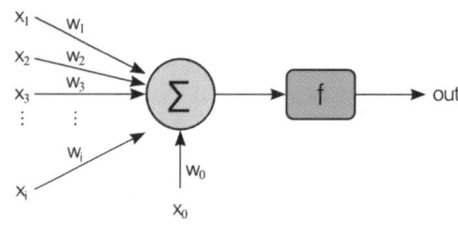

- $x_1, x_2 \cdots x_i$는 입력벡터의 값
- $\omega_1, \omega_2 \cdots \omega_i$는 가중치
- w_0는 바이어스(bias)
- f는 활성함수
- net=$\sum_{i}^{N} w_i x_i + w_0$, N은 입력벡터의 크기

인공신경망 뉴런의 구조

> **확대경** 가중합 생성하기 **출제유형** 가중합의 의미
> - 입력값들 $x_1, x_2, \ldots$ 에 각자 중요도(가중치) $w_1, w_2, \ldots$를 곱해서 더하고, 기준값(편향) b를 더해 하나의 점수 z를 생성한다.
> - 이 점수 z를 활성함수 f에 넣어 출력 y로 변환한다.
> - 예를 들면, 입력 x=[2,3], 가중치 w=[0.5,−1], 편향 b=1 이면 z=0.5·2+(−1)·3+1=−1이다.
> - z값을 시그모이드에 넣으면 출력 확률로 출력이 된다.

2) 인공신경망의 종류

(1) 단층 퍼셉트론(Perceptron)

- 구성: 입력층과 출력층만 있는 가장 단순한 신경망(은닉층 없음)
- 결정경계가 선형(초평면)이므로 선형 분리 가능한 문제에만 정확히 적용되며, XOR 등 비선형 패턴은 처리할 수 없다.

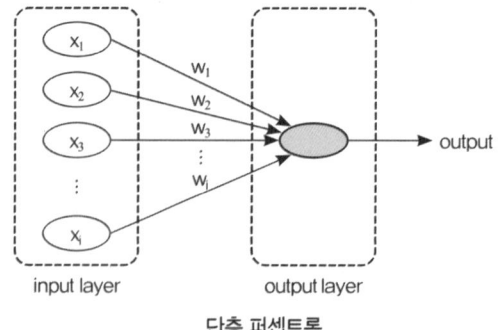

단층 퍼셉트론

(2) 단층 퍼셉트론의 학습 알고리즘

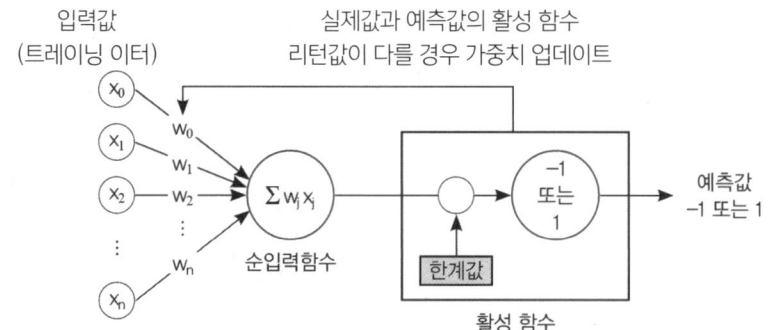

① 가중치와 바이어스 가중치를 -0.5~0.5 사이의 임의값으로 초기화
② 하나의 학습 벡터에 대한 출력층 뉴런의 net값을 계산
③ 활성함수를 통해 계산된 net값으로부터 뉴런의 실제 출력값을 계산
④ 오차(실제값 - 예측값)가 발생하면 **학습률에 따라 가중치와 편향을 갱신**한다.
⑤ **오차가 더 이상 발생하지 않을 때까지 ②-④를 반복**한다.

(3) 단층 퍼셉트론의 XOR 문제 〔출제유형〕 단층 퍼셉트론의 한계

- AND와 OR 게이트는 하나의 직선(초평면)으로 두 클래스를 분리할 수 있어 **단층 퍼셉트론만으로도 정확히 분류**된다.
- XOR(exclusive OR, 배타적 논리합)는 두 값이 다를 때만 1(참)을 내는 논리 연산이다.
- 하나의 직선으로 두 클래스를 나눌 수 없어 **단층 퍼셉트론으로는 해결할 수 없다.**
- **다층 퍼셉트론(MLP)과 비선형 활성함수**, 그리고 **역전파 학습**이 도입되면서 XOR와 같은 비선형 문제를 **은닉층을 통해 해결**할 수 있게 되었다.

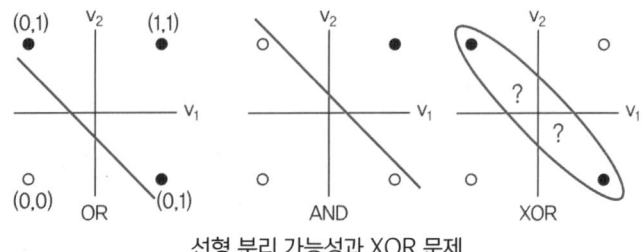

선형 분리 가능성과 XOR 문제

(4) 다층 퍼셉트론(MLP) 〔출제유형〕 은닉층의 역할

- 입력층과 출력층 사이에 하나 이상의 은닉층을 둔 신경망으로, 비선형적으로 분리되는 데이터도 학습할 수 있다.

- 단층 퍼셉트론은 **출력 오차를 바로 이용해 가중치를** 갱신할 수 있지만, 다층 퍼셉트론은 **은닉층의 중간 표현 때문에** 각 층이 오차에 얼마나 기여했는지 **직접 추정할 수 없다.**
- 이 문제는 **역전파(backpropagation)로 해결**한다. 손실함수의 기울기를 연쇄법칙(Chain Rule)으로 층별로 계산하여 **가중치·편향을 단계적으로 갱신**한다.

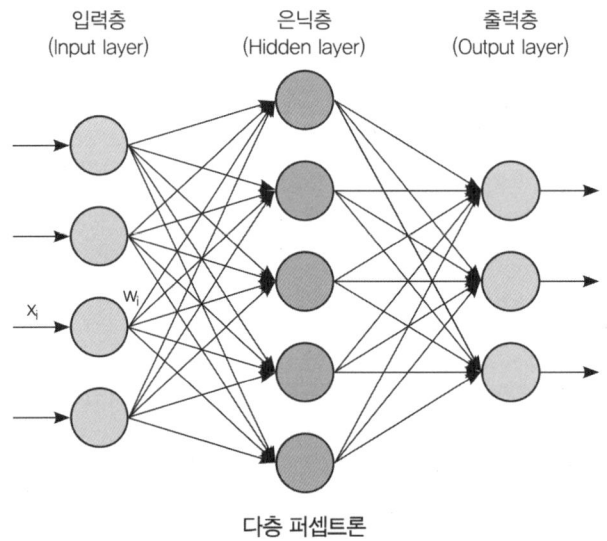

다층 퍼셉트론

3) 역전파(Backpropagation) 알고리즘 〔출제유형〕 역전파 알고리즘의 정의

(1) 정의
- **역전파 알고리즘**은 오차의 원인을 **층별로 분해**해 **오류 기여도(그래디언트)**를 구하고, 이를 바탕으로 모든 층의 파라미터를 효율적으로 동시에 업데이트하는 신경망 학습의 핵심 기술이다.
- 이때 그래디언트란, 손실함수를 각 가중치로 **미분한 값(기울기)**으로, 오차가 가장 빠르게 줄어드는 **방향과 크기**를 알려준다.

(2) 동작 원리

① **순전파(Forward pass)**
- 입력 데이터를 신경망에 통과시켜 예측값을 구하고, 예측값과 정답의 차이로 손실(오차)을 계산한다.

② **역전파(Backward pass)**
- **연쇄법칙(Chain Rule)을 적용**해 출력층 → 입력층 방향으로 이동하며, 각 가중치가 손실에 미친 영향(그래디언트)을 계산한다.

③ 가중치 업데이트
- 계산된 그래디언트를 사용해 **오차가 줄어드는 방향**(경사하강법·Adam 등)으로 **가중치와 편향**을 조금씩 **조정**하고, 이 과정을 반복해 성능을 향상시킨다.

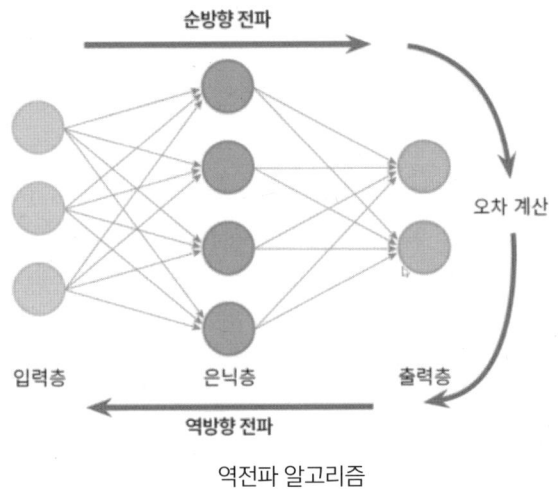

역전파 알고리즘

4) 활성함수(Activation Function) 출제유형 활성함수의 역할

(1) 정의
- 활성함수는 뉴런의 가중합 $z = w^T x + b$을 출력 $y = f(z)$로 변환하는 함수이다.

(2) 활성함수의 역할
- 선형 변환을 여러 층 중첩해도 전체는 **하나의 선형 사상**에 머문다.
- 따라서 활성함수로 **비선형성을 도입**해, **비선형 관계와 곡선형 결정경계**를 표현·학습할 수 있다.

(3) 활성함수의 종류 출제유형 활성함수의 출력 범위 및 구조
- 활성함수의 종류가 여러 개인 이유는 각각의 함수가 **학습 속도, 표현력, 안정성** 등에서 서로 다른 장단점을 가지며, **문제 유형과 네트워크 구조**에 따라 **적합한 함수가 다르기 때문**이다.
- **비선형성과 출력 범위**, 학습 과정에서 **기울기 소실 문제** 등은 활성함수 선택에 중요한 역할을 한다.

활성화 함수	그래프	설명
계단함수 (Step Function)		• 입력값이 임계값을 넘으면 1, 그렇지 않으면 0을 출력한다. • 함수가 불연속적이므로 미분이 불가능해 역전파 기반의 딥러닝 학습에 적합하지 않다.
부호함수 (Sign Function)		• 어떤 실수의 부호를 판별하는 함수로, 입력값이 양수면 1, 0이면 0, 음수면 –1을 반환하는 함수이다.
시그모이드 함수 (Sigmoid Function)		• 로지스틱 함수는 계단함수와는 달리 출력값이 특정 임계값을 기준으로 갑작스럽게 변하지 않고, 완만한 곡선 형태로 0에서 1까지의 값을 연속적으로 출력한다.
tanh 함수 (tanh Function)		• 시그모이드가 출력 범위가 0에서 1 사이인 반면, 하이퍼볼릭 탄젠트는 –1에서 1 사이로 출력하여, 출력값의 평균이 0에 가깝게 분포하는 특징이 있다. • 이런 특성 덕분에 경사하강법에서 편향 이동 없이 학습하며, 시그모이드보다 학습 효율이 높다.
ReLU (Rectified Linear Unit) 함수		• 딥러닝에서 널리 사용되는 활성화 함수로, 입력값이 0보다 작으면 0을 출력하고, 0보다 크면 입력값을 그대로 출력하는 함수이다. • 시그모이드나 하이퍼볼릭 탄젠트 함수와 달리 기울기 소실 문제를 완화해 딥러닝 학습 속도를 높인다.
소프트맥스 (Softmax) 함수		• 소프트맥스 함수는 목표값이 다범주(multiclass)인 분류 문제에서 주로 사용한다. • 입력받은 값을 지수 함수로 변환한 후, 전체 출력의 합이 1이 되도록 정규화하여 0과 1 사이의 확률 값으로 출력한다.

5) 경사하강법(Gradient Descent Method) 출제유형 경사 하강법과 학습률 관계

(1) 정의

- 경사하강법(Gradient Descent Method)은 인공신경망 학습에서 **손실함수(cost function)**를 최소화하기 위해 최적의 가중치(weight)와 바이어스(bias)를 찾는 방법이다.
- 손실함수에서 각 지점의 기울기(gradient)는 **손실을 줄일 수 있는 방향과 크기를 알려주는 지표**이다.

(2) 동작 원리
- **경사하강법**은 현재 위치에서 기울기가 가리키는 방향으로 **일정 거리만큼 이동**하며, 이동 후 다시 기울기를 계산한다.
- 이 과정을 반복하면서 **손실함수의 값이 점차 감소**하도록 가중치와 바이어스를 조정하여 최적값에 도달한다.
- 경사하강법은 함수의 기울기를 따라 내려가면서 손실함수 값을 줄이는 최적화 알고리즘이며, 인공신경망의 학습에서 핵심적인 역할을 한다.

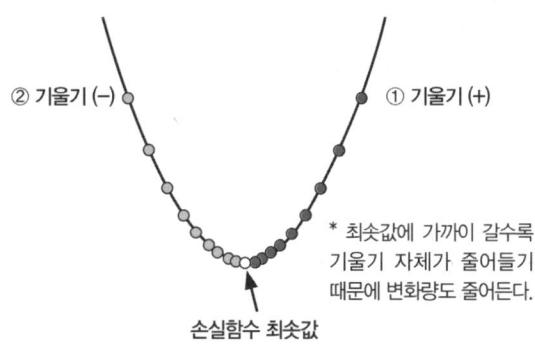

손실 함수 최소값으로의 수렴 과정

6) 기울기 소실문제(Vanishing Gradient Problem) 〔출제유형〕 기울기 소실문제의 정의

(1) 정의
- 기울기 소실 문제(Vanishing Gradient Problem)는 심층 신경망에서 은닉층이 많아질수록 **역전파 과정 중 손실함수의 기울기가 점점 작아져** 거의 0에 가까워지는 현상을 의미한다.
- 이에 따라 앞쪽 층의 가중치들이 제대로 업데이트되지 않아 **학습이 매우 느려지거나 멈추는 문제**이다.

(2) 기울기 소실 문제(Vanishing Gradient Problem)의 원인
- 신경망의 각 층에서 역전파 시 활성화 함수의 **미분값이 곱해지는데**, 시그모이드(sigmaoid)나 하이퍼볼릭 탄젠트(tanh) 같은 함수는 입력값이 크거나 작으면 **미분값(기울기)이 0에 가까워진다.**
- 이런 미분값이 여러 층을 거치면서 계속 곱해져서 점점 더 작아지므로, **깊은 층으로 갈수록 기울기가 거의 사라진다.**
- 결과적으로 입력층에 가까운 은닉층들은 거의 학습이 이루어지지 못하고, 신경망 전체의 성능 저하로 이어진다.

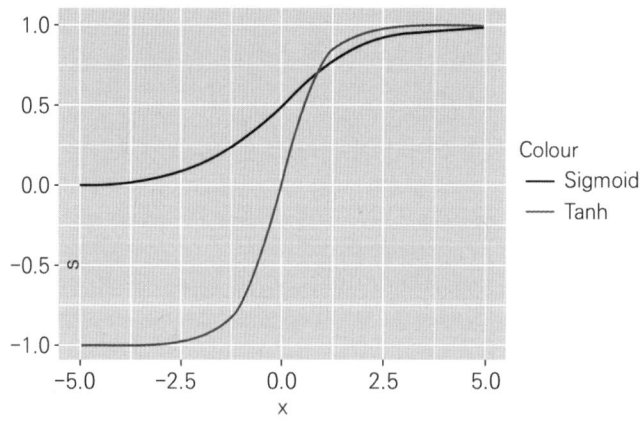

시그모이드와 쌍곡탄젠트 함수의 특성 비교

(3) 기울기 소실 문제(Vanishing Gradient Problem)의 해결 방안

① 활성화 함수 변경
- 시그모이드나 하이퍼볼릭 탄젠트와 같은 포화 함수 대신 ReLU(Rectified Linear Unit) 계열 함수를 사용한다.

② 가중치 초기화 기법 개선
- 가중치의 초기값을 적절히 설정하여 활성화 함수가 출력의 극단으로 치우치는 것을 방지한다.

③ 기울기 클리핑(Gradient Clipping)
- 너무 큰 기울기가 발생하는 기울기 폭주 문제를 방지하는 기술로, 기울기 값을 일정 범위 내로 제한한다.

7) 인공신경망의 은닉층(Hidden Layer) 수와 은닉 노드 수를 정할 때 고려해야 할 사항

출제유형 인공신경망의 하이퍼파라미터(은닉층, 은닉 노드) 역할

- 은닉층과 은닉 노드 수는 모델의 표현력, 학습 난이도, 과적합 가능성 간 균형을 고려하여 실험과 경험을 바탕으로 적절히 조정하는 것이 중요하다.
  ① 다층 신경망은 단층 신경망에 비해 훈련이 어렵다.
  ② 시그모이드 함수는 두 개의 층(입력층과 은닉층)으로도 선형적으로 나누기 어려운 복잡한 의사결정경계를 만들 수 있다.
  ③ **노드 수가 많을수록** 복잡한 패턴을 잡아내기 쉽지만, **과적합 위험도 함께 증가**한다.
  ④ **은닉층에 노드가 너무 적으면 복잡한 의사결정 경계를 생성하지 못해** 표현력이 제한된다.

⑤ 출력층 노드 수는 출력 범주의 수에 따라 결정되며, 입력층 노드 수는 입력 데이터의 차원 수에 따라 결정된다.

8) 인공신경망의 장점 · 단점

장점	• 변수의 수가 많거나 입력과 출력 변수 간의 관계가 **복잡한 비선형 구조**를 모델링하는 데 유용하다. • **잡음(noise)**에 민감하지 않아 안정적인 성능을 보인다. • 입력 변수와 결과 변수가 연속형이든 이산형이든 모두 처리할 수 있다.
단점	• 결과가 어떻게 도출되었는지 **해석하기 어려워** '**블랙박스**' 모델로 불린다. • 최적의 모형을 도출하는 것이 상대적으로 어렵다. • 데이터 정규화가 이루어지지 않으면 지역 최적해(local minimum)에 빠질 위험이 있다. • 모델 구조가 복잡할 경우 훈련에 시간이 많이 소요된다.

지역해(local minimum)와 전역해(global minimum)

기출유형 개념잡기

40 다음 중 인공신경망에 대한 설명으로 올바르지 않은 것은 무엇인가? [28회 출제]

① 데이터 정규화를 하지 않으면 지역 최적해(local minimum)에 빠질 위험이 있다.
② 인공신경망의 결과에 대한 해석은 쉽지 않다.
③ 은닉층의 뉴런 수와 은닉층의 개수는 신경망 모델이 자동으로 설정한다.
④ 모델이 복잡하면 훈련 과정에 많은 시간이 소요된다.

정답 ③
해설 은닉층의 뉴런 수와 은닉층의 개수는 사용자가 직접 설정하는 하이퍼파라미터이며, 자동으로 결정되지 않는다.

4 의사결정나무 모형(Decision Tree)

1) 정의

- 의사결정나무(Decision Tree) 또는 나무(Tree) 모형은 **의사결정 규칙을** 나무 구조로 표현하여 전체 자료를 여러 소집단으로 분류(Classification)하거나 예측(Prediction)을 수행하는 분석 방법이다.
- 의사결정나무(Decision Tree)는 **트리 기반의 지도 학습 모델로, 데이터의 특징을 기준으로** 조건 분기를 반복하여 예측 또는 분류 규칙을 만들어 내는 알고리즘이다.

(1) 동작 원리

① 데이터의 특성(피처)값들을 기준으로 if-else 형태의 분할을 반복하면서, 가장 예측력이 높아지도록 트리 구조를 확장한다.
② 가장 대표적으로 엔트로피(Entropy) 기반 정보 이득(Information Gain) 또는 지니 계수(Gini Impurity)와 같은 지표를 이용해 분할의 기준을 정한다.
③ 트리의 깊이(depth)가 깊어질수록 학습 데이터에 과대적합(overfitting)될 위험이 있으므로, 가지치기(pruning)로 일반화 성능을 높이는 것이 중요하다.

(2) 의사결정나무의 구조

- 뿌리 노드(Root node): 트리의 시작점으로, 데이터 전체를 담당한다.
- 부모 노드(parent node): 하나 이상의 자식 노드를 가지는 상위 노드를 의미한다.
- 자식 노드(child node): 부모 노드로부터 분할되어 나온 하위 노드들을 지칭한다.
- 내부 노드(Internal node): 조건에 따른 분기(질문)가 이루어지는 지점이다.
- 가지(Branch): 각각의 분기, 즉 조건 결과에 따라 이어지는 선을 의미한다.
- 터미널 노드(Leaf node, Terminal node): 더 이상 분기하지 않고 최종 예측값(클래스 또는 수치 등)을 반환하는 지점이다.

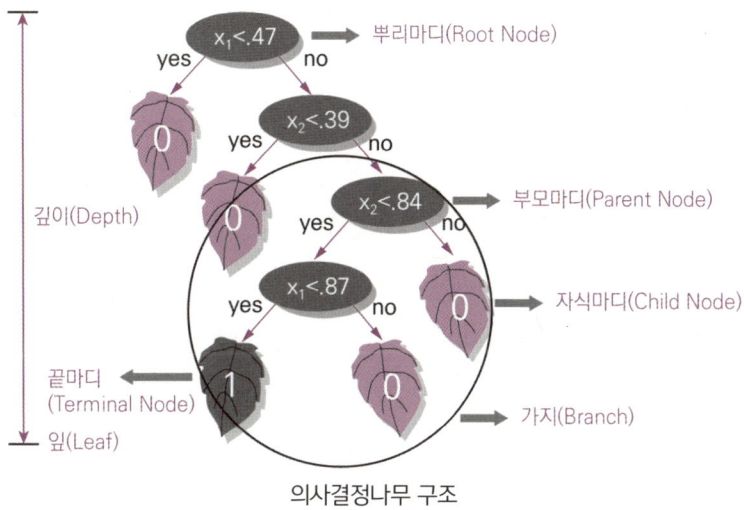

의사결정나무 구조

2) 재귀적 분할(Recursive Partitioning) 재귀적 분할의 의미

(1) 개념
- 의사결정나무는 재귀적 분할(Recursive Partitioning) 방식을 사용한다.
- 전체 데이터 집단(뿌리마디)에서 시작하여, **특정 분류 기준에 따라 두 개 이상의 하위 집단**으로 나눈다.
- 분할된 하위 집단에 대해서도 같은 과정을 반복(재귀)하여, 더 이상 분할이 불필요하거나 불가능할 때까지 나무 구조를 확장한다.

(2) 특징 의사결정나무의 분기 기준
- 각 단계에서 "어떤 변수"와 "어떤 기준값"으로 분할할지 선택한다.
- **각 분할은 노드 내 동질성을 높이고, 노드 간 이질성을 크게** 하는 방향으로 이루어진다.
- 이 과정을 통해 자료는 점점 더 **균질한 소집단**으로 나누어진다.
- 의사결정나무는 분할 시 **탐욕적 알고리즘(Greedy Algorithm)을** 사용한다.
- 즉, 각 단계에서 **가장 좋은 기준(최적의 분할 기준)만**을 선택한다.
- **전체 최적해(Global Optimum)를 보장**하지 않더라도, **단계별 국소 최적해(Local Optimum)를 빠르게** 찾아가는 방식이다.
- 의사결정나무는 각 분할이 이전 분할의 결과를 기반으로 **재귀적이고 순차적으로** 진행되므로, 이전 분할은 다음 분할에 직접적 영향을 미친다고 할 수 있다.

3) 의사결정나무의 형성 [출제유형] 의사결정 나무의 생성 순서

- 의사결정나무는 생성 → 가지치기 → 타당성 평가 → 분류 및 예측의 과정을 거쳐 완성된다.

(1) 의사결정나무 생성(Tree Growing)

- 재귀적 분할(Recursive Partitioning) 방법을 사용하여 데이터를 점점 더 작은 하위 집단으로 나눈다.
- 각 단계에서 분할 기준은 탐욕적 알고리즘(Greedy Algorithm)에 따라 선택된다.
- 분류 문제 → 지니 지수, 엔트로피, 카이제곱 통계량 등
- 회귀 문제 → 분산 감소, 평균제곱오차(MSE) 감소 등

(2) 가지치기(Pruning)

- 나무가 지나치게 복잡해지면 과대적합(Overfitting) 문제가 발생할 수 있다.
- 이를 방지하기 위해 불필요한 분기를 제거(Pruning)하여 나무 구조를 단순화한다.

(3) 타당성 평가(Validation)

- 나무 모형의 성능을 검증하기 위해 평가 데이터(검증용 데이터)를 활용한다.
- 교차검증(Cross-validation)이나 독립 검증용 데이터 세트를 통해 모델의 일반화 성능을 점검한다.

(4) 분류 및 예측(Classification & Prediction)

- 최종적으로 생성된 나무를 활용하여 새로운 데이터에 대해 분류(Classification) 또는 예측(Prediction)을 수행한다.

4) 의사결정나무의 분리 기준 [출제유형] 순수도의 의미

(1) 분리 기준의 핵심

- 트리는 여러 번 분기로 이루어진 구조이기 때문에, 각 분기의 분류 기준이 모델의 성능에 매우 중요하다.
- **순수도란 목표변수(클래스 등)의 한 범주에만 개체들이 몰려있는 정도**로, '같은 값만 모여 있을수록 순수도가 높다'라고 표현한다.
- 따라서 의사결정나무는 **부모 노드(마디)의 순수도에 비해, 자식 노드의 순수도가 더 높아지는** 방향으로 트리 구조를 형성한다.

(2) 순수도와 불순도

- **불순도(impurity)**는 여러 범주가 섞여있는 정도를 수치로 나타내며, **낮을수록 좋은 분리 기준**이다.
- 자식 노드의 순수도가 부모 노드보다 증가해야 좋은 분할이며, 이를 위해 다양한 불순도 지표가 사용된다.

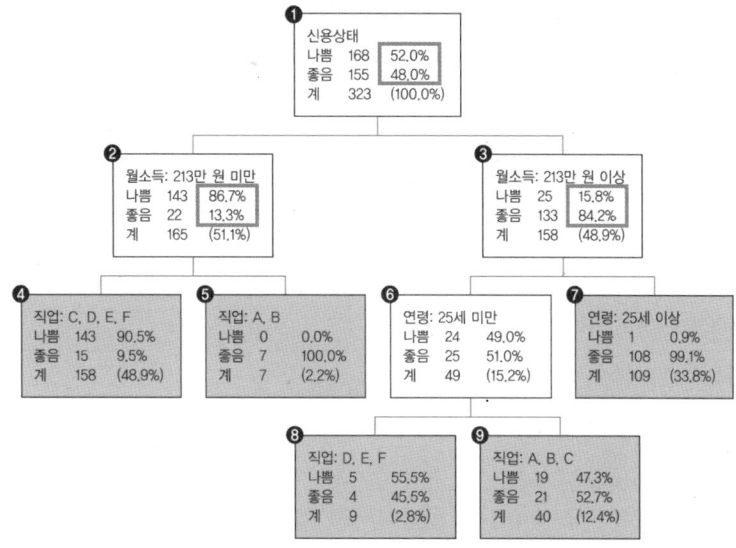

의사결정나무에서 순수도를 활용한 신용평가

5) 가지치기와 정지규칙 〔출제유형〕 가지치기와 정지규칙 정의 및 역할

- 의사결정나무에서 **가지치기와 정지규칙은 과대적합(overfitting)을 방지**하고 모델의 **일반화 성능**을 높이기 위한 핵심 기법이다.

(1) 가지치기(Pruning)

- 모든 터미널 노드의 순도가 100%인 상태, 즉 **불순도가 0인 큰 나무를 Full Tree**라고 하며, 이는 너무 복잡해져 **과대적합 위험이 크다**.
- **가지치기**는 이렇게 과도하게 **성장한 트리에서 불필요한 가지를 제거하는 과정**으로, 타당성이 없는 규칙들을 제거해 모델을 단순화한다.
- 가지치기는 크게 두 가지로 분류된다.

① **사전 가지치기(Pre-pruning)**
  - 트리 생성 중에 미리 정해진 기준(깊이 제한, 최소 샘플수 등)에 도달하면 분할을 멈춰 트리의 성장을 제한한다.

② **사후 가지치기(Post-pruning)**
  - 완성된 트리에서 불필요하거나 성능에 도움이 되지 않는 가지를 제거하여 최적화한다.

(2) 정지규칙(Stopping Rules)
- 정지규칙은 분할이 더 이상 일어나지 않도록 하는 분할 중단 조건이다.
- 예를 들어, 노드가 완전히 순수하거나(클래스가 하나뿐이거나), 노드 내 최소 샘플 수 미만일 때, 최대 깊이에 도달했을 때 분할을 정지한다.
- 정지규칙이 없으면 트리는 Full Tree까지 성장하여 과적합이 발생할 확률이 높다.

6) 의사결정나무 모형의 분류 〔출제유형〕 분류나무와 회귀나무의 불순도 측정 지표
- 의사결정나무는 목표변수(Target Variable)의 유형에 따라 크게 두 가지로 구분된다.
- 의사결정나무는 **목표변수의 성격에 따라** 구분되며, **목표변수가 이산형(discrete)**일 경우에는 **분류나무(Classification Tree)**라 하고, 목표변수가 연속형(continuous)일 경우에는 회귀나무(Regression Tree)라고 한다.

(1) 분류나무(Classification Tree)
① 적용 대상
- 목표변수가 범주형(예 합격/불합격, 질병 유무, 고객 등급 등)일 때 사용한다.

② 분류 기준(분할 기준)
- **카이제곱 통계량(Chi-square) p값**: 값이 작을수록 부모 노드와 자식 노드 간 차이가 크다는 것을 의미하며, 이는 더 좋은 분할을 의미한다.
- **지니 지수(Gini Index)**: 지니 지수는 값이 작을수록 노드가 더 순수해짐을 의미하므로, 이를 최소화하는 방향으로 분할이 이루어진다.
- **엔트로피 지수(Entropy Index)**: 엔트로피는 불확실성을 나타내며, 값이 낮을수록 순수도가 높아지므로 엔트로피 감소량(정보이득, Information Gain)이 큰 분할을 선택한다.

(2) 회귀나무(Regression Tree)
① 적용 대상
- 목표변수가 연속형(예 매출액, 주가, 온도 등)일 때 사용한다.

② 분류 기준(분할 기준)
- **F 통계량**: F통계량은 분산분석(ANOVA)의 검정통계량으로, 값이 클수록 집단 간 차이가 크고 오차에 비해 처리 효과가 크다는 것을 의미하므로 p값이 작아지는 방향으로 분할한다.
- **분산 감소량(Variance Reduction)**: 분할 후 자식노드들의 분산이 줄어드는 정도. 분산 감소가 클수록 좋은 분할.

$GI = 1 - (3/8)^2 - (3/8)^2 - (1/8)^2 - (1/8)^2 = .69$

$GI = 1 - (6/7)^2 - (1/7)^2 = .24$

집단의 다양성과 불순도

- 의사결정나무의 불순도(Impurity) 측도 출제유형 불순도 측정 지표의 해석

구분	공식	설명
카이제곱 통계량 (Chi-square Statistic)	$\chi^2 = \sum_{i=1}^{k} \frac{(O_i - E_i)^2}{E_i}$ (k: 범주의 수, O_i: 실제 도수 E_i: 기대도수)	• 실제 분포와 기대(또는 가정된) 분포 간 차이를 나타내는 측정값 • 값이 클수록 부모 노드와 자식 노드 간 차이가 커짐
지니 지수 (Gini Index)	$G = 1 - \sum_{i=1}^{k} p_i^2$ (p_i: i번째 범주의 비율)	• 노드의 이질성(Diversity)을 측정 • 값이 클수록 이질적이며, 순수도(Purity)가 낮음 • 값이 작을수록 노드가 순수해짐
엔트로피 지수 (Entropy Index)	$Entropy(T) = -\sum_{i=1}^{k} p_i \log_2 p_i$ (p_i: i번째 범주의 비율)	• 데이터의 불확실성(Uncertainty)을 측정 • 값이 클수록 불확실성이 크고 순수도가 낮음 • 값이 낮을수록 노드가 순수해짐

7) 의사결정나무 알고리즘과 분류기준

- 의사결정나무는 목표변수의 유형(이산형/연속형)에 따라 적용되는 알고리즘과 분류기준이 달라진다.

(1) 이산형 목표변수(Classification Tree) 출제유형 CART 알고리즘의 특징

알고리즘	분류 기준	설명
CHAID	카이제곱 통계량(Chi-square)	• p-value가 가장 작아지는 방향으로 가지 분할 • 부모 노드와 자식 노드 간 차이가 클수록 좋은 분할
CART	지니 지수(Gini Index)	• 값이 작아지는 방향으로 가지 분할 • 지니 지수 값이 클수록 이질적이며, 순수도(Purity)가 낮음
C4.5, C5.0	엔트로피 지수(Entropy Index)	• 값이 작아지는 방향으로 가지 분할 • 불확실성이 낮을수록 순수도가 높음

(2) 연속형 목표변수(Regression Tree)

알고리즘	분류 기준	설명
CHAID	ANOVA F-통계량	• F 통계량이 커지고 p-value가 작아지는 방향으로 가지 분할 • 집단 간 차이가 클수록 좋은 분할
CART	분산 감소량 (Variance Reduction)	• 분산 감소량이 커지는 방향으로 가지 분할 • 자식 노드에서 분산이 줄어들수록 좋은 분할

8) 의사결정나무의 장·단점 〔출제유형〕 의사결정나무의 장점

장점	• 구조가 단순하여 해석이 용이하다. • 중요한 입력변수 파악이 가능하며, 변수 간 상호작용 및 비선형성을 고려할 수 있다. • 선형성, 정규성, 등분산성 등의 수학적 가정을 요구하지 않는 비모수적 모형이다. • 계산 비용이 낮아 대규모의 데이터셋에서도 비교적 빠르게 연산이 가능하다. • 수치형 변수와 범주형 변수를 모두 처리할 수 있다.
단점	• 분류 기준값의 경계 근처에 위치한 자료에 대해 예측 오차가 커질 수 있다. • 로지스틱 회귀와 달리 각 예측변수의 효과(계수)를 명확히 해석하기 어렵다. • 데이터에 약간의 변화가 있어도 트리 구조가 크게 바뀔 수 있고, 과대적합 위험이 존재한다.

기출유형 개념잡기

41 의사결정나무의 분리기준에 대한 설명 중 적절하지 않은 것은? [27회 출제]
① 카이제곱 통계량의 p값이 가장 작은 예측변수와 그때의 최적 분리에 의해 자식마디를 형성한다.
② 엔트로피 지수가 가장 작은 예측변수와 이때의 최적 분리에 의해 자식마디를 형성한다.
③ 지니 지수를 크게 하는 예측변수와 그때의 최적 분리에 의해 자식마디를 선택한다.
④ 분산의 감소량을 최대화하는 기준의 최적 분리에 의해 자식마디를 형성한다.
정답 ③
해설 지니 지수를 감소시켜 주는 예측 변수와 그때의 최적 분리에 의해 자식 마디를 선택한다.

5 앙상블 모형(Ensemble Model)

1) 정의

- 앙상블 모형(Ensemble Model)은 **여러 개의 분류 모형을 결합**하여 종합적인 결과를 도출함으로써 **예측의 정확도와 안정성을 높이는 방법**이다.
- 이는 적절한 표본 추출법을 사용해 데이터에서 여러 개의 훈련용 데이터 집합을 생성하고, 각 데이터 집합에서 분류기를 학습한 뒤 그 결과를 결합(앙상블)하는 방식으로 수행된다.

- 대표적인 **앙상블 방법**에는 배깅(Bagging), 부스팅(Boosting), 그리고 스태킹(Stacking) 등이 있다.

2) 앙상블 모형의 종류

(1) 배깅(Bagging, Bootstrap Aggregating) 출제유형 배깅의 정의

- 배깅은 Bootstrap Aggregating의 준말로, 원래의 데이터 집합에서 크기가 동일한 표본을 여러 번 단순 임의 복원추출하여 각각의 붓스트랩 표본(Bootstrap Sample)을 만든다.
- 각 붓스트랩 표본마다 분류기(Classifier)를 학습하고, **이들의 예측 결과를 종합(보통 다수결 또는 평균)하여 최종 예측**을 수행한다.
- **복원추출 방식**이므로 동일한 데이터가 한 표본에 여러 번 포함될 수 있으며, 반대로 어떤 데이터는 한 번도 선택되지 않을 수 있다.
- 배깅은 편향(Bias)이 작고 분산(Variance)이 큰 모델(예 결정나무)에 적용했을 때 효과적이다.
- 모든 개별 모델은 **동일한 학습 알고리즘(예 결정트리)**을 사용하지만, 서로 다른 데이터 샘플에 대해 학습하기 때문에 **독립적이고 다양한 예측기**를 생성한다.
- 이러한 학습 과정은 **병렬적으로 수행**될 수 있어 계산 효율성을 높이며, 결과적으로 안정적이고 강력한 예측 성능을 제공한다.

① **붓스트랩 방법(Bootstrap Method)**
  - 주어진 표본 데이터를 모집단처럼 취급하고, 그로부터 복원추출 방식으로 더 작은 표본(붓스트랩 샘플)을 여러 번 뽑아낸다.
  - 각 붓스트랩 샘플로부터 통계량(예 평균, 분산)을 계산하여 표집분포(Sampling Distribution)를 추정한다.
  - 적은 데이터로도 모집단의 분포를 근사할 수 있으며, 추정의 신뢰성을 높일 수 있다.

② **붓스트랩 샘플의 크기와 Out-of-Bag(OOB)**
  - 훈련 표본에 대해 Bootstrap을 적용하면, 각 붓스트랩 샘플은 **전체 훈련 데이터의 약 63.2%**를 포함하게 된다.
  - **반대로 약 36.8%의 데이터는 한 번도 추출되지 않으며,** 이를 Out-of-Bag(OOB) 샘플이라 부른다.
  - OOB 샘플은 훈련에 사용되지 않았으므로 **검증 데이터(Validation Set)**로 활용할 수 있다.

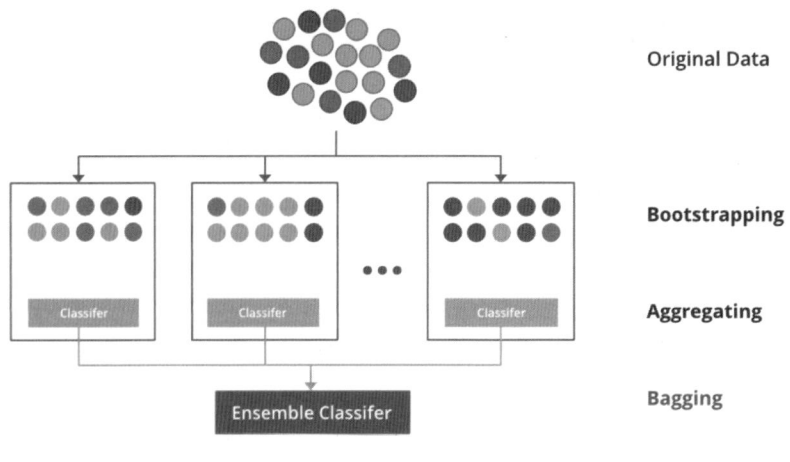

배깅 개념

(2) 부스팅(Boosting) 출제유형 부스팅의 정의

- **부스팅(Boosting)**은 기본적으로 배깅과 유사한 절차를 따르지만, 표본을 추출하는 과정에서 차이가 있다.
- **배깅**은 모든 자료에 **동일한 확률을 부여**하여 **복원추출을 수행**하는 반면, **부스팅은 분류가 잘못된 데이터에 더 큰 가중치(Weight)를 부여하여 다음 단계의 학습 표본을 구성**한다.
- 이 과정을 반복함으로써 이전 단계에서 **잘못 분류된 데이터가 다음 단계에서 더 잘 학습**되도록 유도한다.
- 대표적인 알고리즘은 AdaBoost(Adaptive Boosting)로, 가장 널리 사용되는 부스팅 기법 중 하나이다.
- 부스팅의 핵심은 **여러 개의 약한 분류기(Weak Classifier)를 순차적**으로 학습시키고, 각 분류기의 성능에 따라 가중치를 조정하여, 최종적으로 강력한 분류기(Strong Classifier)를 만드는 것이다.
- 배깅이 분산을 줄이는 데 초점이 있다면, **부스팅은 편향(Bias)을 줄이는 효과**가 크다.
- 개별 학습기가 서로 의존적(Dependent)이며, 학습이 누적되어 최종적으로 강력한 분류기를 형성한다.

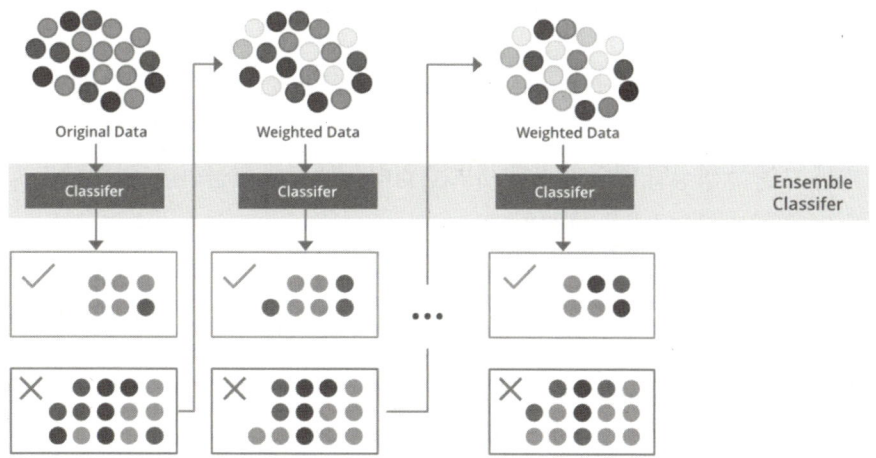

부스팅 개념

(3) 랜덤 포레스트(Random Forest) 출제유형 랜덤 포레스트의 정의

- 랜덤 포레스트(Random Forest)는 **배깅(Bagging)에 무작위(Random) 과정을 추가**한 방법이다.
- 원자료로부터 복원 추출한 데이터로 여러 개의 트리를 형성한다는 점에서는 배깅과 유사하다.
- 하지만 각 노드에서 분할(Split)을 만들 때 **모든 예측 변수 전체를 고려하지 않고, 변수의 일부를 무작위로 선택**한 뒤 그 안에서 최적의 분할을 찾는데, 이는 **트리 간 상관성을 줄이고 다양성을 확보**함으로써 분산을 낮추고 일반화 성능을 향상하기 위함이다.

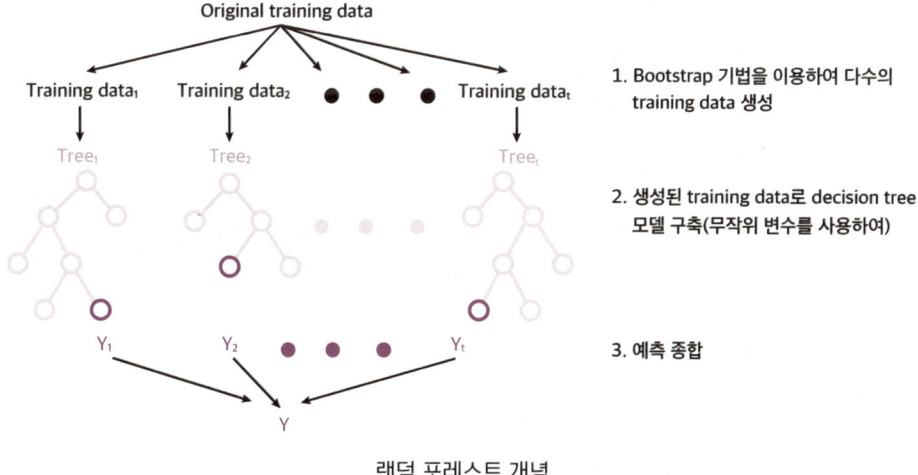

랜덤 포레스트 개념

4) 스태킹(Stacking) 출제유형 스태킹의 정의

- 스태킹(Stacking)은 **서로 다른 학습 알고리즘을** 사용하는 여러 기본 모델(Base Models)을 결합하여 예측 성능을 향상하는 앙상블 기법이다.
- 각 기본 모델이 생성한 **예측 결과를 새로운 입력 데이터로 활용**하여, 이를 다시 학습하는 메타 모델(Meta Model)을 구성한다.
- 메타 모델은 여러 기본 모델의 장점을 결합해 최적의 조합을 찾아내며, 단순 평균이나 다수결 **방식(보팅)보다 더 정교한 방식으로 예측 성능을 개선**할 수 있다.

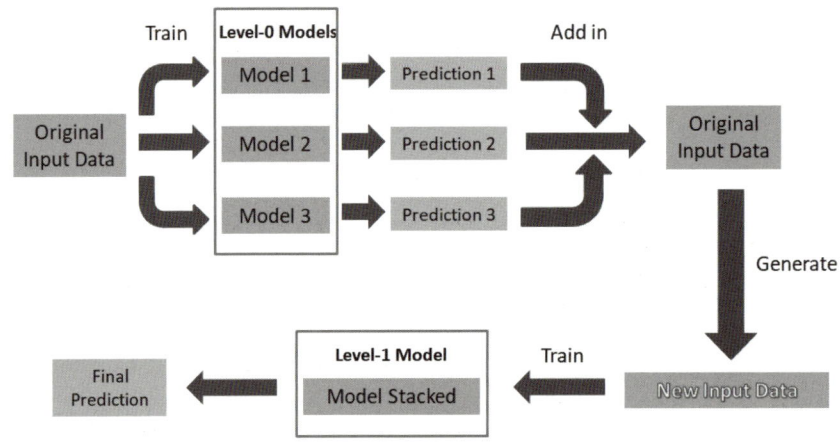

스태킹 개념

기출유형 개념잡기

42 원 데이터 집합으로부터 크기가 같은 표본을 여러 번 단순 임의 복원추출하여 부트스트랩 표본을 구성하는 과정에서, 분류가 잘못된 데이터에 더 큰 가중치를 주어 표본을 추출하는 방법은 무엇인가?

[34회 출제]

① 배깅(Bagging) ② 보팅(Voting)
③ 스태킹(Stacking) ④ 부스팅(Boosting)

정답 ④

해설 부스팅(Boosting)은 이전 분류기의 학습 결과를 토대로 잘못 분류된 데이터에 더 큰 가중치를 부여하여 다음 분류기를 학습시키는 방법이다.

6 ▶ 서포트 벡터 머신(SVM, Support Vector Machine)

1) 정의

- 서포트 벡터 머신(SVM)은 고차원 공간에서 데이터를 가장 잘 구분하는 **최적의 초평면을** 찾아 **분류와 회귀를 수행하는 지도학습 모델**이다.
- 주로 이진 분류(Binary Classification)에 활용되며, 새로운 데이터가 어느 범주에 속할지를 예측하는 **비확률적 선형 분류기**이다.
- 데이터가 **선형적으로 구분**할 수 있으면 **선형 SVM**, 그렇지 않으면 **커널 함수(Kernel Function)를 이용한 비선형 SVM**을 적용한다.
- 직관적으로, 데이터를 군집별로 가장 잘 분리하는 초평면을 찾을 때 가장 가까운 훈련 데이터와의 거리를 **마진(Margin)**이라 한다.
- 마진이 클수록 안정적인 분류가 가능하며, 가장 큰 마진을 갖는 초평면을 분류기로 선택하면 새로운 데이터에 대한 오분류 가능성이 최소화된다.

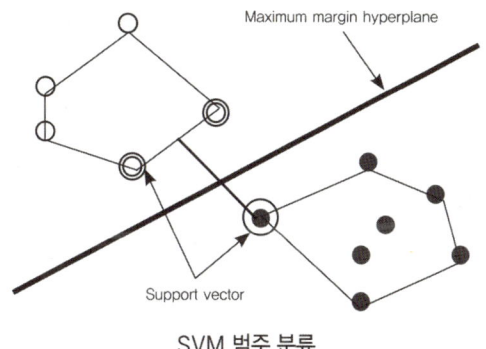

SVM 범주 분류

2) 서포트 벡터 머신의 장·단점

장점	• 비선형데이터도 커널 트릭을 이용해 분류가 가능하다. • 인공신경망(ANN)에 비해 상대적으로 과적합(Overfitting) 위험이 적다. • 마진을 최대화하는 원리로 인해 일부 이상치나 노이즈 데이터의 영향을 덜 받는다.
단점	• 적절한 커널 함수와 하이퍼파라미터를 선택하지 않으면 성능이 크게 저하될 수 있다. • 데이터셋 크기가 매우 클 경우 학습 시간이 오래 걸리고, 계산 비용이 많이 든다.

7. 나이브 베이즈 분류모형

1) 정의

- 나이브 베이즈 분류(Naive Bayes Classification) 모형은 **베이즈 정리(Bayes' Theorem)**에 기반한 확률적 분류 기법이다.
- 새로운 데이터의 분류는 사후 확률(Posterior Probability)이 가장 큰 집단으로 배정하는 방식으로 이루어진다.
- 이 과정에서 **변수 간의 조건부 독립(Conditional Independence)을 가정**하여 사후확률 계산을 단순화한다.

2) 나이브 베이즈 분류의 장·단점

장점	• 지도학습 환경에서 매우 효율적으로 훈련할 수 있으며, 분류에 필요한 파라미터를 추정하기 위한 training data가 매우 적어도 사용할 수 있다. • 다중 클래스(Multi-class) 문제에서도 쉽고 빠른 예측이 가능하다.
단점	• 실제 데이터에서 변수들이 서로 독립이 아닐 경우, 가정이 위반되어 예측 성능이 저하될 수 있다.

8. K-NN(K-Nearest Neighbors)

1) 정의

- K-NN 분류 모형은 새로운 데이터가 주어졌을 때, 그와 가장 가까운(유사한) K개의 과거 데이터를 찾아 다수결로 분류하는 방법이다.
- 사전에 별도의 분류 모형을 학습하지 않고, 단순히 과거 데이터를 저장해 두었다가 필요할 때 새로운 데이터와 비교하여 분류하는 방식이다.
- 반응변수가 범주형(categorical)일 경우에는 분류(classification), 연속형(numerical)일 경우에는 회귀(regression)에 활용할 수 있다.

2) K-NN 알고리즘의 이해

- K-NN은 별도의 복잡한 학습 절차가 거의 없기 때문에, 새로운 데이터가 들어올 때 기존 데이터와의 거리를 계산하여 이웃을 선정한다.
- 예를 들어, 새로운 데이터(별표)가 주어졌을 때 K=3이면, 주변 이웃 3개 중 다수가 속한 Class B로 분류된다.
- K=6이면, 이웃 6개 중 다수가 속한 Class A로 분류된다.

3) K 값의 크기 출제유형 KNN의 특징

- K 값의 크기는 분류 경계에 직접적인 영향을 미친다.
- **K가 작을 때는** 국소적인 데이터 분포에 민감하게 반응하여 경계선이 불규칙하고 복잡해져 **과대적합(Overfitting) 위험**이 커진다.
- **K가 클 때는** 더 넓은 범위의 데이터를 고려하므로 경계선이 매끄럽고 단순해져 **과소적합(Underfitting) 가능성**이 있다.

4) K-NN 장·단점

장점	• 데이터의 분포에 대한 가정(정규성, 선형성 등)이 필요하지 않다. • 사전 학습 과정이 필요 없어, 새로운 데이터 입력 시 바로 적용 가능하다.
단점	• K 값의 선택에 따라 성능이 크게 달라진다. • 새로운 데이터가 들어올 때마다 모든 훈련 데이터와의 거리를 계산해야 하므로, 데이터셋이 클 경우 계산 비용이 매우 크다.

기출유형 개념잡기

43 K-NN 알고리즘에 대한 설명으로 적절하지 않은 것은? [34회 출제]

① K-NN 알고리즘은 모형을 미리 만들지 않고, 새로운 데이터가 들어오면 그때부터 계산하기 때문에 게으른 학습(Lazy Learning)이라고도 한다.
② K-NN 알고리즘에서 거리를 측정할 때는 보통 유클리드 거리(Euclidean Distance)를 사용한다.
③ K는 새로운 데이터를 분류할 때 참고하는 가장 가까운 이웃의 수를 의미한다.
④ K가 클수록 과대적합이 발생한다.

정답 ④

해설 K가 커질수록 더 많은 이웃을 고려하므로 경계선이 단순해지고 안정적인 분류가 가능하지만, 이는 과소적합(Underfitting)으로 이어질 수 있다.

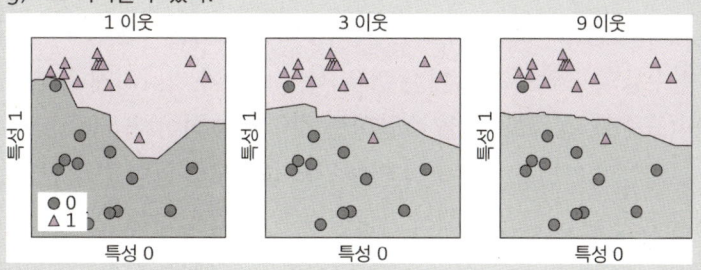

04 군집분석(Clustering)

학습목표
- 계층적 군집분석과 비계층적 군집분석의 특징을 이해한다.
- 데이터의 유형(연속형, 명목형, 순서형)에 따른 거리 측정 방법을 숙지한다.
- K-means, EM, SOM 등 주요 알고리즘의 개념, 절차, 장단점을 학습한다.
- 군집 타당성 지표를 통해 결과를 평가할 수 있다.

출제경향 및 중요도
① 계층적 군집분석 vs 비계층적 군집분석 ★
② 계층적 군집의 거리 측정 방법 ★★
③ 연속형, 명목형, 순서형 거리 개념 ★
④ K-means 알고리즘 ★
⑤ EM 알고리즘(Expectation-Maximization) ★
⑥ SOM(Self-Organizing Map) vs 인공신경망 ★
⑦ 군집분석 타당성 지표 ★

1 군집분석

1) 정의

- 군집분석(Clustering)은 집단이나 범주에 대한 **사전 정보가 없는 경우**, 주어진 관측값을 바탕으로 전체 데이터를 몇 개의 **유사한 집단으로 분류**하고, 각 집단의 특성을 파악하기 위한 기법이다.

2) 군집분석의 데이터 특성 〔출제유형〕 군집분석의 특징

- 군집분석에 사용되는 다변량 자료는 별도의 **반응변수(종속변수)를 요구하지 않으며**, 개체 간의 **유사성(Similarity) 또는 거리(Distance)를 기준**으로 군집을 형성한다.
- 데이터 변수들의 단위가 서로 다른 경우, 특정 변수가 지나치게 큰 영향을 미치지 않도록 **스케일링(표준화, 정규화 등)을 수행하는 것이 필수적**이다.
- 적절한 스케일링 기법을 선택하면 **변수 간의 중요도를 균형 있게 반영**할 수 있으며, 이를 통해 **왜곡 없는 군집 결과와 해석 가능성 높은 분석 결과**를 도출할 수 있다.
- 군집분석은 데이터의 숨겨진 구조를 발견하여 **탐색적 분석(Exploratory Analysis), 세분화(Segmentation), 패턴 인식(Pattern Recognition)** 등에 널리 활용된다.

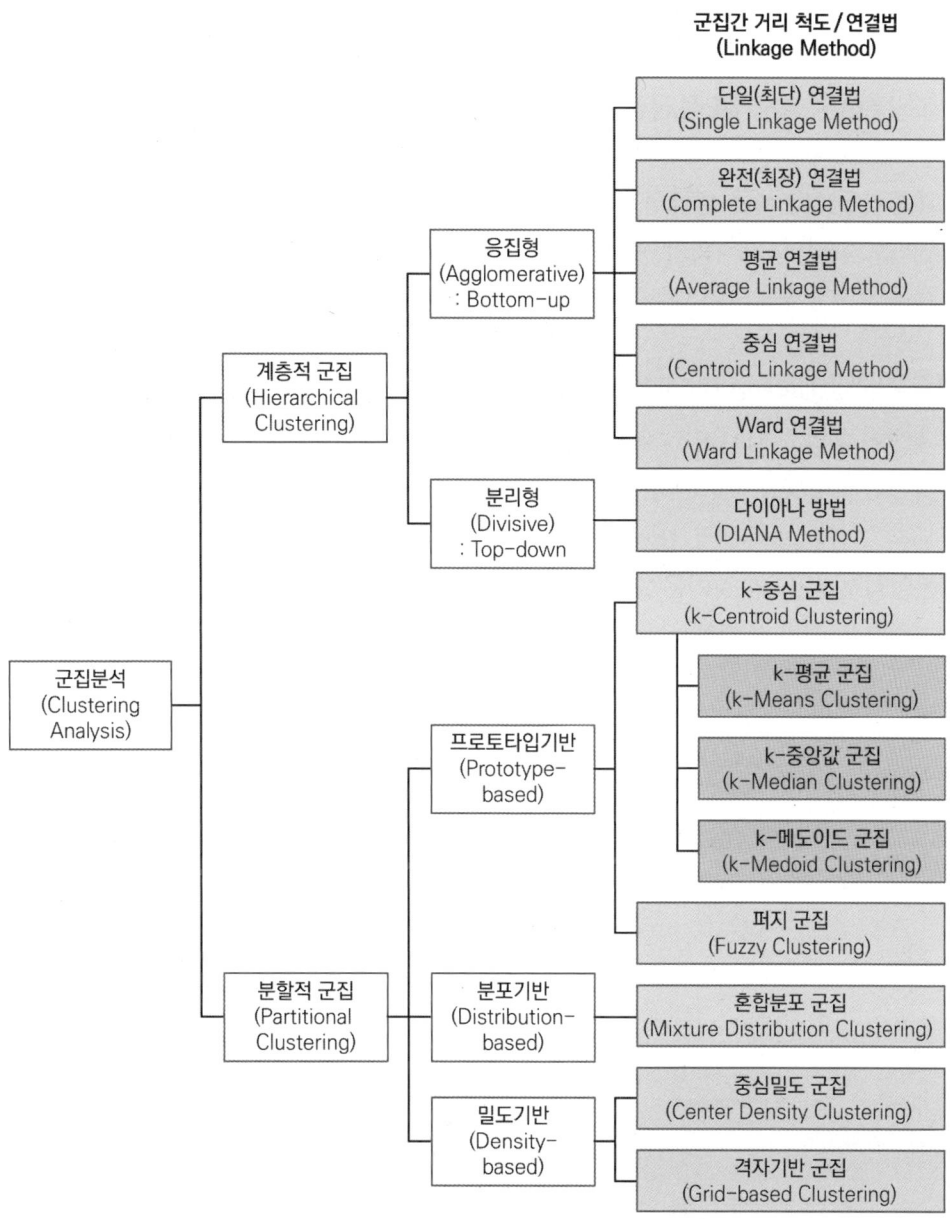

군집분석의 유형과 알고리즘 분류

2 군집분석의 종류

- 군집분석은 크게 **계층적 군집분석과 분할적 군집(Partitional Clustering, 비계층적 군집)** 분석으로 구분된다.
- **계층적 군집분석은 병합적·분할적 방법을 통해** 군집을 단계적으로 형성하며, **결과를 덴드로그램으로 시각화할 수 있다.** 반면, **비계층적 군집분석은 K-means, K-medoids와 같은 기법을 활용하여** 데이터를 **사전에 정한 K개의 군집으로 직접 분할**한다.

1) 계층적 군집(Hierarchical Clustering) 〔출제유형〕 계층적 군집의 특징

- 계층적 군집은 데이터 간의 **유사성을 단계적**으로 분석하여 군집을 형성하는 방법이다.
- **병합적 방법(Agglomerative)은** 각 개체를 하나의 군집으로 시작하여, 유사성이 가장 높은 군집부터 차례로 합쳐 나가는 방식이다.
- **분할적 방법(Divisive)은** 모든 개체를 하나의 군집으로 시작하여, 이질성이 큰 부분을 기준으로 점차 분할해 나가는 방식이다.

병합적(응집형)과 분할적(분리형)방법

- 분석 결과는 덴드로그램(Dendrogram)으로 시각화할 수 있어 계층적 구조를 파악하기 용이하다.
- **장점은** 군집의 개수를 **사전에 지정할 필요가 없다**는 점이며, **단점은** 데이터 규모가 커질수록 **계산량이 급격히 증가**한다는 점이다.

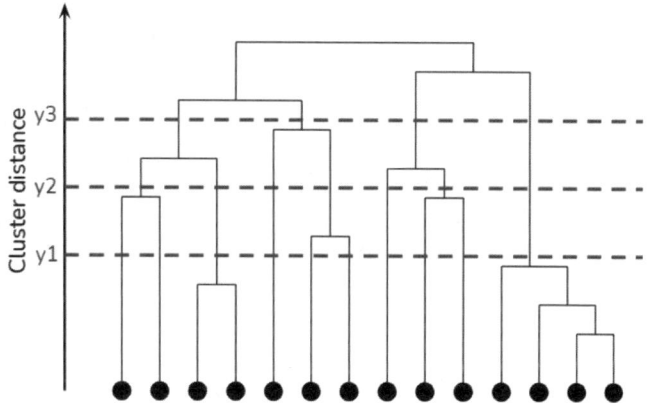

(1) 덴드로그램의 해석 〔출제유형〕 덴드로그램의 해석

- 덴드로그램(dendrogram)의 세로축은 군집 간 병합 높이, 즉 비유사도(distance)를 의미한다.
- 이 값이 클수록 서로 유사하지 않은 군집이 합쳐진다는 뜻이다.
- 분석 과정에서 특정 높이에서 수평선을 그어 잘라내면, 해당 높이 기준으로 군집이 형성되며, 잘라내는 위치에 따라 군집의 개수와 크기가 달라진다.
- 위 그림에서 y3 수준의 점선을 기준으로 덴드로그램을 절단하면, 전체 데이터는 **4개의 큰 군집으로 구분**된다.

(2) 계층적 군집(Hierarchical Clustering)의 특성

① **지역적(Local) 최적화**
- 계층적 군집은 단계별 병합을 통해 군집을 형성한다.
- 이때 각 단계에서 선택되는 병합·분할은 당시 기준에서 가장 적합한 선택(지역적 최적)일 뿐, **전체 데이터 구조를 고려한 전역적 최적해(Global Optimum)를 보장하지 않는다.**
- 따라서 초기 단계에서의 결정이 잘못되면 이후 단계에서 수정할 방법이 없다.

② **군집 이동 불가**
- 병합적 방법(Agglomerative)에서는 한 번 어떤 개체가 특정 군집에 속하면, 이후 **다른 군집으로 이동할 수 없다.**
- 즉, 초기 병합 결과가 이후 단계에서 다시 바뀌지 않기 때문에 경로 의존적(path dependent)이다.

(3) 계층적 군집의 거리 측정 방법 📌 출제유형 계층적 군집의 병합 방법

- 계층적 군집분석에서는 **군집 간 거리를 어떻게 정의**하느냐에 따라 병합 절차가 달라지며, 그 대표적인 측정 방법은 다음과 같다.

군집방법	거리 측정 비교	두 군집 사이의 거리
단일 연결법 또는 최단 연결법 (single linkage)	최단거리	• 두 군집 간 거리를 각 군집에서 하나씩 선택한 점들의 거리 중 가장 짧은 값으로 정의한다. • 이 방법은 군집 간 연결이 연속적으로 이어지기 때문에 결과적으로 사슬(chain) 형태의 군집 구조가 나타날 수 있다. • 주로 고립된 군집을 식별하는 데 유용하지만, 군집의 형태가 지나치게 길게 늘어지는 단점이 있다.
완전 연결법 또는 최장 연결법 (complete linkage)	최장거리	• 두 군집 간 거리를 각 군집에서 하나씩 선택한 관측값들의 거리 중 최댓값으로 정의한다. • 동일 군집에 속한 관측치는 이 최대 거리보다 짧으므로, 결과적으로 군집 내부의 응집성을 높이는 데 중점을 둔 방법이다. • 단일 연결법에 비해 보다 조밀하고 균형 잡힌 군집을 형성하지만, 이상치(outlier)에 민감할 수 있다.
평균 연결법 (average linkage)	평균거리	• 두 군집 간 거리를 서로 다른 두 군집에 속한 모든 관측치 쌍의 거리의 평균으로 정의한다. • 단일 연결법(최단)과 완전 연결법(최장) 사이의 절충적 성격을 지녀, 사슬 효과는 줄이고 과도한 조밀화도 완화한다. • 거리의 평균을 사용하므로 계산량이 증가할 수 있다.
중심 연결법 (Centroid Linkage)	중심거리	• 두 군집 간 거리를 각 군집의 중심점(centroid) 간 거리로 정의한다. • 새로운 군집이 형성될 때 중심점은 기존 군집들의 크기에 비례한 가중 평균으로 계산된다.
와드 연결법 (ward linkage)		• 두 군집 간 거리를, 이들을 병합했을 때 발생하는 군집 내 오차제곱합의 증가량으로 정의한다. • 군집 내 분산을 최소화하는 방향으로 병합이 이루어지므로, 응집력이 높고 크기가 균형 잡힌 군집을 형성하는 데 유리하다.

(4) 계층적 군집의 거리 📌 출제유형 계층적 군집의 거리 정의

- 계층적 군집분석은 두 개체(또는 군집) 간의 거리(비유사성)를 기반으로 군집을 형성하므로, **거리 정의가 매우 중요**하다. 자료 유형에 따라 적용되는 대표적 거리 측정 방법은 다음과 같다.

① 연속형 변수

구분	종류	공식	설명
수학적 거리	유클리드 (Euclidian) 거리	$d(x,y) = \sqrt{\sum_{i=1}^{n}(x_i - y_i)^2}$	• 각 좌표축에서 차이를 제곱해 합한 뒤 제곱근을 취하여 계산한다.
	맨하튼 (Manhattan) 거리	$d(x,y) = \sum_{f=1}^{p}|x_i - y_i|$	• 각 차원에서 차이의 절댓값을 모두 더하여 거리를 계산한다. • 유클리드 거리보다 이상치(outlier)에 덜 민감하다.
	민코프스키 (Minkowskii) 거리	$d(x,y) = \left[\sum_{i=1}^{n}|x_i - y_i|^m\right]^{1/m}$ m이 정수가 아니어도 되지만 반드시 1보다 커야 함	• 유클리드 거리와 맨해튼 거리를 일반화 한 거리 척도로, 지수 m 값을 조정하여 다양한 형태의 거리를 계산할 수 있다. • m=1일 때 맨하튼 거리와 같음 • m=2일 때 유클리드 거리와 같음
통계적 거리	표준화 (Standardized) 거리	$d(i,j) = \sqrt{(x_i - x_j)'D^{-1}(x_i - x_j)}$ $D = diag(S_{11}, \cdots, S_{pp})$: 표본분산 (대각) 행렬	• 변수의 측정 단위를 표준화한 거리
	마할라노비스 (Mahalanobis Distance) 거리	$d(i,j) = \sqrt{(x_i - x_j)'S^{-1}(x_i - x_j)}$ $S = (S_{ij})_{p \times p}$: 표본 공분산 행렬	• **변수의 표준화와 함께 변수 간의 상관성 (분포형태)을 동시에 고려한 통계적 거리**

② 명목형 변수

거리	정의
단순 일치 계수 (Simple Matching Coefficient)	• $\frac{\text{매칭된 속성의 개수}}{\text{속성의 개수}}$ • 전체 속성 중에서 일치하는 속성의 비율
자카드(jaccard) 계수	• $J(A,B) = \frac{|A \cap B|}{|A \cup B|}$ • 두 집합 사이의 유사도를 측정하는 방법 • 0과 1 사이의 값을 가지며 두 집합이 동일하면 1의 값, 공통의 원소가 하나도 없으면 0의 값을 가짐

③ 순서형 변수

거리	내용
순위상관계수 (Rank Correlation Coefficient)	• 순서형 자료(ordinal data)의 경우, 관측치 간 거리를 직접 측정하기보다는 순위(ranking)를 기준으로 유사성을 계산한다. • 가장 대표적인 방법이 스피어만 순위상관계수(Spearman's rank correlation coefficient)이다. $$\rho = 1 - \frac{6\sum_{i=1}^{n} d_i^2}{n(n^2-1)}$$ • χ_i : 관측치 • d_i : i번째 데이터 순위 차

④ 기타 거리 개념

거리	정의
캔버라 거리 $d(x,y) = \sum_{i=1}^{p} \frac{|x_i - y_i|}{(x_i + y_i)}$	• 맨해튼 거리(절댓값 차이의 합)를 변형한 형태로, 각 좌표에서의 차이를 두 값의 합으로 나누어 가중치를 부여한 거리 척도이다.
체비셰프 거리 (Chebyshev distance) $d(x,y) = \max |x_i - y_i|$	• 두 점 사이의 각 좌표 차이 중에서 가장 큰 값을 거리로 정의하는 방법이다. • 유클리드 거리(대각선)나 맨해튼 거리(축을 따라 이동)와 달리, 체비셰프 거리는 "가장 큰 축의 차이"로만 측정한다.
코사인 유사도 (Cosine Similarity)	• 두 벡터가 이루는 각도의 코사인 값으로 유사성을 측정한다. • 1: 완전히 같은 방향, 0: 직교(방향 무관), −1: 정반대 방향 • 코사인 유사도는 방향 기반 유사성으로, 크기 차이를 배제하고 벡터 간 구성의 유사함을 평가할 때 적합하다.

(5) 계층적 군집분석의 장·단점 [출제유형] 계층적 군집의 장점과 단점

장점	• 덴드로그램(dendrogram)을 통해 군집 형성 과정을 시각적으로 표현할 수 있어 설명과 해석이 용이하다. • **군집 수를 사전에 명시할 필요가 없으며**, 데이터 구조를 탐색적으로 파악하는 데 적합하다.
단점	• 데이터의 규모가 커질수록 계산량이 급증하여 속도가 느리다. • 이상치(outlier)에 민감하여 군집 결과가 왜곡될 수 있다. • **한 번 군집이 형성되면 군집에 속한 개체는 다른 군집으로 이동할 수 없다.**

2) 비계층적 군집분석

(1) K-평균 군집(K-means Clustering)

- K-평균 군집은 **사전에 원하는 군집 수(K)를 지정**한 후, 초기 군집 중심을 설정하고 각 개체를 가장 가까운 중심에 할당하여 군집을 형성한다.
- 이후 각 군집의 평균값을 다시 계산해 군집 중심을 갱신하며, 이 과정을 반복하여 최종적으로 K개의 군집을 완성하는 방법이다.

(2) K-means 알고리즘 원리 및 절차

① k-means 알고리즘의 원리
- 군집 내의 제곱합(Within-Cluster Sum of Squares, WCSS)을 최소화하는 방향으로 개체들을 군집화한다.

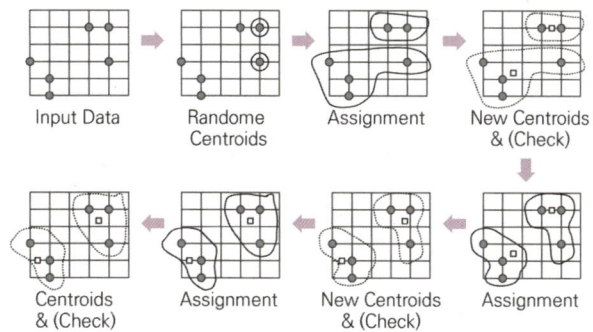

② K-means 알고리즘 절차 `출제유형` K-means 프로세스의 순서
- **단계1**: 초기 군집 중심(centroid)으로 K개의 점을 임의로 선택한다.
- **단계2**: 각 개체를 가장 가까운 군집 중심에 할당한다.
- **단계3**: 각 군집에 속한 개체들의 평균을 계산하여 새로운 군집 중심을 갱신한다.
- **단계4**: 군집 중심의 변화가 더 이상 없을 때까지 단계2와 단계3을 반복한다.

(3) K-means의 장·단점 `출제유형` K-means 장점과 단점

장점	• 알고리즘이 단순하고 계산 속도가 빨라 **대규모 데이터 처리에 적합**하다. • 관찰치 간의 거리 계산이 가능한 연속형 데이터에 주로 적용되며, 다양한 형태의 데이터에도 활용할 수 있다. • 데이터의 사전 정보 없이도 유의미한 구조를 발견할 수 있는 탐색적 분석이 가능하다.
단점	• 잡음이나 **이상치에 민감하다는 단점**을 보완하기 위해, 평균 대신 **대표 객체(medoid)를 군집의 중심으로 사용하는 K-medoids 알고리즘**을 적용할 수 있다. • k-mean 분석 전에 이상값을 제거하는 것도 좋은 방법이다. • 군집의 수 K를 사전에 지정해야 하는 한계가 있다. • 데이터 구조가 U자형(비구형) 군집일 경우 성능이 저하된다.

3 군집분석의 타당성(정량적) 지표

- 군집분석은 지도학습과 달리 정답(목표변수)이 존재하지 않기 때문에, 단순 정확도(Accuracy)와 같은 일반적인 평가지표로 성능을 측정하기 어렵다.
- 따라서 **군집 타당성 지표를 활용**하여 **군집 결과의 적절성·안정성·유용성을 평가**한다.
- 이때 평가는 크게 **정량적 지표(Validity Index)와 시각·휴리스틱 기반 방법, 안정성 검증 방법**으로 나눌 수 있다.

1) 정량적 지표(Quantitative Indices)

(1) Dunn Index

- 군집 간 거리의 최소값을 분자, 군집 내 최대 지름(내부 거리)을 분모로 하여 계산하는 지표
- **군집 간 거리가 멀수록(분자 ↑)** 그리고 **군집 내 응집도가 높을수록(분모 ↓)** Dunn Index 값은 증가한다.
- 따라서 **Dunn Index가 클수록** 군집이 서로 뚜렷하게 분리되고 내부적으로 밀집된, 즉 양질의 군집 구조를 의미한다.

(2) 실루엣 계수(Silhouette Coefficient) 〔출제유형〕 실루엣 계수의 정의

- 각 데이터 포인트가 속한 **군집 내부에서는 얼마나 가깝게 모여 있는지**, 그리고 **다른 군집과는 얼마나 멀리 떨어져 있는지를 동시에 평가**하는 지표
- 값의 범위: $-1 \sim +1$
- 1에 가까울수록 군집이 잘 형성됨
- 0은 군집 경계에 위치
- 음수는 잘못된 군집화 가능성을 의미
- 평균 실루엣 계수가 0.5 이상이면 군집 결과가 타당하다고 본다.

2) 시각·휴리스틱 기반 방법(Visual & Heuristic Methods)

(1) 엘보우 기법(Elbow Method) 〔출제유형〕 엘보우 기법의 정의

- K-means에서 군집 수(K)에 따른 군집 내 제곱합(WCSS)의 변화를 그래프로 나타내어, 기울기 감소가 급격히 완화되는 지점(팔꿈치)을 적절한 군집 수로 선택한다.

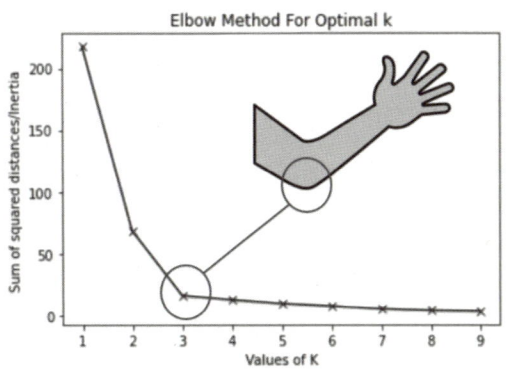

엘보우 기법을 이용한 최적 K 값 선택

(2) 덴드로그램 컷(Dendrogram Cut)
- 계층적 군집분석에서 덴드로그램을 특정 높이에서 절단하여 군집 수를 결정한다.
- 군집 수 결정뿐 아니라 데이터의 계층적 구조 해석에도 유용하다.

3) 안정성 검증 방법(Stability Validation Methods)

(1) 교차 타당성(Cross-validation) 출제유형 교차 타당성의 개념
- 데이터를 무작위로 두 부분(A, B)으로 분할하여 각각 군집분석을 수행한 뒤, 전체 데이터로 얻은 결과와 비교한다.
- 부분 집합과 전체 결과가 유사하다면 군집 결과가 재현 가능성이 높고 안정적이라 판단할 수 있다.
- 정량적 지표나 시각적 방법만으로 부족할 때, 결과의 신뢰성을 보강하는 검증 절차로 활용된다.

> **기출유형 개념잡기**
>
> **44** 군집분석의 평가 지표로, 군집의 밀집 정도를 평가하는 군집화 타당성 지표를 무엇이라 하는가?
>
> [29회 출제]
>
> ① 실루엣 계수 ② 혼동행렬
> ③ 이익도표   ④ 향상도 곡선
>
> 정답 ①
>
> 해설 실루엣 계수는 군집이 얼마나 효율적으로 형성되었는지를 직관적으로 보여주는 대표적인 군집화 타당성 지표이다.

기출유형 개념잡기

45 두 군집 사이의 거리를 군집에서 하나씩 관측값을 선택했을 때 나타날 수 있는 거리의 최소값으로 정의하며, 고립된 군집을 찾는 데 중점을 두는 군집 방법은 무엇인가? [29회 출제]

① 최단 연결법(Single Linkage)
② 최장 연결법(Complete Linkage)
③ 평균 연결법(Average Linkage)
④ 와드 연결법(Ward's Method)

정답 ①

해설 • 최단연결법은 두 군집 간 거리를 서로 다른 군집의 관측치 쌍 중 가장 짧은 거리로 정의한다.
 • 이 방법은 군집 간 연결이 사슬(chain) 형태로 이어지는 특징을 가지며, 고립된 군집을 탐지하는 데 유리하다.

기출유형 개념잡기

46 비계층적 군집분석 방법인 K-means 군집분석의 수행 순서는 무엇인가? [22회 출제]

가) 초기 군집의 중심으로 K개의 객체를 임의로 선택한다.
나) 각 자료를 가장 가까운 군집 중심에 할당한다.
다) 각 군집 내 자료들의 평균을 계산하여 군집 중심을 갱신한다.
라) 군집 중심의 변화가 거의 없을 때까지 단계 ②와 ③을 반복한다.

① 가 → 나 → 다 → 라
② 나 → 가 → 다 → 라
③ 다 → 나 → 가 → 라
④ 라 → 가 → 나 → 다

정답 ①

해설 K-means 알고리즘은 (1) 초기 중심 선택 → (2) 데이터 할당 → (3) 중심 갱신 → (4) 수렴 시까지 반복 순서로 수행된다.

4 혼합분포 군집(Mixture Model Clustering)

1) 모형기반 군집 방법(Model-based Clustering)

- 데이터를 여러 개의 확률 분포(모형)의 혼합으로 가정하고, 각 분포가 하나의 군집을 나타낸다고 보는 방법. 즉, "데이터는 K개의 분포에서 생성되었을 것이다"라는 확률적 모형에 기반해 군집을 수행한다.
- **혼합분포 군집(Mixture Model Clustering)은 모형기반(model-based) 군집 방법**으로, 데이터가 k개의 모수적 분포(정규분포 또는 다변량 정규분포)의 가중합으로부터 생성된다고 가정한다.
- 이때 **각 분포는 하나의 군집에 해당**하며, **개별 데이터는** k개의 모형 중 어떤 모형에서 발생할 확률이 높은가에 따라 **군집에 분류된다.**

2) EM 알고리즘 [출제유형] EM 알고리즘의 정의 및 로그가능도 해석

- 아래 그림과 같이, 혼합분포 군집은 예를 들어 A 군집과 B 군집이 섞여 있는 형태로 표현될 수 있다.
- EM 알고리즘은 E-step → M-step을 반복하면서 로그가능도(log-likelihood)를 점차 증가시키는 방식으로 모수를 추정한다.
- 예를 들어, 2회 반복 만에 로그가능도 함수가 최대에 도달했다는 것은 EM 알고리즘의 **파라미터 갱신이 두 번 만에 최적화가** 이루어졌고, 그에 따라 **더 이상의 군집 변화가 없다는 것을 의미**한다.

(1) 초기화 단계

- K-평균 군집과 유사하게 랜덤하게 초기값을 설정한다.

(2) E-step(Expectation 단계)

- 각 관측치가 특정 군집(A 또는 B)에 속할 확률을 계산한다. 이때 각 자료가 어느 집단에 속하는지 알려주는 변수를 잠재변수(latent variable)라 한다.

(3) M-step(Maximization 단계)

- E-step에서 계산된 확률을 바탕으로 최대우도추정(MLE)을 통해 각 군집의 모수(평균, 분산 등)와 가중치를 갱신한다.
- E-step과 M-step을 반복 수행하며, 모수의 값이 더 이상 변하지 않을 때 수렴했다고 판단한다.

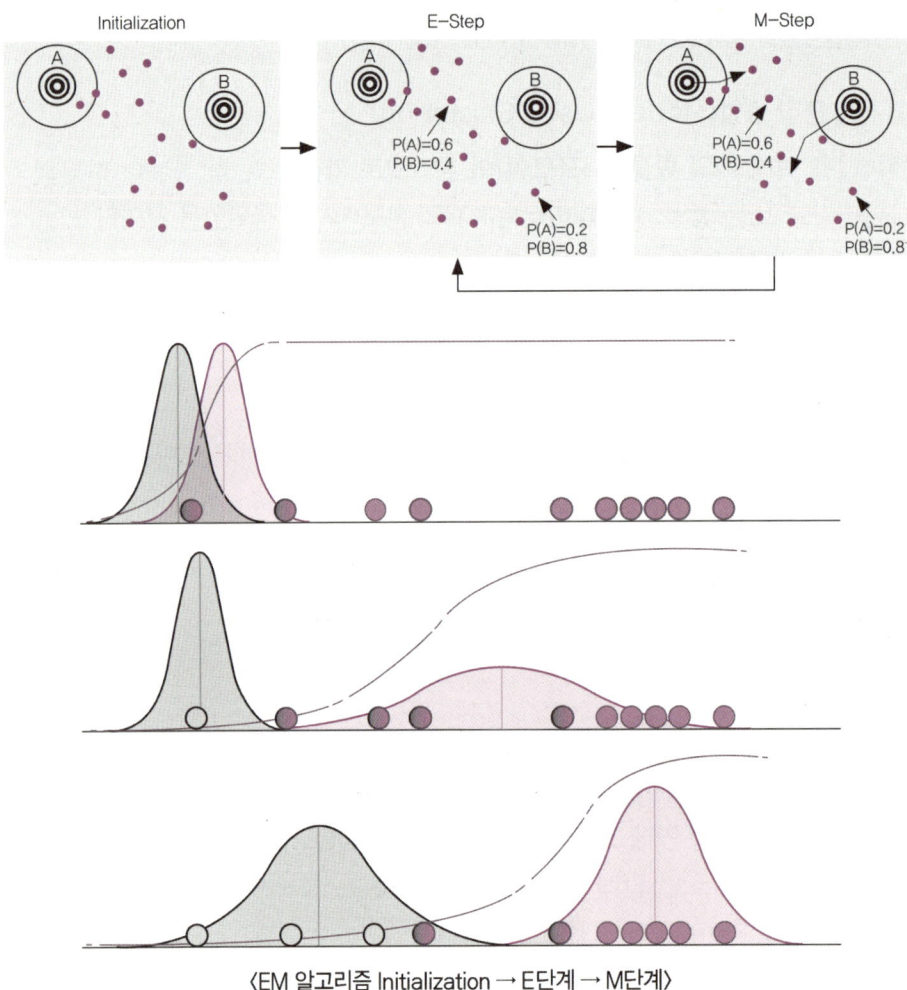

〈EM 알고리즘 Initialization → E단계 → M단계〉

3) 혼합분포 군집의 장·단점

장점	• K-평균 군집의 절차와 유사하지만, 확률분포 기반으로 군집을 수행하므로 통계적 해석이 가능하다. • 군집을 몇 개의 모수(평균, 분산, 혼합비율 등)로 요약할 수 있으며, 서로 다른 크기·모양의 군집을 효과적으로 탐지할 수 있다. • 혼합분포 군집 알고리즘은 데이터 포인트의 소속 확률을 제공하므로, 이를 활용해 이상치(outlier) 탐지 기법으로도 응용할 수 있다.
단점	• EM 알고리즘을 통한 모수 추정 과정에서, 데이터 규모가 클 경우 수렴(convergence)에 많은 시간이 소요될 수 있다. • 군집의 크기가 지나치게 작으면 모수 추정의 정확성이 저하되거나 추정 자체가 어려울 수 있다. • K-평균 군집과 마찬가지로 이상치에 민감하므로, 분석 전에 적절한 전처리(이상치 제거 또는 완화)가 필요하다.

> **기출유형 개념잡기**
>
> **47** 혼합분포 군집은 모형기반의 군집 방법으로, 데이터가 K개의 모수적 모형의 가중합으로 표현되는 모집단 모형으로부터 생성되었다고 가정한다. 이때 K개의 각 모형은 하나의 군집을 의미하며, 혼합모형에서 모수와 가중치를 최대가능도 추정하는 데 사용되는 알고리즘은 무엇인가? [27회 출제]
>
> ① 역전파 알고리즘
> ② 전방패스 알고리즘
> ③ EM 알고리즘
> ④ 탐욕적 알고리즘
>
> **정답** ③
>
> **해설** 혼합모형에서는 각 관측치의 군집 소속 확률을 계산하는 E-step과 그 확률로 모수·혼합비율을 최대가능도로 갱신하는 M-step을 수렴할 때까지 반복하므로, 이를 수행하는 알고리즘이 EM 알고리즘이다.

5 SOM(Self-Organizing Maps, 자기조직화지도)

1) 정의 〔출제유형〕 SOM 정의

- **SOM(Self-Organizing Map)** 또는 **SOFM(Self-Organizing Feature Map)**은 **인공신경망(ANN)의 한 종류**로, 1980년대 핀란드의 Teuvo Kohonen 교수가 제안한 Kohonen Network에 기반한다.
- **차원 축소(dimensionality reduction)와 군집화(clustering)를** 동시에 수행할 수 있는 기법으로, 입력 벡터를 훈련 집합과 유사하게 만들도록 뉴런의 가중치를 조정하는 **자율학습(Unsupervised Learning) 방법**이다.
- SOM은 **2차원 격자 형태의 뉴런(Neuron Grid)에 기초**하여, 데이터의 고차원 구조를 직관적으로 시각화할 수 있다.

2) SOM의 경쟁 학습 원리

- 입력 벡터가 네트워크에 반복적으로 제시되면, 뉴런들은 출력값을 내기 위해 서로 경쟁한다.
- 입력 벡터와 가장 가까운 가중치를 가진 뉴런만이 **승자 뉴런(BMU, Best Matching Unit)**이 되어 학습한다.
- 승자 뉴런뿐만 아니라 주변 이웃 뉴런(neighboring neurons)도 함께 가중치가 갱신되며, 이를 통해 격자 구조에서 데이터의 공간적·위상적 관계가 보존된다.

3) SOM과 ANN(인공신경망)의 차이  인공신경망과의 차이

(1) 구조 차이
- ANN: 계층(layer) 기반의 연속적 구조
- SOM: 2차원 격자(grid) 형태의 뉴런 구조

(2) 학습 방식 차이
- ANN: 역전파 알고리즘(backpropagation)을 사용하여 오차를 줄이는 방향으로 학습
- SOM: 한 번의 전방 전달(feedforward flow)만으로 연산하며, 속도가 빠름

(3) 학습 기법의 차이
- ANN: 지도 학습(Supervised Learning)
- SOM: 비지도 학습(Unsupervised Learning)

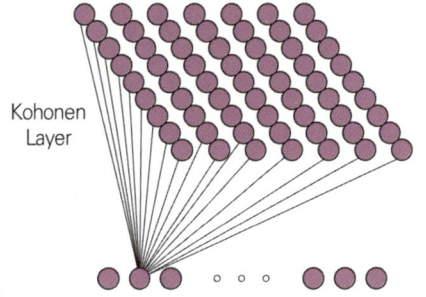

SOM 구조

4) SOM의 학습 절차(SOM Process)
① SOM 맵의 각 노드에 대해 초기 연결 강도(가중치)를 설정한다.
② 입력 벡터와 경쟁층 노드 간의 유클리드 거리를 계산하고, 입력 벡터와 가장 가까운 노드를 승자 뉴런(BMU, Best Matching Unit)으로 선택한다.
③ 선택된 승자 뉴런과 그 주변 이웃 노드들의 가중치를 입력 벡터 방향으로 갱신한다.
④ 위 과정을 반복하면서 연결 강도는 입력 패턴과 점차 유사해지고, 최종적으로 경쟁층에서는 승자 뉴런이 명확히 구분되어 나타난다.

5) 자기조직화지도(SOM)의 장·단점

장점	• 구조가 단순하고 연산 속도가 빨라 실시간 학습 처리가 가능하다. • 여러 단계의 피드백이 아닌 단일 전방 패스(feedforward flow)를 통해 효율적으로 학습이 이루어진다.
단점	• 주로 수치형 데이터에만 직접 적용 가능하다. • 범주형 자료는 반드시 더미 변수(가변수) 변환 과정을 거쳐야 하며, 이 과정에서 정보 손실이나 해석의 복잡성이 발생할 수 있다.

> **기출유형 개념잡기**
>
> **48** SOM(Self-Organizing Map)의 정의로 적절하지 않은 것은? [35회 출제]
> ① 입력층과 출력층으로 구성되어 있다.
> ② 한 개의 입력층과 한 개의 출력층을 가진다.
> ③ 입력층과 출력층이 부분 연결되어 있다.
> ④ 뉴런들은 승자 뉴런이 되기 위해 경쟁하고 오직 승자만이 학습한다.
> 정답 ③
> 해설 SOM은 하나의 입력층과 하나의 출력층으로 구성되며, 두 층은 완전 연결(fully connected) 구조를 가진다.

6 밀도기반 군집(Density-Based Clustering)

1) 개요

- 밀도기반 군집은 데이터 **밀도가 높은 영역에 속하는 점들을 동일한 군집**으로 묶는 방식이다.
- **거리기반 군집** 방법(K-means 등)은 일반적으로 **구형(spherical) 군집**만 잘 탐지할 수 있어 **임의의 형태를 가진 군집에는 한계**가 있다.
- 반면 밀도기반 군집은 임의의 형태를 가진 군집도 탐지 가능하다는 장점이 있으며, 대표적인 **알고리즘**으로 DBSCAN(Density-Based Spatial Clustering of Applications with Noise)이 있다.

2) DBSCAN의 장·단점   출제유형 DBSCAN의 장·단점

장점	• K-평균 군집과 달리 **군집 수를 사전에 지정할 필요가 없다.** • 임의의 형태를 가진 군집도 탐지할 수 있다. • 노이즈 데이터를 별도로 구분하여 이상치 탐지에 유용하다. • 필요한 파라미터는 단 2개(Eps, minPts)이며, 데이터 입력 순서에도 민감하지 않다.
단점	• 경계점(border point)은 두 군집 모두에 속할 수 있어 군집 경계가 불명확해질 수 있다.

05 연관분석(Association Analysis)

학습목표
- 연관규칙의 측정 지표(지지도, 신뢰도, 향상도 등)를 이해한다.
- 연관규칙의 장단점을 파악한다.

출제경향 및 중요도
① 연관규칙 측정 지표 ★★★
② 연관규칙의 장·단점 ★★
③ Apriori 알고리즘 분석 절차 ★

1) 연관규칙의 개념

- 연관규칙(Association Rule)이란 항목들 간의 관계를 '조건 → 결과' 형태로 표현한 유용한 패턴을 의미한다. 이러한 **패턴이나 규칙을 발견하는 과정을 연관분석(Association Analysis)**이라 하며, 흔히 **장바구니 분석(Market Basket Analysis)**이라고도 한다.
- 예를 들어, 미국의 한 대형마트에서는 기저귀를 구매하는 고객이 맥주를 함께 구매하는 경향이 있다는 연관규칙을 발견하였다. 이를 활용해 기저귀와 맥주를 나란히 진열한 결과, 매출 증대 효과를 얻을 수 있었다.

2) 연관규칙의 측정 지표

- 연관규칙 분석에 사용되는 데이터는 판매 시점(Point-of-Sale)에서 기록된 거래(transaction)와 품목(item)에 관한 정보를 기반으로 한다.
- 이때 특정 고객의 신상 정보(성별, 나이, 인구통계학적 특성 등)는 필수적이지 않다. 즉, **누가 구매했는지보다는 어떤 품목이 함께 구매되었는지에 초점이 맞춰진다.**
- 연관분석을 통해 생성된 규칙을 이해하는 것은 비교적 간단하다.
- 그러나 모든 규칙이 의미 있는 것은 아니므로, **도출된 규칙의 타당성과 유용성을 평가할 필요**가 있다.
- 이를 위해 사용되는 대표적인 평가지표(measure)가 있으며, 대표적으로 **지지도(Support), 신뢰도(Confidence), 향상도(Lift)** 등이 있다.

📌 출제유형 연관분석 측정 지표 계산 문제 및 향상도의 해석

용어	개념 및 수식
지지도 (Support)	• 전체 거래 중 항목 A와 B를 동시에 포함하는 거래의 비율 $$P(A \cap B) = \frac{A와 B가 동시에 포함된 거래 수}{전체 거래 수}$$ • 지지도는 항목 A와 B가 동시에 발생하는 비율만 고려하기 때문에, 연관규칙 A→B와 B→A는 동일한 지지도를 가지며 두 규칙을 구분할 수 없다.
신뢰도 (Confidence)	• A가 발생했을 때 B도 발생할 조건부 확률 $$\frac{P(A \cap B)}{P(A)} = \frac{A와 B가 동시에 포함된 거래 수}{A를 포함하는 거래 수}$$
향상도 (Lift)	• 향상도는 A와 B가 동시에 발생한 실제 확률을, A와 B가 독립일 때 기대되는 동시 발생 확률로 나눈 값이다. $$\frac{P(B \mid A)}{P(B)} = \frac{(A와 B가 동시에 포함된 거래 수) \div (A를 포함하는 거래 수)}{(B를 포함하는 거래 수) \div (전체 거래 수)}$$ $$= \frac{(A와 B가 동시에 포함된 거래 수) \times (전체 거래 수)}{(A를 포함하는 거래 수) \times (B를 포함하는 거래 수)}$$ $$= \frac{신뢰도}{P(B)} = \frac{P(A \cap B)}{P(A) \times P(B)}$$ • 품목 A와 B가 독립적이라면 향상도는 1이 된다. • 향상도가 1보다 클수록 A와 B 사이의 연관성이 강해진다. • 향상도가 1보다 크면 양의 상관관계, 1보다 작으면 음의 상관관계를 의미한다.

3) Apriori 알고리즘 분석 절차 📌 출제유형 Apriori 알고리즘 분석 절차

① 최소 지지도(minimum support)를 설정한다.

② 개별 품목 중에서 최소 지지도를 만족하는 단일 품목 집합을 탐색한다.

③ ②에서 도출된 단일 품목을 조합하여, 최소 지지도를 만족하는 2-품목 집합을 탐색한다.

④ 위 절차에서 도출된 k-품목 집합을 이용하여, 최소 지지도를 만족하는 (k+1)품목 집합을 생성한다.

⑤ 이 과정을 반복하여 모든 빈발 품목 집합(frequent itemsets)을 탐색한다.

> **확대경** 연관규칙 알고리즘
>
> ① Apriori 알고리즘
> - 연관규칙 분석의 가장 대표적인 알고리즘으로 현재도 널리 활용된다.
> - 기본 개념은 데이터의 발생 빈도(frequency)를 기반으로 각 항목 간의 연관관계(association)를 규명하는 것이다.
> - 예 대형 마트에서 소비자의 구매 패턴을 분석할 때 적용 가능하다.
>
> ② FP-Growth 알고리즘
> - FP-Tree(Frequent Pattern Tree)라는 자료 구조를 활용하여 최소 지지도를 만족하는 빈발 아이템 집합을 탐색한다.
> - 후보 집합(candidate itemsets)을 직접 생성하지 않으므로, Apriori 알고리즘보다 연산 속도가 빠르고 계산 비용이 저렴하다.

4) 연관분석의 장·단점 [출제유형] 연관분석의 장·단점

장점	• 결과가 조건반응(if-then) 규칙으로 표현되므로 해석이 쉽다. • 데이터에 사전적인 목표변수가 없어도 적용할 수 있는 비목적성 탐색 기법이다. • 활용이 간편하고 직관적이며, 계산 과정도 상대적으로 단순하다.
단점	• 분석 대상 품목 수가 증가할수록 계산량이 기하급수적으로 증가한다. • 지나치게 세분된 품목을 사용하면 의미 없는 규칙이 다수 생성될 수 있다. • 거래 빈도가 낮은 품목은 규칙 생성 과정에서 쉽게 제외될 수 있다.

5) 순차 패턴 분석(Sequential Pattern Analysis) [출제유형] 순차 패턴 분석의 정의

(1) 개념

- **순차 패턴 분석은 시간적 순서를 고려한 연관규칙 분석 기법**으로, 고객의 구매 이력 데이터를 활용하여 품목 간의 순차적 관계를 발견한다.
- 예를 들어, 규칙 A → B는 "고객이 품목 A를 구매하면 일정 시점 후 품목 B도 구매할 가능성이 높다"는 의미로 해석할 수 있다.
- 따라서 순차패턴 분석을 수행하기 위해서는 각 고객별 거래 발생 시점 정보가 반드시 필요하다.

(2) 특징 및 활용

- 단순 동시 발생 규칙을 넘어, **시차(temporal) 연관규칙을 통해 원인과 결과의 시간적 흐름**을 규명할 수 있다.
- 이 기법은 다양한 분야에 적용 가능하며, 예를 들어 보건·의료 분야에서는 증상과 질환의 연관성을 규명하거나 동일 환자군에서의 부당 의료 서비스 탐지에 활용될 수 있다.

기출유형 개념잡기

49 연관규칙 학습에 대한 설명으로 잘못된 것은? [34회 출제]

① 너무 세분화된 품목을 대상으로 연관규칙을 찾으려 하면 의미 없는 분석 결과가 도출될 수 있다.
② 연관분석은 강력한 비목적성(non-targeted) 분석 기법이다.
③ 조건-반응(if-then) 형태로 표현되는 연관분석 결과는 이해하기 쉽다.
④ 세분화된 품목이 많아져도 계산은 복잡해지지 않는다.

정답 ④

해설 연관분석은 품목 수가 증가할수록 가능한 항목 집합(itemset)의 조합이 기하급수적으로 늘어나므로, 계산량 역시 급격히 증가한다.

기출유형 개념잡기

50 연관분석의 측정지표 중 전체 거래에서 품목 A와 품목 B가 동시에 포함된 거래의 비중을 나타내는 지표는 무엇인가? [30회 출제]

① 지지도(Support)
② 신뢰도(Confidence)
③ 향상도(Lift)
④ 향상도 곡선(Lift Curve)

정답 ①

해설 지지도(Support)는 전체 거래 중 특정 항목 집합(예 A와 B)이 함께 발생한 비율을 의미한다.

기출유형 개념잡기

51 아래의 거래 데이터에서 추출된 연관규칙 중 '콜라 → 맥주'의 향상도(Lift)는 얼마인가? [22회출제]

거래번호	판매 상품
1	소주, 콜라, 맥주
2	소주, 콜라, 와인
3	소주, 주스
4	콜라, 맥주
5	소주, 콜라, 맥주, 와인
6	주스

① 0.75   ② 1.00   ③ 1.25   ④ 1.50

정답 ④

해설
- (콜라)=4/6=0.667
- P(맥주)=3/6=0.5
- P(콜라∩맥주)=3/6=0.5
- Lift=Confidence/P(맥주)=0.75/0.5=1.5
- 따라서 콜라 구매자는 맥주를 구매할 가능성이 평균보다 1.5배 높다.

MEMO

MEMO

MEMO

MEMO

MEMO

MEMO

2026 ADsP 한 권으로 끝내기

초판 인쇄 2025년 9월 24일

지 은 이 | 김 계 철
발 행 인 | 김 계 철
발 행 처 | (주)에이아이 에듀
　　　　　서울특별시 강남구 영동대로 602, 6층 제이102(삼성동)
　　　　　전화 070-4007-1867
　　　　　홈페이지 www.adsp.co.kr
　　　　　이메일 emhu8640@gmail.com
등록번호 | 제2022-000048호

※ 잘못된 책은 교환해 드립니다.
※ 이책은 저작권법에 의해 보호를 받는 저작물이므로 무단전재와 복제를 금합니다.